D0551813

DIBS

DOCTEUR VIRGINIA AXLINE

DIBS

Développement
de la personnalité
grâce
à la thérapie
par le jeu

avec une introduction
de Léonard Carmichael

Traduit de l'américain
par Hélène Seyrès

FLAMMARION

Titre de l'ouvrage original :
DIBS : In search of self

Editeur original :
Houghton Mifflin Co.

Pour l'édition française :

Printed in France.

ISBN 2-08-081016-2

A la mémoire de ma mère

HELEN GRACE AXLINE

INTRODUCTION

Ce livre raconte comment un enfant profondément perturbé a pu développer une personnalité vigoureuse et saine.

Lorsque l'histoire commence, Dibs fréquente l'école depuis près de deux ans. Au début, il refusait de prononcer un seul mot. Il restait quelquefois muet et immobile pendant toute une matinée ou rampait par terre, ignorant la présence des autres enfants et des maîtresses. D'autres fois, il avait de violents accès de colère. Les maîtresses, le psychologue de l'école et le pédiatre attaché à l'établissement étaient désemparés. Cet enfant était-il arriéré ? Souffrait-il d'une maladie mentale profondément enracinée ? Son cerveau avait-il subi une lésion à la naissance ? Personne ne savait.

L'ouvrage donne le compte rendu de ce que l'auteur a si bien défini comme une « recherche de soi-même » telle que l'a entreprise ce petit être humain, si pathétiquement malade au début. A la fin de l'expérience, cet enfant, grâce à l'aide fort subtile et extrêmement habile du docteur Axline, est devenu un individu capable et brillant, un garçon qui a l'étoffe d'un chef.

L'auteur est très connu dans le monde de la psychologie pour ses contributions à la théorie et à la pratique de la thérapie par le jeu. Un précédent ouvrage intitulé : *La thérapie par le jeu — La dynamique interne de l'enfance,* lui a déjà gagné une vaste audience.

Dibs est un livre intéressant, qui passionnera le lecteur profane. Il sera lu avec plaisir et profit par tous les parents curieux de connaître les aspects prodigieux du développement mental de leurs enfants. Il se révélera utile aussi aux spécialistes qui se penchent sur les problèmes de l'enfance et de la vie mentale, normale ou perturbée.

L'enfant dont le comportement est décrit dans ce livre, paraît en effet, tout d'abord, très exceptionnel. Pourtant, les étudiants en psychologie et en psychiatrie savent depuis longtemps que bien des découvertes nouvelles concernant le processus mental normal et typique ou le développement mental sain, peuvent être faites à partir de l'étude des comportements différents et extrêmes tels qu'on peut les rencontrer chez les individus atypiques. Il ne faut pas oublier non plus que, historiquement, la psychologie moderne doit beaucoup à l'analyse détaillée de cas particuliers. A cet égard, il est bon de rappeler les premiers travaux de Freud et de Morton Prince.

Il ne fait pas de doute que l'un des grands problèmes de notre époque, où nous assistons à l'accroissement constant de la population et où la technologie prend une place toujours plus importante, est de comprendre les techniques grâce auxquelles on peut obtenir des transformations durables de la personnalité et du comportement. Or, *Dibs,* qui étudie précisément un changement dans une organisation mentale et un comportement, prend toute son importance dans ce contexte.

Le lecteur qui aura lu ce livre avec sympathie, ne pourra plus jamais se persuader que le développement psychologique humain, les succès scolaires ou l'acquisition d'un savoir-faire complexe, peuvent être obtenus uniquement par une répétition intentionnelle ou par l'insistance des réactions de types simples.

Une autre notion nouvelle que met en relief cet ouvrage est la découverte que la guérison vraiment profonde et réelle d'un enfant atteint de troubles affectifs, peut aider puissamment au redressement du comportement mental des parents.

Voilà bien un renversement de cet ancien truisme qui affirmait qu'un traitement réussi des parents est souvent la meilleure forme de thérapie pour un enfant perturbé.

Mais avant tout, *Dibs* est d'une lecture très agréable. Personnellement, j'ai trouvé ce livre aussi passionnant qu'un excellent roman policier.

LÉONARD CARMICHAEL,
Washington, D.C.

Le document que nous vous proposons est exceptionnel à divers titres, c'est le récit émouvant d'un sauvetage qui — de plus — nous fait assister à une thérapie mal connue des profanes car la vulgarisation est difficile dans ce domaine.

« La psychothérapie est le traitement des malades par les moyens psychiques, c'est-à-dire par la persuasion, l'émotion, la suggestion, la distraction, l'éducation, la foi et les prédications, en un mot par la pensée et tout ce qui s'y rattache. »

Ses indications sont considérables en neuropsychiatrie infantile, que l'on utilise activement les ressources de la psychanalyse qui met l'accent sur la primauté affective et l'action des facteurs inconscients, ou que l'on ait recours à d'autres techniques qui, tout en tenant compte également des données de la psychologie dynamique, font appel à des doctrines différentes.

Il en résulte des variations thérapeutiques : ainsi les psychothérapies pratiquées en Amérique (moins en France où l'on préfère les méthodes psychanalytiques classiques) selon la doctrine du docteur Rogers et de ses disciples. Ceux-ci utilisent la valeur constructive du jeu mais se refusent à interpréter, conseiller, orienter (au contraire des psychanalystes qui estiment cette intervention nécessaire à la cure) au profit d'une attitude de compréhension en vue d'une psychothérapie non directive.

On peut estimer que le traitement appliqué au petit Dibs relève de cette méthode.

Si nous le publions, ce n'est en aucun façon pour témoigner en faveur de cette méthode par rapport à d'autres, mais parce que le procédé étant beaucoup plus simple, il a été possible d'enregistrer toutes les séances sur magnétophone et de donner ainsi, avec certains commentaires de la psychothérapeute, un document authentique et complet, intéressant comme tel ; alors qu'un traitement psychanalytique pourrait être enregistré, mais la signification profonde des interventions resterait étrangère aux profanes.

Car il est évident que ce document, bien que scientifique, n'est cependant pas destiné aux spécialistes, mais au grand public, y compris parents ou éducateurs, qui ont à affronter ces problèmes, plus ou moins tragiquement et beaucoup plus souvent qu'on ne le pense.

Note de l'éditeur.

CHAPITRE PREMIER

C'était l'heure du déjeuner, l'heure de rentrer chez soi. Les enfants se bousculaient, bruyants et nonchalants comme toujours, près des vestiaires pour mettre leurs manteaux. Mais pas Dibs. Il s'était retiré dans un coin de la classe et s'était accroupi là, la tête basse, les bras serrés sur la poitrine. Il faisait semblant d'ignorer qu'il était temps de rentrer chez lui. Les maîtresses attendaient. Il se comportait toujours de la sorte lorsque sonnait l'heure de partir. Mlle Jane et Hedda donnaient un coup de main aux autres enfants, lorsque ceux-ci avaient besoin d'elles. Elles n'en observaient pas moins Dibs à la dérobée.

Les autres enfants sortaient de l'école au fur et à mesure que leurs mères venaient les chercher. Lorsque les maîtresses se retrouvèrent seules avec Dibs, elles échangèrent un regard et se tournèrent vers l'enfant qui était toujours blotti contre son mur.

— C'est son tour, dit Mlle Jane.

— Allons viens, Dibs... C'est l'heure de rentrer, l'heure d'aller manger, dit Hedda, d'une voix patiente.

Dibs ne fit pas un geste. Il était tendu au plus haut point et sa résistance n'était pas près de faiblir.

— Je vais t'aider à enfiler ton manteau, reprit Hedda.

Elle s'approcha lentement, le manteau à la main. Il ne leva pas la tête, mais se pressa un peu plus contre le mur, la tête enfouie dans les bras.

— Viens, Dibs, s'il te plaît. Ta maman sera bientôt là.

Sa mère arrivait toujours en retard. Elle devait espérer, sans doute, que la lutte pour lui mettre manteau et casquette serait terminée lorsqu'elle se présenterait et que Dibs accepterait de la suivre sans faire d'histoires.

Hedda était tout près de Dibs, à présent. Elle lui tapota l'épaule.

—Allez, viens, Dibs, lui dit-elle doucement. Tu sais qu'il est l'heure de partir.

Dibs se jeta sur elle comme une véritable petite furie. Il la martelait de ses poings, la griffait et tentait de la mordre, tout en hurlant :

— Pas aller à la maison ! Pas aller à la maison ! Pas aller à la maison !

C'était le même cri tous les jours.

— Je le sais bien, dit Hedda. Mais il faut pourtant que tu rentres chez toi pour le déjeuner. Tu veux bien devenir grand et fort, n'est-ce pas ?

Soudain, Dibs renonça. Il cessa de lutter contre Hedda. Il lui permit de faire glisser ses bras dans les manches du manteau, puis de le boutonner.

— Tu reviendras demain, dit Hedda.

Lorsque sa mère entra, Dibs la suivit, le visage dénué de toute expression, les joues inondées de larmes.

Parfois, la bataille durait plus longtemps et elle n'était pas achevée lorsque la mère arrivait. Dans ce cas, la mère envoyait le chauffeur pour chercher Dibs. L'homme était très grand et très fort. Il entrait dans la classe, emprisonnait Dibs dans ses bras et le portait jusqu'à la voiture, sans jamais prononcer la moindre parole. Quelquefois, Dibs hurlait pendant tout le trajet et martelait de ses poings la poitrine du chauffeur. En d'autres occasions, il se taisait brusquement et s'abandonnait, s'avouant battu. L'homme ne disait jamais rien à Dibs. Apparemment, il lui était parfaitement égal que Dibs résiste et hurle ou qu'il se taise brusquement et devienne entièrement passif.

Dibs fréquentait cette école privée depuis près de deux ans. Les maîtresses avaient fait de leur mieux pour établir un contact avec lui, obtenir de lui une réponse. Mais elles n'avaient eu qu'un succès bien relatif. Dibs paraissait décidé à tenir tout le monde à distance. C'est du moins ce que pensait Hedda. Il avait fait quelques progrès à l'école. Tout au début, il ne parlait pas et refusait de quitter sa chaise. Il demeurait là, muet, immobile, toute la matinée. Au bout de quelques semaines, il avait abandonné sa chaise pour se mettre à ramper à travers la pièce. Il semblait regarder quelques-uns des objets qui s'y trouvaient. Lorsqu'on s'approchait de lui, il se roulait en boule sur le sol et s'immobilisait. Il ne regardait jamais personne droit dans les yeux. Il ne répondait jamais lorsqu'on lui adressait la parole.

Dibs faisait preuve d'une assiduité exemplaire. Chaque jour, sa mère l'amenait en voiture. Parfois, c'était elle qui le faisait entrer, en le tenant par la main, le visage fermé, silencieux. D'autres fois, le chauffeur le portait dans ses bras et le déposait dès qu'il avait franchi la porte. L'enfant ne criait, ni ne pleurait jamais lorsqu'il arrivait à l'école. Abandonné près de la porte, Dibs demeurait sur place en gémissant. Il fallait que quelqu'un aille le chercher et le conduise jusqu'à sa classe. S'il portait un manteau, il ne faisait pas un geste pour l'enlever. L'une des maîtresses allait lui dire bonjour, le débarrassait de son vêtement, puis il était abandonné à lui-même. Les autres enfants étaient bientôt pris par quelque activité de groupe ou par une occupation individuelle. Dibs, lui, passait son temps à ramper tout autour de la pièce, se cachant sous les tables ou derrière le piano, regardant des livres des heures durant.

Il y avait quelque chose dans la conduite de Dibs qui interdisait à ses maîtresses de le classer rapidement, sans hésiter, puis de le laisser se débrouiller. Son comportement était trop inégal. A certains moments, il semblait être extrêmement retardé. A d'autres, il faisait rapidement et calmement certaines choses qui paraissaient indiquer qu'il était peut-être doté d'une très grande intelligence. S'il avait l'impression qu'on l'observait, il rentrait précipitamment dans sa coquille. La plupart du temps, il se traînait tout autour de la pièce en suivant les murs, se cachait sous les tables, se balançait d'arrière en avant et d'avant en arrière, mordillait le côté de sa main, suçait son pouce et s'allongeait, face contre terre, rigide, dès qu'une maîtresse ou un enfant essayait de le faire participer à quelque activité. C'était un enfant solitaire vivant dans un monde qui devait lui paraître froid et hostile.

Il avait parfois de violentes crises de colère, lorsque sonnait l'heure de rentrer chez lui ou lorsque quelqu'un tentait de le contraindre à faire quelque chose qu'il n'avait pas envie de faire. Les maîtresses avaient depuis longtemps décidé de toujours l'inviter à venir se joindre au groupe, mais de ne jamais le forcer à quoi que ce soit, à moins que cela ne se révèle absolument nécessaire. Elles lui offraient des livres, des jouets, des puzzles, tout ce qui pouvait présenter un quelconque intérêt pour lui. Il ne prenait jamais rien de la main à la main. Si l'objet était déposé sur une table ou sur le sol, près de lui, il s'en emparait un peu plus tard et l'examinait avec soin. Il ne refusait jamais un livre. Il se penchait des heures sur les pages imprimées, « comme s'il savait lire », disait Hedda.

Parfois, une maîtresse allait s'asseoir près de lui et racontait une histoire ou parlait d'un quelconque sujet, tandis que Dibs demeurait couché sur le ventre. Il ne s'éloignait jamais, mais il ne levait jamais non plus les yeux, ni ne manifestait d'intérêt. Mlle Jane avait souvent passé ainsi quelques instants auprès de Dibs. Elle parlait des objets qu'elle tenait entre ses mains en donnant des explications. Un jour, elle parlait des aimants et des principes de l'attraction magnétique. Une autre fois, c'était un morceau de roche peu ordinaire qu'elle examinait devant lui. Elle parlait de toutes sortes de sujets, espérant faire jaillir une étincelle d'intérêt. Elle disait qu'elle se sentait souvent complètement ridicule, comme si elle était assise là pour s'entendre parler toute seule. Pourtant, il y avait quelque chose dans l'attitude de l'enfant, qui lui donnait le sentiment d'être écoutée. Du reste, disait-elle volontiers, qu'avait-elle à perdre ?

Dibs déroutait donc complètement ses maîtresses. Le psychologue attaché à l'école l'avait examiné plusieurs fois et avait tenté de le soumettre à des tests, mais Dibs n'était pas prêt à être testé. Le pédiatre de l'école l'avait observé à diverses reprises, mais il n'avait pu que lever les bras au ciel pour exprimer son désespoir. Dibs se méfiait du médecin en blouse blanche et ne voulait pas le laisser s'approcher de lui. Il allait se plaquer contre le mur et levait les mains, « toutes griffes dehors », prêt à se battre si quelqu'un faisait mine de venir trop près de lui.

— C'est un enfant bizarre, avait déclaré le pédiatre. Qui sait ? Un enfant retardé ? Atteint d'une psychose ? ou d'une lésion au cerveau ? Qui peut s'approcher assez de lui pour découvrir ce qu'il a ?

Ce n'était pas une école pour enfants retardés ou perturbés, mais un établissement privé, très fermé, réservé aux enfants de trois à sept ans. Elle était installée dans une très belle et ancienne demeure de l'Upper East Side, à New York. Sa réputation attirait les parents fortunés d'enfants très intelligents.

La mère de Dibs avait beaucoup insisté auprès de la directrice pour que l'enfant y soit accepté. Elle avait usé de son influence auprès du Conseil d'Administration : la grand-tante de Dibs contribuait généreusement à l'entretien de l'école. A la suite de ces pressions, il avait été admis dans la section maternelle.

Les maîtresses avaient fait remarquer à plusieurs reprises que Dibs avait besoin de l'aide d'un spécialiste. Sa mère s'était toujours contentée de répéter : « Laissez-lui encore un peu de temps. »

Deux années s'étaient presque écoulées depuis son entrée à l'école, et, bien qu'il eût fait quelques progrès, les maîtresses estimaient que ceux-ci n'étaient pas assez marqués. Elles considéraient que dans l'intérêt même de Dibs, il ne fallait pas laisser traîner les choses plus longtemps. Elles pouvaient seulement espérer qu'il sortirait un jour de sa coquille. Chaque fois qu'elles échangeaient leurs impressions sur Dibs — et cela arrivait tous les jours — elles finissaient par s'avouer désarmées devant cet enfant. Après tout, il n'avait que cinq ans. Se pouvait-il qu'il fût conscient de tout ce qui se passait autour de lui et qu'il dissimulât soigneusement toutes ses réactions ? Il semblait lire les livres sur lesquels il se penchait pendant des heures entières. Mais cette idée même était ridicule, se disaient-elles. Il était impossible qu'un enfant sût lire, alors qu'il était incapable de s'exprimer oralement. Un enfant aussi complexe pouvait-il être un retardé mental ? Son comportement ne semblait pas l'indiquer. Vivait-il dans un monde qu'il s'était créé ? Faisait-il de l'autisme ? N'avait-il aucun contact avec la réalité ? Pourtant, il leur semblait bien souvent que son monde devait avoir plutôt une réalité presque écrasante — un monde de tourments et de souffrances.

Le père de Dibs était un savant connu — un homme brillant, disait-on, mais personne, à l'école, ne l'avait jamais rencontré. Dibs avait une petite sœur. Sa mère prétendait que Dorothy était « extrêmement intelligente » et que c'était « une enfant parfaite ». Dorothy ne fréquentait pas cette école-ci. Hedda l'avait aperçue un jour, avec sa mère à Central Park. Dibs n'était pas avec elles. Hedda avait raconté aux autres maîtresses qu'à son avis, « Dorothy, cette enfant parfaite », n'était qu' « une gosse pourrie ». Hedda éprouvait beaucoup de sympathie pour Dibs, aussi admettait-elle volontiers qu'il y avait certainement une part de préjugés dans son jugement sur Dorothy. Hedda faisait confiance à Dibs et croyait qu'un jour, il sortirait de la prison de peur et de colère dans laquelle il était enfermé.

Le conseil de classe avait finalement décidé qu'il fallait faire quelque chose au sujet de Dibs. Certains parents d'élèves s'étaient déjà plaints de sa présence à l'école — surtout après qu'il eut griffé ou mordu des enfants.

Ce fut à ce point de son histoire que l'on me pria d'assister à une réunion organisée pour examiner les problèmes de Dibs. Je suis psychologue clinicienne, spécialisée dans les problèmes des rapports entre parents et enfants. C'est au cours de cette réunion que j'entendis parler de Dibs pour la première fois et tout ce que j'ai écrit jusqu'ici me fut rapporté alors par les maîtresses, le psychologue de l'école et le pédiatre. On me demanda si j'accepterais de voir Dibs et sa mère, puis de communiquer mon opinion au personnel enseignant avant que soit prise la décision de renvoyer Dibs de l'école, décision qui était un constat d'échec.

Cette réunion avait lieu à l'école. J'écoutais avec intérêt toutes les interventions et fus frappée par l'impression que la personnalité de Dibs avait laissée à tous. Ils se sentaient frustrés et continuellement mis au défi par l'inégalité de son comportement. Il n'y avait de consistant, chez lui, que son rejet hostile, son attitude de refus à l'égard de tous ceux qui voulaient l'approcher. Il était manifestement malheureux et ses souffrances troublaient ces personnes sensibles, qui percevaient bien le froid glacial et la désolation de son univers.

— J'ai eu une entrevue avec sa mère, la semaine dernière, me dit Mlle Jane. Je l'ai prévenue que selon toutes probabilités, nous allions être obligées de le renvoyer, étant donné que nous estimions avoir fait tout ce qui était en notre pouvoir pour l'aider et que tous nos efforts s'étaient révélés insuffisants. Elle m'a paru bouleversée. Mais c'est une femme si difficile à comprendre ! Elle a consenti à nous laisser faire appel à un spécialiste afin d'essayer une dernière fois de porter un jugement sur lui. Je lui ai parlé de vous au sujet de Dibs et de vous autoriser à venir l'observer ici. Puis elle a déclaré que si nous refusions de le garder plus longtemps, elle aimerait que nous lui donnions le nom d'une institution pour déficients mentaux. Elle m'a dit qu'elle et son mari avaient fini par accepter l'idée que leur enfant était probablement retardé ou qu'il avait des lésions cérébrales.

Cette dernière remarque indigna Hedda.

— Elle préférerait croire que son enfant est retardé plutôt que d'admettre qu'il souffre peut-être tout simplement de troubles affectifs dont elle est responsable ! s'écria-t-elle.

— Il semble qu'il nous soit bien difficile de rester objectifs à l'égard de cet enfant, dit Mlle Jane. Je crois bien que c'est la raison pour laquelle nous l'avons gardé aussi longtemps, raison qui nous a fait également tant vanter les maigres progrès qu'il a pu accomplir. Nous ne pouvions supporter de le renvoyer sans avoir pris un peu sa défense auparavant. Nous n'avons jamais pu évoquer le cas de Dibs sans qu'interviennent nos réactions émotionnelles, tant à son égard qu'à celui de ses parents. Et nous ne sommes même pas certaines que notre attitude à l'égard de ses parents soit vraiment justifiée.

— Moi, je suis convaincue qu'il est prêt à sortir de son silence, reprit Hedda. Je ne crois pas qu'il puisse conserver sa cuirasse beaucoup plus longtemps.

Il y avait manifestement quelque chose dans cet enfant qui avait capté leur intérêt, ému leur sensibilité. Je sentais la compassion que tous éprouvaient pour ce petit. Je sentais aussi l'effet que produisait sa personnalité. Je me rendais compte, enfin, que nous avons douloureusement conscience de nos limites, lorsqu'il s'agit de définir en termes clairs, concis, immuables, toutes les complexités d'une personnalité donnée. Mais je pouvais sentir le respect que tous les participants de cette réunion éprouvaient pour cet enfant.

On décida que je ferais avec Dibs une série de séances, de thérapie par le jeu — si ses parents en acceptaient le principe. Nous n'avions aucun moyen de savoir quel rôle cela pourrait jouer dans l'histoire de Dibs.

CHAPITRE II

Sortons à nouveau dans la nuit, où la lumière adoucie efface les contours nets de la réalité et jette sur le monde environnant un voile bienveillant. A présent, rien n'est plus tout noir ou tout blanc. Impossible de reconnaître que « c'est ainsi », parce qu'il n'y a pas la lumière éblouissante d'une évidence sans équivoque, qui permette de voir une chose *comme elle est* et de *connaître toutes les réponses*. Le ciel assombri laisse de plus en plus de place aux jugements tempérés, à la suspension des accusations, à l'émotion. Vu sous cette lumière, ce qui *est* semble avoir tant de possibilités que tout ce qui paraissait définitif, devient ambigu. Là, le bénéfice du doute peut croître et survivre assez longtemps pour contraindre à des considérations sur l'étendue et les limites des jugements humains. Car, lorsque les horizons s'élargissent ou se rétrécissent à l'intérieur d'une personne, des tiers ne sauraient mesurer les distances. La compréhension naît de l'expérience personnelle, qui permet à un individu de voir et de sentir de façon si variée et si pleine de significations changeantes que la conscience de soi devient le facteur déterminant. Là, l'on peut admettre plus facilement que les éléments d'un monde mal défini jaillissent de nos pensées personnelles, nos attitudes, nos émotions, nos besoins. Il est peut-être plus facile de comprendre que même si nous n'avons pas une connaissance suffisante pour énumérer les raisons qui motivent la conduite d'une autre personne, nous pouvons être sûr que chaque être humain *possède* son monde particulier, tout chargé de significations qui lui sont propres, un monde né de l'intégrité et de la dignité de sa personnalité.

Au sortir de cette réunion, j'emportai un sentiment d'intérêt pour cet enfant et un vif désir de le rencontrer. Je refusai à mon tour de reconnaître l'échec et d'abandonner tout espoir avant d'avoir tenté une fois encore — encore et toujours et une dernière fois encore — d'ouvrir la porte que de tels problèmes dressent en face de nos réponses encore inadéquates. Nous ne savons pas résoudre les problèmes complexes qui se posent dans le domaine de la santé mentale. Nous savons que nombre de nos impressions sont fragiles. Nous nous rendons compte de l'importance de l'objectivité, de l'étude systématique, effectuée dans le calme. Nous savons que la recherche est une combinaison fascinante d'intuitions, de spéculations, de subjectivité, d'imagination, d'espoirs et de rêves qui se mêlent étroitement aux faits rassemblés objectivement et liés, eux, à la réalité d'une science mathématique. Les uns, sans les autres, sont insuffisants. Ensemble, ils permettent d'avancer pas à pas sur la route de la vérité, que l'on cherche patiemment, où qu'elle puisse se trouver.

Ainsi, j'allais bientôt rencontrer Dibs. J'irais à l'école et je l'observerais au milieu du groupe des autres enfants de la classe. Ensuite, je tenterais de le voir seul. Puis je me rendrais chez lui pour avoir un entretien avec sa mère. Nous fixerions ensemble les rendez-vous et les heures auxquelles auraient lieu les autres rencontres, puisque je voulais voir l'enfant dans la salle de jeu du Centre d'Observation des Enfants. Ensuite, on verrait.

Nous cherchions tous une solution à un problème et nous savions bien que cette expérience supplémentaire ne nous permettrait que d'entrevoir de façon fugitive ce qu'était la vie privée de cet enfant. Nous ne savions pas ce que l'aventure apporterait à Dibs. C'était un effort de plus pour tenter de saisir un fil qui, en se déroulant, découvrirait peut-être quelque nouvel aspect susceptible d'enrichir notre connaissance.

Comme je descendais l'East River Drive, je songeais aux nombreux enfants que j'avais rencontrés — des enfants qui étaient malheureux, parce qu'ils avaient tous été frustrés dans leurs tentatives de se forger une personnalité qu'ils pussent revendiquer avec dignité — des enfants incompris, mais qui s'efforçaient sans relâche de devenir de véritables personnes, des êtres indépendants.

Nés de sentiments projetés, de pensées, des fantaisies de l'imagination, de rêves ou d'espoirs, de nouveaux horizons s'ouvraient pour chacun d'eux. J'avais connu des enfants que leurs craintes et leurs angoisses avaient submergés et qui, par autodéfense, se battaient contre un monde qui, pour bien des raisons, leur était intolérable. Certains étaient sortis de cette lutte avec une énergie décuplée et une capacité renouvelée pour résoudre de façon constructive les problèmes que leur posaient leur monde. D'autres n'avaient pu supporter le choc que leur avait causé la découverte de l'injustice de leur sort. Et il n'existe pas d'explication toute faite pour interpréter cette réussite ou cet échec ; prétendre qu'un enfant est rejeté ou n'est pas accepté ne contribue en rien à la compréhension du monde intérieur de cet enfant. Trop souvent, ces termes ne sont que des étiquettes commodes que nous utilisons comme des alibis pour mieux cacher notre ignorance. Il nous faut éviter les clichés, les interprétations trop rapides et les explications faciles. Si nous voulons nous approcher de la vérité, il nous faut chercher à comprendre plus profondément les raisons du comportement.

Je décidai que je me rendrais à l'école dès le lendemain. Je téléphonerais à la mère de Dibs et j'essayerais de la voir dès que possible. Je verrais Dibs le jeudi suivant dans la salle de jeu au Centre d'Observation des Enfants. Mais où cela nous mènerait-il ? S'il ne parvenait pas à percer ce mur qu'il avait construit si solidement autour de lui-même — et il était tout à fait possible qu'il n'y réussît pas — il me faudrait songer à tenter autre chose. Il arrive parfois qu'une démarche réussisse très bien auprès d'un enfant et échoue totalement auprès d'un autre. Nous n'abandonnons pas facilement pour autant. Nous ne rayons pas un cas de nos listes en le considérant comme « désespéré » sans avoir fait une dernière tentative. Il est des gens qui désapprouvent cette attitude, qui trouvent détestable de continuer à nourrir un espoir, lorsqu'il n'y a plus de base pour le moindre espoir. Mais nous ne sommes pas à la recherche d'un miracle. Nous sommes en quête de compréhension. Nous sommes persuadés que la compréhension nous amènera à découvrir de nouvelles méthodes qui se révéleront plus efficaces pour aider une personne donnée à se développer et à utiliser ses capacités de manière plus constructive. L'enquête se poursuit encore et toujours, et nous, nous continuons à chercher la voie qui nous permettra de sortir du désert de notre ignorance.

Le lendemain matin, j'étais à l'école avant l'arrivée des enfants. Les pièces réservées aux classes maternelles étaient gaies, bien éclairées, équipées de façon séduisante.

— Les enfants vont bientôt arriver, me dit Mlle Jane. Je suis très curieuse de connaître votre opinion sur Dibs. J'espère que vous pourrez l'aider. Il me préoccupe terriblement. Vous savez bien qu'un enfant véritablement retardé présente un type général et permanent de comportement que l'on retrouve dans tous ses sujets d'intérêt et toutes ses actions. Mais Dibs ? Nous ne savons jamais de quelle humeur il va être. La seule chose que nous sachions, c'est qu'il ne sourira pas. Nul d'entre nous ne l'a jamais vu sourire. Ni même avoir l'air heureux, ne fût-ce qu'un instant. C'est là une des raisons qui nous font penser que son cas dépasse de loin un simple retard mental. Il est beaucoup trop émotif. Tenez, voilà quelques-uns des enfants qui arrivent.

Les enfants entraient en effet, la plupart avec un air d'heureuse impatience. Assurément, ils paraissaient détendus et très à l'aise dans cette école. Ils se disaient joyeusement bonjour et saluaient leurs maîtresses. Certains m'adressèrent la parole, me demandèrent mon nom et ce que je venais faire. Ils enlevèrent leurs chapeaux et leurs manteaux et les accrochèrent au vestiaire. La première heure était réservée aux activités qui les séduisaient particulièrement, et ils jouaient et parlaient entre eux de manière très spontanée.

C'est alors que Dibs arriva. Sa mère l'accompagna jusqu'à la porte de la classe. Je ne pus que l'entrevoir, car elle ne dit que quelques mots à Mlle Jane, la salua, puis abandonna Dibs. Il portait un manteau et une casquette de tweed gris. Il s'immobilisa à l'endroit où on l'avait laissé. Mlle Jane lui demanda s'il ne voulait pas aller accrocher son manteau et sa casquette. Il ne lui répondit pas.

Il était grand pour son âge. Son visage était très pâle. Lorsque Mlle Jane lui eut enlevé sa casquette, je vis qu'il avait des cheveux noirs et bouclés. Ses bras pendaient mollement. Mlle Jane lui enleva son manteau. Il ne semblait pas faire le moindre effort pour l'aider. Ce fut elle qui accrocha la casquette et le manteau dans le placard de l'enfant.

Elle vint ensuite vers moi et me dit à voix basse :

— Eh bien, voici Dibs. Il n'a jamais voulu enlever son manteau et sa casquette tout seul, et maintenant nous les lui enlevons tous les jours. Nous essayons parfois de l'amener à se joindre aux autres enfants pour quelque activité — ou bien encore nous lui demandons de faire certaines choses. Mais il rejette toutes nos propositions. Ce matin, nous allons le laisser tranquille et vous verrez ce qu'il fera. Il se peut qu'il demeure planté là pendant très, très longtemps. Ou bien il passera peut-être d'une chose à l'autre. Il lui arrive parfois de changer constamment d'occupation comme s'il n'avait aucune faculté de concentration. Et pourtant, à d'autres moments, il se concentre sur quelque chose pendant une heure d'affilée. Tout dépend de son humeur.

Mlle Jane partit rejoindre quelques enfants. J'observai Dibs du coin de l'œil, tout en m'efforçant de ne pas le rendre conscient de l'intérêt que je lui portais.

Il demeurait immobile au même endroit. Puis il se tourna, très lentement et de manière très délibérée. Il leva ses mains en l'air en un geste presque futile de désespoir et les laissa retomber à ses côtés. Il se tourna dans l'autre sens. A présent, je me trouvais dans son camp de vision — s'il avait envie de me voir. Il poussa un soupir, se mordit la lèvre, ne bougea pas.

Un petit garçon se précipita vers lui.

— Bonjour, Dibs ! dit-il. Viens jouer !

Dibs fit un geste brusque vers l'enfant. Il l'aurait griffé si le petit garçon n'avait vivement sauté en arrière.

— Chat ! Chat ! Chat ! se moqua le petit garçon.

Mlle Jane vint dire à l'enfant d'aller jouer dans une autre partie de la classe.

Dibs alla jusqu'au mur, près d'une petite table sur laquelle on avait posé quelques pierres, des coquillages, des morceaux de charbon et d'autres minéraux. Dibs s'arrêta près de la table. Lentement, il saisit un objet après l'autre. Il en suivait le contour du bout des doigts, puis il les posait contre sa joue, les sentait et les goûtait. Ensuite il les reposait soigneusement. Il jeta un coup d'œil dans ma direction, un regard très bref qui se détourna aussitôt. Il s'accroupit ensuite, rampa sous la table et finit par s'asseoir là, presque totalement hors de vue.

Je m'aperçus alors que les autres enfants apportaient leurs chaises pour faire un petit cercle autour de l'une des maîtresses. C'était l'heure, pour les enfants, de montrer à leurs camarades ce qu'ils avaient apporté à l'école ou de leur raconter quelque chose qui avait de l'importance pour eux. La maîtresse leur raconta ensuite une histoire. Puis ils chantèrent quelques chansons.

Dibs, sous sa table, n'était pas très éloigné du cercle des enfants. De sa position avantageuse, il pouvait entendre ce qu'ils disaient et voir ce qu'ils montraient — s'il le souhaitait. Avait-il prévu cette activité du groupe, au moment où il s'était glissé sous la table ? Il était difficile de le dire. Il demeura sous cette table jusqu'à ce que le cercle se fût rompu et que les enfants fussent retournés à d'autres activités. C'est alors seulement que lui aussi changea de place pour passer à autre chose.

Il fit le tour de la classe en rampant, demeurant toujours près du mur et s'arrêtant pour examiner les multiples objets qu'il rencontrait. Lorsqu'il arriva au niveau de la large tablette qui se trouvait devant la fenêtre, où l'on avait installé un terrarium et un aquarium, il s'assit près des grands récipients de verre carrés et observa très attentivement ce qu'ils renfermaient. De temps à autre, il tendait la main et touchait quelque chose qu'il apercevait dans le terrarium. A de tels moments, ses gestes semblaient délicats et adroits. Il demeura là pendant une demi-heure, captivé, semblait-il, par ses observations. Puis il se remit à ramper et termina son voyage autour de la pièce. Il lui arrivait de toucher certains objets rapidement et soigneusement, puis il passait à autre chose.

Lorsqu'il arriva au coin réservé aux livres, il feuilleta ceux qui se trouvaient sur une table, en choisit un, prit une chaise, la traîna à travers la classe jusqu'à un coin et s'y installa, le nez contre le mur. Il ouvrit le livre à la première page et l'examina lentement, tournant les pages avec soin. Lisait-il ? Regardait-il les images ? L'une des maîtresses se dirigea vers lui.

— Oh, je vois, lui dit-elle. Tu regardes le livre des oiseaux. Veux-tu que je te raconte ce qu'il y a dedans, Dibs ? lui demanda-t-elle d'une voix douce, pleine de gentillesse.

Dibs lança le livre loin de lui. Il se jeta sur le sol et demeura là, immobile, rigide, face contre terre.

— Excuse-moi, dit la maîtresse. Je ne voulais pas t'ennuyer, Dibs.

Elle ramassa le livre, le reposa sur la table et vint vers moi.

— Eh bien, voilà qui était typique, me dit-elle. Nous avons appris à ne jamais le déranger. Mais je voulais vous montrer cela.

Toujours allongé, Dibs avait tourné la tête de manière à pouvoir observer la maîtresse. Nous fîmes semblant de ne pas faire attention à lui. Au bout d'un moment, il se releva et fit lentement le tour de la pièce en marchant. Il effleura les peintures, les crayons, la pâte à modeler, les clous, le marteau, le bois, le tambour, les cymbales. Il souleva ces objets les uns après les autres, puis les reposa. Les autres enfants poursuivaient leurs occupations sans trop se soucier de Dibs. Il évitait tout contact physique avec eux, et eux, à leur tour, le laissaient tranquille.

Vint l'heure de la récréation où les enfants devaient aller jouer dehors. L'une des maîtresses me dit :

— Peut-être acceptera-t-il de sortir. Peut-être refusera-t-il. Jamais personne n'a été capable de le deviner.

Elle annonça à voix haute aux enfants qu'il était l'heure de sortir jouer dans la cour. Elle demanda à Dibs s'il voulait aller dehors.

Il lui répondit, d'une voix morne et lasse :

— Pas aller dehors.

Je dis que je pensais que j'allais faire un tour dehors puisqu'il faisait si beau. J'enfilai mon manteau.

Brusquement, Dibs déclara :

— Dibs aller dehors !

La maîtresse lui mit son manteau. Il sortit et de sa démarche maladroite partit vers la cour. Sa coordination motrice était très mauvaise. On aurait dit qu'il était tout aussi « empêtré » physiquement qu'affectivement.

Les autres enfants jouaient sur le tas de sable, autour des balançoires, du portique, avec des bicyclettes. Ils jouaient à la balle, à chat perché, à cache-cache. Ils couraient, glissaient, grimpaient, sautaient. Mais pas Dibs. Il se rendit dans un coin éloigné de la cour, ramassa un petit bâton, s'accroupit et gratta la terre. D'arrière en avant. D'avant en arrière. D'arrière en avant. Il creusait des petits sillons dans la poussière. Il ne regardait personne. Il fixait le sol et son bâton. Il était tassé sur lui-même et concentré sur son activité solitaire. Silencieux. Renfermé. Loin de tout.

Nous décidâmes qu'une fois les enfants rentrés dans leurs classes et reposés, j'emmènerais Dibs avec moi jusqu'à la salle de jeu qui se trouvait au bout du couloir. S'il acceptait de m'accompagner, bien sûr.

Lorsque la maîtresse sonna la cloche, tous les enfants regagnèrent leur classe. Même Dibs. Mlle Jane lui enleva son manteau. Cette fois, il lui tendit sa casquette. La maîtresse mit un disque de musique douce, calmante. Chaque enfant sortit une natte et l'étendit sur le sol pour se reposer un moment. Dibs sortit sa natte et la déroula. Il la glissa sous la table aux livres, loin des autres enfants. Il s'étendit sur le ventre, prit son pouce et se reposa comme les autres enfants. A quoi pouvait-il songer dans son petit monde solitaire ? Que pouvait-il ressentir ? Pourquoi se conduisait-il ainsi ? Qu'était-il arrivé à cet enfant pour qu'il ait été amené à s'isoler à ce point ? Réussirions-nous jamais à l'atteindre ?

Après la sieste, les enfants rangèrent leurs nattes. Dibs roula la sienne et la rangea dans l'espace qui lui était réservé, sur une étagère. Les enfants formaient maintenant des groupes plus petits. L'un de ces groupes allait construire des objets en bois, un autre ferait de la peinture, un troisième prendrait de la pâte à modeler.

Dibs s'était immobilisé près de la porte. J'allai jusqu'à lui et lui demandai s'il voulait bien venir avec moi dans la petite salle de jeu au bout du couloir. Je lui tendis la main. Il hésita un moment, puis mit sa main dans la mienne sans dire mot et me suivit jusqu'à la salle de jeu. Comme nous passions devant les portes de quelques-unes des autres classes, il murmura quelque chose que je ne pus comprendre. Je ne lui demandai pas de répéter ce qu'il avait dit. Je remarquai à voix haute que la salle de jeu se trouvait tout au bout du couloir. Cette première réaction m'intéressait beaucoup. Il avait accepté de quitter sa classe en compagnie d'une personne étrangère, sans avoir jeté le moindre regard en arrière. Je notai cependant combien il serrait ma main. Il était donc tendu, mais, ce qui me paraissait assez surprenant, prêt à me suivre.

Au bout du couloir, sous l'escalier de service, se trouvait une petite pièce qui avait été réservée à la thérapie par le jeu. Elle n'avait rien de séduisant — elle était froide et pauvre à cause de l'absence de couleurs et de décoration. Elle possédait une fenêtre étroite qui laissait entrer un peu de soleil, mais l'effet général était assez triste, même lorsque la lumière était allumée. Les murs étaient recouverts d'une peinture beige, affreusement terne, avec çà et là des taches inégales un peu plus claires, aux endroits que l'on avait lessivés. Certaines de ces taches étaient cernées d'auréoles, là où la peinture avait été mal étendue sur la surface rugueuse du plâtre. Sur le plancher, on avait posé un linoléum de couleur marron sur lequel une serpillière douteuse, trop rapidement promenée, avait laissé des traînées. Il y régnait une odeur tenace de pâte à modeler, de sable humide et de vieille peinture à l'eau.

Il y avait des jouets sur la table, par terre et sur quelques étagères. Sur le sol, il y avait également une maison de poupée. Chaque pièce de cette maison de poupée était chichement meublée à l'aide d'un solide mobilier de bois. Une famille de petites poupées gisait sur le sol, devant la maison. Ils étaient tous entassés là — la mère, le père, le petit garçon, la petite fille, les bébés —, auprès d'une boîte ouverte qui contenait d'autres poupées miniature. Il y avait quelques animaux de caoutchouc : un cheval, un lion, un chien, un chat, un éléphant et un lapin. Il y avait aussi des petites autos et des avions. Une boîte de jeu de construction était également posée sur le linoléum. Sur le tas de sable, on apercevait des casseroles, des cuillers, diverses assiettes en fer-blanc. Il y avait un pot de pâte à modeler sur la table, quelques couleurs et du papier à dessin sur un chevalet. Un biberon plein d'eau était posé sur l'une des étagères. Une grande poupée de chiffon était assise sur une chaise. Dans un angle, une grande poupée en caoutchouc gonflé, plombée au bas du dos, reprenait toujours une position verticale lorsqu'on la frappait. Les jouets étaient tous solides, mais ils avaient l'air d'avoir été fortement malmenés et paraissaient bien usés.

Il n'y avait rien dans cette pièce ou dans son équipement qui pût restreindre les activités d'un enfant. Rien ne paraissait trop fragile ou trop beau, si bien qu'un enfant aurait pu hésiter à les toucher ou même à les jeter par terre. Cette pièce offrait de l'espace et quelques objets qui pouvaient provoquer quelque manifestation de la personnalité des enfants qui seraient amenés à y passer quelque temps. Les éléments de l'expérience individuelle suffisaient pour rendre cette pièce différente et unique pour chaque enfant. Là, un enfant pouvait fouiller le silence à la recherche de sons connus autrefois, crier sa découverte d'un moi momentanément captif, s'échapper ainsi de la prison de ses incertitudes, de ses angoisses et de ses craintes. Il apporterait dans cette pièce l'influence qu'avaient eue sur lui toutes les formes et tous les sons, toutes les couleurs et tous les mouvements et il reconstruirait son monde, réduit à une taille qu'il pourrait dominer.

Comme nous pénétrions dans la pièce, je dis :

— Nous allons passer une heure ensemble, ici, dans cette salle de jeux. Tu peux regarder de quels jouets et de quels matériaux nous disposons et tu verras ensuite ce que tu as envie de faire.

Je m'assis sur une petite chaise, tout près de la porte. Dibs s'était arrêté au milieu de la pièce. Il me tournait le dos et se tordait les mains. J'attendais. Nous avions une heure à passer dans cette pièce. Nous n'avions rien d'urgent à accomplir. Jouer ou ne pas jouer. Parler ou demeurer silencieux. Ici, cela n'aurait pas d'importance. La pièce était très petite. Où qu'il allât, il ne pouvait guère s'éloigner. Il y avait une table sous laquelle il pouvait se cacher, s'il en avait envie. Il y avait une petite chaise derrière la table s'il voulait s'asseoir. Il y avait des jouets avec lesquels il pouvait s'amuser, s'il le désirait.

Mais Dibs se contentait de rester immobile au milieu de la pièce. Il soupira. Puis il se tourna lentement et d'un pas hésitant, il se mit à marcher. Il traversa la pièce, puis en fit le tour en longeant les murs. Il alla d'un jouet à l'autre, les toucha, indécis. Il ne me regarda pas en face. De temps en temps, il jetait un coup d'œil dans ma direction, mais il détournait vivement son regard lorsque nos yeux se rencontraient. C'était un voyage fatigant que celui qu'il effectuait tout autour de la pièce. Son pas était lourd. Cet enfant semblait ignorer le rire et la joie. La vie, pour lui, était extrêmement pénible.

Il s'avança jusqu'à la maison de poupée et fit courir sa main le long du toit. Puis il s'agenouilla et examina le mobilier. Lentement, l'un après l'autre, il souleva chaque meuble de la maison. Au fur et à mesure, il murmurait le nom des objets d'une voix hésitante, avec une inflexion interrogative. Sa voix était morne et basse.

— Lit ? Chaise ? Table ? dit-il. Commode ? Radio ? Baignoire ? Cuvette ?

Il s'empara ainsi de chaque élément du mobilier de la maison de poupée, le nomma et le reposa soigneusement. Il se tourna ensuite vers le tas de poupées et se mit à les trier lentement. Il choisit un homme, une femme, un garçon, une fille, un bébé. Il semblait vouloir les identifier :

— Maman ? Papa ? Sœur ? Bébé ?

Puis il tria les petits animaux.

— Chien ? Chat ? Lapin ?

Il soupira profondément à plusieurs reprises. La tâche qu'il s'était fixée avait l'air d'être très difficile et douloureuse.

Chaque fois qu'il nommait un objet, je m'efforçais de lui faire comprendre que j'avais reconnu le mot qu'il avait prononcé. Je disais, par exemple, « Oui. C'est bien un lit », ou encore, « je crois qu'il s'agit d'une commode, en effet », enfin, « cela ressemble certainement à un lapin ». Je faisais en sorte de répondre brièvement, en accord avec ce qu'il disait et avec assez de variations pour éviter la monotonie. Lorsqu'il souleva la poupée qui représentait le père et qu'il dit « Papa ? », je répondis « Oui, ce pourrait être papa. » Et c'est ainsi que notre conversation se poursuivit à propos de chaque objet qu'il prit en main et qu'il nomma. Je pensais que c'était là sa façon d'établir une communication verbale. Nommer les objets semblait être un commencement qui ne comportait pas de risques.

Il s'assit ensuite par terre en face de la maison de poupée. Pendant un long moment, il la regarda en silence. Je ne le poussai pas à reprendre la conversation. S'il désirait demeurer assis là en silence, eh bien, nous garderions le silence. Il devait y avoir une raison à ce qu'il faisait. Je voulais que ce soit lui qui prenne l'initiative d'établir les rapports entre nous. Trop souvent, c'est quelque adulte trop impatient qui accomplit cette démarche à la place de l'enfant.

Il pressa ses mains étroitement serrées l'une contre l'autre sur sa poitrine et se mit à répéter :

— Pas fermer portes. Pas fermer portes. Pas fermer portes.

Une note de désespoir intense perça dans sa voix :

— Dibs pas aimer portes fermées, fermées à clef. Dibs pas aimer murs autour de lui.

Il y avait un sanglot dans sa voix.

Je lui dis :

— Tu n'aimes pas qu'on ferme les portes.

Dibs semblait se tasser. Sa voix se fit un murmure rauque :

— Dibs pas aimer portes fermées.

Manifestement, il avait fait quelques expériences malheureuses avec des portes que l'on avait fermées à clef. J'enregistrai les sentiments qu'il exprimait. Puis il se mit à sortir les poupées de la maison où il les avait déposées. Il sortit d'abord les poupées qui représentaient le père et la mère.

— Allez magasin ! Allez magasin ! dit-il. Allez-vous-en au magasin. Allez-vous-en !

— Oh, la maman s'en va au magasin ? dis-je. Et le papa aussi ? Et la petite sœur ?

Il les sortit rapidement de la maison et les déposa à bonne distance.

C'est alors qu'il découvrit que les cloisons de la maison de poupée pouvaient être enlevées. Il sortit les cloisons les unes après les autres tout en disant :

— Pas aimer murs. Dibs pas aimer murs. Enlève tous les murs, Dibs !

C'est ainsi que dans cette salle de jeu, Dibs enleva une petite partie des murs qu'il avait construits autour de lui-même.

De cette façon, il continua à jouer lentement, presque douloureusement. Quand la fin de l'heure arriva, je lui dis que notre séance de jeu était presque terminée et que nous allions retourner dans sa classe.

— Il nous reste encore cinq minutes, lui dis-je. Après cela, il nous faudra partir.

Il demeura assis devant la maison de poupée. Il ne fit pas un mouvement, ne dit pas un mot. Moi non plus. Lorsque les cinq minutes seraient écoulées, nous repartirions vers sa classe.

Je ne lui demandai pas s'il voulait y retourner. Il n'avait pas le choix. Je ne lui demandai pas non plus si cela lui ferait plaisir de revenir. Il se pouvait qu'il ne veuille pas s'engager. En outre, la décision ne lui appartenait pas. Je ne lui dis pas que je le reverrais la semaine suivante, parce que je n'avais pas encore arrêté de plans avec sa mère. Cet enfant avait été blessé si souvent que je ne voulais pas lui faire des promesses que je ne pourrais peut-être pas tenir. Je ne lui demandai pas s'il était bien amusé. Pourquoi aurait-il dû être contraint de porter un jugement sur une expérience qu'il venait de vivre ? Si le jeu d'un enfant est sa façon naturelle de s'exprimer, pourquoi essayerions-nous de l'enfermer dans le moule rigide d'une réponse toute faite ? Un enfant ne peut être que troublé par des questions auxquelles quelqu'un d'autre a déjà répondu avant même qu'on ne les lui pose.

Lorsque les cinq minutes furent passées, je me levai et dis :

— C'est l'heure de partir, Dibs.

Il se leva lentement, prit ma main et nous quittâmes la pièce pour nous engager dans le couloir. Parvenus à la moitié du couloir, la porte de sa classe en vue, je lui demandai s'il croyait pouvoir faire le reste du chemin tout seul.

— C'est ça, dit-il.

Il lâcha ma main et marcha seul jusqu'à la porte de sa classe.

Je fis cela parce que j'espérais que Dibs deviendrait peu à peu plus indépendant et plus responsable. Je voulais lui faire sentir que je lui faisais confiance et que je savais qu'il se montrerait capable de faire ce que j'attendais de lui. Je pensais qu'il serait en mesure de le faire. S'il avait hésité, s'il avait montré que c'était trop lui demander pour ce premier jour, je l'aurais accompagné encore un peu plus loin dans le couloir. Je serais même allée jusqu'à la porte de sa classe avec lui, s'il m'avait semblé avoir besoin d'une telle aide. Mais il partit tout seul. Je lui dis :

— Au revoir, Dibs !

— C'est ça ! me répondit-il.

Sa voix avait quelque chose de doux, de gentil. Il suivit le couloir, ouvrit la porte de sa classe, puis il se retourna. Je lui fis un petit signe de la main. L'expression de son visage était intéressante. Il avait l'air surpris — presque content. Il entra dans sa classe et ferma la porte avec assurance derrière lui. C'était la première fois que Dibs s'était rendu quelque part tout seul.

L'un des objectifs que je m'étais proposé en établissant mes rapports avec Dibs était de l'aider à acquérir une indépendance affective. Je ne voulais pas compliquer son problème en lui proposant un support, en le rendant si dépendant à l'égard de moi qu'un développement plus complet de ses sentiments de sécurité aurait été retardé. Si Dibs était un enfant frustré sur le plan affectif — et de nombreuses indications portaient à le croire — tenter de développer un attachement à ce point de son histoire aurait pu paraître remplir un besoin profond de cet enfant, mais cela aurait créé un nouveau problème qu'il lui aurait nécessairement fallu résoudre plus tard.

Après cette première séance de jeu avec Dibs, je commençai à comprendre pourquoi les maîtresses, le médecin et le psychologue n'avaient pu se résoudre à abandonner son cas comme désespéré. J'éprouvais du respect pour sa force de caractère et ses possibilités. C'était un enfant très courageux.

CHAPITRE III

Je téléphonai à la mère de Dibs et lui demandai de bien vouloir m'accorder une entrevue dès que possible. Elle me dit qu'elle avait attendu mon appel. Elle serait très heureuse si je voulais bien venir prendre le thé chez elle, par exemple, le lendemain, à quatre heures ? Je la remerciai et acceptai son invitation.

La famille de Dibs vivait dans l'une de ces vieilles maisons de grès telles qu'on les trouve dans l'Upper East Side. L'extérieur en avait été préservé avec beaucoup de soin et de goût. La porte était bien entretenue et tous les cuivres étincelaient. La façade donnait sur une vieille rue fort jolie et la demeure semblait avoir conservé l'atmosphère des temps où elle avait été construite. Je poussai la grille en fer forgé, grimpai les marches du perron et sonnai. A travers la porte close, je perçus des cris étouffés.

— Pas fermer porte ! Pas fermer porte ! Non ! Non ! Non !

La voix s'affaiblit et ce fut le silence. Apparemment Dibs n'allait pas prendre le thé avec nous. Une bonne en tenue vint m'ouvrir la porte. Je lui donnai mon nom. Elle me fit entrer au salon. La bonne était une femme très sérieuse et soignée, qui paraissait avoir vécu dans la famille depuis de nombreuses années. Elle était réservée, précise, stylée. Je me demandai s'il lui arrivait jamais de sourire — ou même si elle pensait quelquefois qu'il y eût quelque chose de drôle en ce monde. Si oui, elle était bien dressée et devait être habituée à dissimuler toute individualité et toute spontanéité.

La mère de Dibs m'accueillit fort aimablement, mais

avec gravité. Nous fîmes les habituelles remarques au sujet du temps et du plaisir que nous avions à nous rencontrer. La maison était fort belle et meublée avec recherche. Il ne semblait pas qu'un enfant ait jamais pu passer cinq minutes dans ce salon. A dire vrai, rien n'indiquait que quelqu'un *vivait* vraiment dans cette maison.

On apporta le thé. Le service était splendide. La mère de Dibs ne perdit pas de temps et entra aussitôt dans le vif du sujet.

— Je sais que vous avez été appelée en consultation pour examiner Dibs, commença-t-elle. Vous êtes très aimable d'avoir accepté cette tâche. Mais je tiens à ce que vous sachiez que nous n'attendons pas de miracle. Nous nous sommes résignés à la tragédie de Dibs. Je n'ignore pas quelle est votre réputation professionnelle et j'éprouve le plus grand respect pour la recherche dans toutes les sciences — y compris la science du comportement humain. Nous ne nous attendons pas à ce que Dibs change ; mais, si en étudiant cet enfant vous pouvez faire avancer, ne serait-ce que d'un pas, la compréhension que nous avons du comportement humain, vous nous trouverez plus que désireux de coopérer avec vous.

C'était incroyable. La voilà qui me proposait, de la façon la plus scientifique, quelques données à étudier. Il ne s'agissait pas d'un enfant qui souffrait. Pas de son fils. Elle m'apportait quelques données brutes. Et elle m'avait très clairement fait savoir qu'elle ne s'attendait pas à une modification de ces données. Tout au moins, pas à une amélioration. Je l'écoutai tandis qu'elle me donnait très brièvement quelques renseignements sur Dibs. Sa date de naissance. La lenteur de son développement. Son retard évident. La possibilité d'un trouble organique. Elle demeurait là, assise sur sa chaise, presque sans bouger. Tendue. Se dominant. Son visage était très pâle. Ses cheveux gris étaient séparés par une raie, puis tirés en arrière en un chignon qui reposait sur la base du cou. Elle avait des yeux bleus très clairs. Sa bouche était réduite à un trait. De temps à autre, elle se mordait nerveusement la lèvre. Elle portait une robe gris fer, classique et simple. D'une certaine façon, dans un genre froid, c'était une très belle femme. Il aurait été difficile de deviner son âge. Elle paraissait avoir dépassé la cinquantaine, mais il se pouvait aussi qu'elle fût beaucoup plus jeune. Ses propos étaient précis, intelligents. Elle semblait vouloir faire bonne contenance, mais elle était probablement tout aussi profondément et tout aussi tragiquement malheureuse que Dibs.

Elle me demanda alors si je voulais examiner Dibs, ici, dans sa salle de jeu, à l'étage, salle qui donnait sur l'arrière de la maison.

— C'est à l'étage — de l'autre côté de la maison, me dit-elle. Nul ne vous interrompra, ni ne vous dérangera, là-haut. Il a de nombreux jouets. Et nous serions très heureux d'acheter tout ce que vous souhaitez ou ce dont vous avez besoin.

— Non, je vous remercie, lui dis-je. Il sera préférable que je le voie dans la salle de jeu du Centre d'Orientation des Enfants. Les séances d'une heure auront lieu une fois par semaine.

C'était là, manifestement, un projet qui la troublait. Elle fit un nouvel essai.

— Il a beaucoup de jolis jouets dans sa chambre. Nous serions heureux de vous offrir des honoraires plus élevés, si vous acceptiez de venir ici.

— Je regrette, mais ce n'est pas possible, lui dis-je. Et il ne sera pas question d'honoraires.

— Oh, mais nous pouvons très bien nous permettre de payer, me dit-elle rapidement. Je tiens absolument à ce que vous receviez des honoraires pour cet examen.

— C'est très gentil de votre part, lui répondis-je, mais il ne sera pas question de rétribution. Tout ce que je vous demande, c'est de bien vouloir veiller à ce qu'il arrive au Centre à l'heure et qu'il y vienne régulièrement — sauf, bien entendu, s'il est malade. En outre, j'aimerais que vous nous autorisiez par écrit à enregistrer toutes les séances, ce qui nous aidera dans notre étude du cas. Je vous donnerai de mon côté une déclaration signée, dans laquelle je prends l'engagement, au cas où cette documentation serait utilisée dans un cours, un article ou pour une publication quelconque, de déguiser toutes les informations qui permettraient d'identifier l'enfant en sorte que nul ne puisse deviner la véritable identité de Dibs.

Je lui tendis la déclaration qui avait été rédigée avant notre entrevue.

Elle la lut avec attention.

— Très bien, dit-elle finalement. Puis-je la garder ?

— Oui. A votre tour, voudriez-vous, ainsi que votre mari, signer cette autorisation, qui nous permet d'enregistrer en entier toutes les séances, étant entendu que l'identité sera déguisée si le document doit être utilisé pour une publication ?

Elle prit ce second papier et l'examina avec le plus grand soin.

— Puis-je garder ce papier, en discuter avec mon mari, et vous le renvoyer par la poste, si nous décidons de donner suite à tout cela ?

— Très certainement, lui dis-je. Je serais très heureuse si vous me communiquiez votre décision, quelle qu'elle soit, dès que vous l'aurez prise.

Elle tenait du bout des doigts la feuille de papier que je lui avais donnée. Elle s'humecta les lèvres. Cette visite ne ressemblait assurément en rien aux habituelles entrevues initiales que j'avais avec les mères. Je me sentais tout aussi mal à l'aise qu'elle, sans doute, car j'étais en train de marchander au sujet des séances que j'avais l'intention d'avoir avec son enfant dans la salle de jeu du Centre. Cependant, j'estimais qu'il me fallait courir ce risque — sinon Dibs ne viendrait jamais m'y voir.

— Je vous ferai connaître notre décision dès que nous l'aurons prise, me dit-elle.

Mon cœur se serra légèrement. Elle pouvait très bien s'abriter derrière ce prétexte pour se dérober. Mais, si elle acceptait, elle s'engagerait par là même à aller jusqu'au bout. J'étais certaine que s'ils signaient les papiers, les parents de Dibs rempliraient leur part du contrat. S'ils refusaient, par contre, d'assumer cette responsabilité, nous ne pourrions pas compter sur une fréquentation régulière, pourtant nécessaire.

Après un long silence, elle reprit :

— Je n'arrive pas à comprendre pourquoi, lorsqu'une famille peut payer des honoraires substantiels, vous vous obstinez à les refuser, alors qu'ils vous donneraient la possibilité de traiter un enfant dont les parents sont sans ressources.

— Eh bien, c'est que mon travail consiste avant tout à faire de la recherche pour améliorer notre compréhension des enfants, lui expliquai-je. On me verse un salaire pour ce travail. Cela règle le problème du paiement. Cela évite en outre aux parents de penser qu'ils bénéficient d'une aide pour laquelle certains payent et d'autres ne payent pas. Si vous désirez verser une contribution aux recherches du Centre, sans que ce versement soit lié en aucune manière avec ce cas particulier, libre à vous. La recherche est essentiellement financée de cette manière.

— Je comprends, dit-elle. Mais je serais tout de même désireuse de vous payer.

— Je n'en doute pas, lui dis-je, et je suis très touchée par votre attitude. Pourtant, je ne pourrai voir Dibs qu'aux conditions que je vous ai indiquées.

Voilà. C'était fait, maintenant. Je m'étais risquée jusqu'au bord du précipice où elle pouvait me faire tomber si elle le voulait. J'avais la quasi-certitude que si nous nous tirions de cette petite discussion, nous aurions fait un pas important dans l'établissement de la responsabilité initiale nécessaire chez la mère. Elle avait sans doute pu éviter souvent d'assumer une responsabilité importante à l'égard de Dibs en donnant de l'argent. Je décidai que cette fois il était nécessaire d'éliminer cette possibilité, autant qu'il était en mon pouvoir de le faire.

Elle demeura silencieuse pendant quelques minutes. Ses mains, étroitement serrées, reposaient sur ses genoux. Elle ne les quittait pas des yeux. Brusquement, je me souvins de Dibs se jetant face contre terre, allongé sur le sol, rigide et silencieux. Une fois de plus, je songeai à nouveau qu'elle devait être aussi triste et aussi seule que son fils.

Au bout d'un moment, elle leva les yeux vers moi, puis détourna vivement son regard et évita de retrouver le mien.

— Je dois vous dire encore quelque chose, me dit-elle. Si vous désirez avoir d'autres détails sur l'histoire de Dibs, je ne peux que vous dire de vous adresser à l'école. Moi, je ne puis rien ajouter de plus. Et il me sera impossible de venir vous voir. Si c'est là une de vos conditions, nous oublierons ce projet immédiatement. Je ne puis rien vous dire de plus. C'est une tragédie — une grande tragédie. Dibs ? Eh bien, il est tout simplement retardé mentalement. Il est né ainsi. Mais je ne pourrai pas aller vous voir pour répondre à des questions.

Elle me jeta un bref coup d'œil encore. Elle avait l'air terrifiée à l'idée qu'elle pourrait être elle-même interrogée.

— Je comprends, dis-je. Je respecterai votre volonté en cette matière. Mais j'aimerais pourtant vous dire ceci. Si, à n'importe quel moment, vous éprouvez l'envie de me parler de Dibs, n'hésitez pas à entrer en relation avec moi. Mais je vous laisserai entièrement libre de décider de cette question.

Elle parut se détendre un peu.

— Mon mari ne souhaite pas vous rencontrer, lui non plus, me dit-elle.

— C'est sans importance, lui dis-je. Comme vous voulez.

— Quand je l'amènerai au Centre, je ne serai pas en mesure d'y rester pour l'attendre. Je reviendrai le chercher lorsque son heure sera terminée, ajouta-t-elle.

— Ce sera très bien comme ça, l'assurai-je. Vous pourrez l'amener et le laisser, puis le reprendre à la fin de l'heure. Ou bien vous pourrez le faire accompagner par quelqu'un d'autre, si vous préférez.

— Merci, dit-elle.

Puis, après un autre long silence, elle ajouta :

— Je vous remercie de votre compréhension.

Nous bûmes notre thé en parlant de choses et d'autres. Dorothy ne fut mentionnée qu'à titre de renseignement familial et décrite comme « une enfant parfaite ». La mère de Dibs avait montré plus de crainte, d'anxiété et de panique au cours de cette entrevue que Dibs lui-même n'en avait révélé lors de sa première séance. Je n'aurais rien obtenu en essayant de la persuader de venir me voir à son propre sujet. C'était une menace trop grande pour elle et un risque que je ne pouvais pas courir. Car nous aurions pu perdre Dibs dans l'aventure. De plus, j'avais l'impression très nette que Dibs répondrait infiniment mieux à nos tentatives que sa mère ne pourrait jamais le faire. Dibs avait protesté contre la fermeture des portes, mais certaines portes extrêmement importantes avaient déjà été solidement verrouillées dans la vie de sa mère. Il était presque trop tard pour qu'elle se mette à protester. En réalité, au cours de cette brève entrevue, elle s'était désespérément efforcée de fermer une autre porte.

Comme je prenais congé, elle m'accompagna jusqu'à la porte.

— Vous êtes bien certaine que vous ne préféreriez pas le voir dans sa salle de jeu ? me demanda-t-elle. Il a tant de jolis jouets. Et nous achèterions tout ce que vous pourriez désirer. Tout.

Elle était réellement désespérée. J'éprouvai un élan

de sympathie pour elle. Je la remerciai, mais je lui répétai que je ne pourrais voir l'enfant que dans la salle de jeu du Centre.

— Je vous ferai connaître ma décision dès que nous l'aurons prise, me redit-elle, tout en agitant légèrement les papiers qu'elle tenait à la main.

— Je vous remercie, lui dis-je.

Tout en marchant dans la rue pour aller à ma voiture, je sentais le poids accablant que cette famille perturbée avait fait peser sur moi. Je songeais à Dibs et à sa salle de jeu si merveilleusement équipée. Je n'avais pas eu besoin d'y pénétrer pour me douter que tout ce que l'on pouvait obtenir avec de l'argent s'y trouvait. Et j'étais absolument certaine qu'elle possédait également une porte robuste, admirablement cirée. Sans compter un verrou solide, qui, trop souvent, avait été soigneusement tiré.

Je me demandai ce que la mère de Dibs pourrait bien ajouter à son histoire si elle se décidait jamais à me la raconter. Assurément, il n'y avait pas de réponses toutes faites pour expliquer les relations qui existaient à l'intérieur de cette famille. Quels pouvaient donc être les pensées et les sentiments véritables de cette femme au sujet de Dibs et du rôle qu'elle jouait dans sa jeune vie pour qu'elle fût ainsi terrorisée à l'idée d'être interrogée ?

Je ne savais pas si j'avais su prendre en main la situation et l'orienter de la manière la plus féconde — ou si j'avais simplement ajouté une pression supplémentaire, qui l'amènerait peut-être à renoncer à tout examen de son enfant. Je m'interrogeais sur la décision qu'elle et son mari pourraient bien prendre. Consentiraient-ils aux conditions dont nous avions discuté ? Reverrais-je jamais Dibs ? Et si je le revoyais, qu'allait-il sortir de cette expérience ?

CHAPITRE IV

Plusieurs semaines s'écoulèrent sans que j'eusse la moindre nouvelle de la mère de Dibs. J'appelai l'école et demandai à la directrice si elle savait quelque chose. Elle me répondit que non. Je demandai comment allait Dibs. Elle me répondit que les choses étaient à peu près au même point. Dibs avait continué à fréquenter l'école régulièrement. Pour le moment les maîtresses ne faisaient pratiquement qu'attendre, en espérant que les séances de jeu pourraient commencer bientôt.

Puis, un matin, je reçus l'autorisation signée des parents qui m'accordaient la permission d'enregistrer les séances. Ils y avaient joint une courte lettre, dans laquelle ils exprimaient leur consentement et se déclaraient prêts à coopérer avec nous dans notre étude de l'enfant. Ils demandaient que je les appelle pour que nous puissions fixer ensemble les rendez-vous hebdomadaires que j'aurais avec Dibs.

Je fixai cette entrevue au jeudi suivant, dans l'après-midi. Elle aurait lieu dans la salle de thérapie du Centre. Je priai ma secrétaire d'appeler la mère de Dibs pour lui demander si l'heure et le jour lui convenaient. Elle répondit que cette date lui convenait parfaitement et qu'elle amènerait l'enfant au Centre à l'heure dite.

Il y eut plus d'un soupir de soulagement de notre côté. Apparemment, on ne prenait pas de telles décisions à la légère dans cette famille-là. On ne pouvait que s'interroger sur la signification du délai que les parents nous avaient imposé avant de nous donner un accord pour commencer les séances de thérapie par le jeu, mais on imaginait facilement l'émoi et les appréhensions des parents, pendant qu'ils se demandaient s'ils allaient franchir ce pas. Et Dibs, pendant ce temps ? Lui avaient-ils jeté des regards interrogateurs pendant qu'ils s'efforçaient d'évaluer les conséquences possibles de toute tentative pour juger de ses capacités ? En toute vraisemblance, ils avaient soigneusement examiné la question sous tous les angles. J'avais été très sérieusement tentée d'appeler la mère et d'insister pour qu'elle m'amenât l'enfant — ou encore, de lui demander s'ils avaient pris une décision. Je ne l'avais pas fait, parce que j'avais senti que nous n'avions rien à gagner en essayant d'emporter une décision, si elle n'avait pas déjà été prise, et qu'il y avait au contraire beaucoup à perdre, s'ils étaient encore en train de réfléchir. Mais l'attente avait été longue et pénible.

Dibs arriva ponctuellement au Centre, en compagnie de sa mère. Celle-ci dit à la réceptionniste qu'elle reviendrait le chercher au bout d'une heure, puis elle abandonna l'enfant dans la salle d'attente. Je m'y rendis pour l'accueillir. Il était demeuré à l'endroit même où sa mère l'avait laissé et portait toujours son manteau, sa casquette, ses moufles et ses bottes.

Je m'avançai vers lui.

— Bonjour Dibs, lui dis-je. Je suis heureuse de te revoir. Allons jusqu'à la salle de jeu. Elle se trouve au bout de ce couloir.

Dibs tendit la main et prit la mienne en silence. Nous suivîmes le couloir jusqu'à la salle de jeu.

— C'est une nouvelle salle de jeu, lui dis-je. Elle ressemble beaucoup à celle où je t'ai vu, il y a quelques semaines à l'école.

— C'est ça, me répondit-il, avec un débit hésitant.

Cette salle de jeu se trouvait au rez-de-chaussée. La pièce était inondée de soleil. C'était une salle beaucoup plus attrayante que l'autre, mais l'équipement était sensiblement le même. Les fenêtres donnaient sur un parking, et, de l'autre côté de ce parking, il y avait une grande église de pierre grise.

Dès que nous fûmes entrés dans la salle de jeu, Dibs entreprit d'en faire lentement le tour. Il touchait et nommait chaque objet de la même voix interrogative dont il avait usé le jour de son exploration de la première salle de jeu.

— Caisse à sable ? Chevalet ? Chaise ? Peinture ? Voiture ? Poupée ? Maison de poupée ?

Il nomma de cette manière chaque objet qu'il souleva. Puis il varia un peu ses phrases.

— Est-ce que c'est une voiture ? C'est une voiture. Est-ce que c'est du sable ? C'est du sable. Est-ce que c'est de la peinture ? C'est de la peinture.

Quand il eut achevé un premier tour de la pièce, je lui dis :

— Oui. Il y a beaucoup d'objets dans cette pièce, n'est-ce pas ? Et tu as touché et nommé la plupart d'entre eux.

— C'est ça, me répondit-il, à voix basse.

Je ne voulais pas le bousculer. Il fallait lui laisser le temps de regarder et de découvrir. Chaque enfant a besoin de temps pour explorer à sa façon le monde dans lequel il vit.

Il s'arrêta au milieu de la pièce.

— Dis-moi, Dibs ! Ne veux-tu pas enlever ton manteau et ta casquette ? lui demandai-je, au bout d'un moment.

— C'est ça, me dit-il. Tu enlèves ton manteau et ta casquette, Dibs. Tu enlèves ta casquette. Tu enlèves ton manteau, Dibs.

Il ne fit pas un geste.

— Alors, tu voudrais enlever ton manteau et ta casquette ? lui demandai-je. Très bien, Dibs. Vas-y. Enlève-les.

— Enlever aussi les moufles et les bottes, dit-il.

— Très bien, répliquai-je. Enlève aussi tes moufles et tes bottes, si tu veux.

— C'est ça, dit-il presque dans un murmure.

Il demeurait là, tirant nerveusement sur les manches de mon manteau. Il se mit à gémir. Il se tenait ainsi, la tête basse, devant moi, et ne cessait de pousser de petits gémissements.

— Tu voudrais bien les enlever, mais tu aimerais que je t'aide ? C'est ça ? demandai-je.

— C'est ça, dit-il.

Il y avait un sanglot au fond de sa gorge, lorsqu'il me répondit.

— Très bien, Dibs. Si tu veux que je t'aide à enlever ton manteau et ta casquette, viens ici et je t'aiderai.

Cela aussi, c'était dans un but précis que je le faisais. Je proposais de l'aider, mais je m'asseyais à un endroit qui l'obligeait à faire quelques pas pour venir à ma rencontre.

En hésitant, il s'avança jusqu'à moi.

— Bottes aussi, me dit-il, d'une voix enrouée.

— Très bien. Nous allons enlever aussi les bottes, lui dis-je.

— Et moufles, reprit-il, en me tendant ses mains.

— Parfait. Et les moufles aussi, répliquai-je.

Je l'aidai à enlever ses moufles, sa casquette, son manteau et ses bottes. Je glissai les moufles dans la poche du manteau, puis je lui tendis le manteau et la casquette. Il les laissa tomber par terre. Je les ramassai et allai les accrocher au bouton de la porte.

— Laissons-les là jusqu'au moment de partir, lui dis-je. Nous avons une heure à passer ensemble dans cette salle, et puis il sera temps pour toi de retourner à la maison.

Il ne me répondit pas. Il se dirigea vers le chevalet et examina les peintures. Il demeura là un long moment. Puis il nomma les couleurs qui se trouvaient sur le chevalet. Lentement, il les rangea d'une autre manière. Il plaça le rouge, le jaune et le bleu sur la planchette du chevalet. Il les écarta soigneusement et inséra les autres couleurs dans les espaces qu'il avait réservés, ce qui lui permettait d'avoir dans l'ordre les six couleurs de base du spectre. Puis il plaça correctement les couleurs secondaires, ajouta le noir et le blanc et obtint ainsi sur le rebord du chevalet l'ensemble des couleurs principales et toute la gamme des valeurs intermédiaires. Il avait fait cela silencieusement, lentement et soigneusement.

Lorsqu'il eut tout mis en ordre, il prit l'un des pots de peinture et l'examina. Il regarda dans le pot, tourna le pinceau qui s'y trouvait, l'éleva à la lumière et fit courir délicatement ses doigts sur l'étiquette.

— Peintures Favor Ruhl, dit-il. Rouge. Peintures Favor Ruhl. Jaune. Peintures Favor Ruhl. Bleu. Peintures Favor Ruhl. Noir.

Voilà qui était une réponse partielle à l'une des questions que nous nous posions. Manifestement, il lisait le texte des étiquettes. Il s'agissait bien de peintures Favor Ruhl. Et il avait placé les couleurs en bon ordre et les avait correctement nommées.

— Eh bien, dis-je. Ainsi, tu sais lire les étiquettes des pots de peinture. Et tu connais le nom de toutes les couleurs.

— C'est ça, dit-il, d'une voix hésitante.

Puis il s'assit à la table et prit la boîte de crayons.

Il lut le nom qui était indiqué sur la boîte. Puis il prit un crayon rouge et écrivit en lettres majuscules bien nettes le mot « ROUGE ». Il fit de même avec toutes les autres couleurs et les utilisa dans l'ordre du prisme, les disposant en cercle. Au fur et à mesure qu'il écrivait le nom des couleurs, il les épelait et nommait chaque lettre qu'il dessinait.

Je l'observais. J'essayais de répondre oralement, pour bien faire sentir que je me rendais compte de sa tentative de communiquer avec moi au moyen de cette activité.

— Tu vas épeler le nom de chaque couleur et l'écrire avec un crayon de même couleur. J'ai compris ? Oui, je vois. R-O-U-G-E, se lit rouge, n'est-ce pas ?

— C'est ça, me dit-il lentement, en s'arrachant toujours les mots de la bouche.

— Et tu fais une roue de couleur, n'est-ce pas ?

— C'est ça, murmura-t-il.

Il s'empara ensuite de la boîte d'aquarelle. Il lut le nom de la marque qui se trouvait sur le couvercle. Il posa de la même façon délibérée des touches de couleur sur une feuille de papier à dessin, toujours dans l'ordre exact.

Je m'efforçais de limiter mes commentaires à ses activités immédiates ; je ne tentais pas de lui dire quoi que ce fût qui eût pu indiquer un désir de ma part de le voir faire quelque chose de particulier. Je me contentais de communiquer avec lui, de lui faire savoir simplement que je comprenais, de lui prouver que je pouvais reconnaître son système de références. Je voulais que ce fût lui le guide. Je voulais simplement le suivre. Je désirais qu'il sût dès le début que c'était lui qui réglait l'allure, dans cette salle, et que je saurais reconnaître ses efforts en vue d'une communication réciproque sur la base réelle et concrète d'une expérience que nous partagerions tous les deux. Je ne voulais pas m'extasier et admirer à haute voix sa capacité de faire toutes les choses qu'il choisissait de faire. Visiblement, il savait les faire. Lorsqu'on laisse un individu prendre l'initiative, il se place toujours sur le terrain où il se sent le plus en sécurité. Toute exclamation de surprise, tout éloge, auraient pu être interprétés par lui comme un encouragement à aller dans une direction donnée. Cela aurait pu lui fermer toutes les autres zones d'exploration, qui étaient peut-être bien plus importantes pour lui. Tous les gens agissent avec une prudence qui leur permet de protéger l'intégrité de leur personnalité. Nous étions en train de faire connaissance. Ces *objets* que Dibs mentionnait, objets qui appartenaient à cette pièce et n'étaient chargés d'aucun sens affectif profond, étaient les seuls éléments que nous connaissions tous les deux, à ce point de notre histoire commune, aussi pouvaient-ils servir de moyens de communication entre nous. Pour Dibs, c'étaient des concepts sûrs.

De temps en temps, il me jetait un coup d'œil, mais lorsque nos yeux se rencontraient, il détournait aussitôt les siens.

Assurément, ces débuts étaient une révélation. Hedda avait eu raison d'avoir confiance en Dibs. Il était, en effet, non seulement sur le point de sortir de sa coquille, mais il avait déjà commencé à la briser. Quels que fussent ses problèmes, nous pouvions déjà rejeter l'étiquette de retardé mental.

Il grimpa dans la caisse à sable. Il aligna des soldats en mettant deux par deux ceux qui portaient le même uniforme. Le sable pénétra dans ses chaussures. Il jeta un regard vers moi, montra du doigt ses chaussures et se mit à gémir.

— Qu'y a-t-il ? lui demandai-je. Est-ce que le sable entre dans tes chaussures ?

Il acquiesça d'un signe de tête.

— Eh bien, si tu veux enlever tes chaussures, vas-y, lui dis-je.

— C'est ça, me répondit-il, de sa voix voilée.

Pourtant il ne les enleva pas. Il se contenta de demeurer là, en fixant ses chaussures et en poussant des gémissements. J'attendis. Il finit par parler.

— Tu enlèveras tes chaussures, dit-il, en faisant un gros effort.

— Tu veux qu'elles soient enlevées, mais tu voudrais bien que je t'aide, lui dis-je. C'est ça ?

Il hocha la tête. Je lui apportai l'aide demandée, défis ses lacets et enlevai ses chaussures. Il toucha très délicatement le sable avec ses pieds, mais, au bout de quelques minutes, il préféra sortir de la caisse.

Il s'avança jusqu'à la table et examina les cubes qui s'y trouvaient. Puis, lentement, délibérément, il les empila. La tour se mit à vaciller et s'écroula. Il serra ses mains l'une contre l'autre.

— Miss A ! s'écria-t-il, en me donnant pour la première fois le nom par lequel il allait m'appeler désormais. Aidez-moi. Vite.

— Tu aimes bien que je t'aide, n'est-ce pas ? lui dis-je.

— C'est ça, me répondit-il.

Il jeta un nouveau coup d'œil, très bref, dans ma direction.

— Eh bien, que veux-tu que je fasse ? lui demandai-je. Dis-le-moi, Dibs.

Il se tenait près de la table, regardant les cubes, les mains toujours serrées étroitement contre sa poitrine. Dibs gardait le silence. Moi aussi.

A quoi songeait-il ? Que cherchait-il ? En quoi pouvais-je lui être le plus utile, en cet instant ? Je voulais lui faire sentir que je faisais un effort sincère pour le comprendre. Je ne savais pas exactement ce qu'il désirait. Il ne le savait probablement pas non plus, au début de l'histoire de nos relations. Assurément, il ne convenait pas de pénétrer de force dans son monde intérieur, afin d'essayer de lui arracher des réponses. Si je pouvais lui faire sentir la confiance que j'avais en lui en tant que personne, une personne qui possédait de bonnes raisons pour faire tout ce qu'elle faisait, si je pouvais lui faire saisir l'idée qu'il n'existait pas de réponses cachées qu'il eût à deviner, pas de types secrets d'expression ou de comportement qui ne fussent pas avoués ouvertement, pas d'obligation pour lui de lire dans mes pensées afin de me proposer une solution dont il comprenait que je l'avais déjà retenue, pas d'impatience de ma part à voir tout réalisé dès aujourd'hui — alors, peut-être Dibs serait-il gagné de plus en plus par un sentiment de sécurité, peut-être admettrait-il la justesse de ses propres réactions de sorte qu'il pourrait les clarifier, les comprendre et les accepter. Tout cela allait prendre du temps et demanderait un effort véritable, une grande patience, de sa part comme de la mienne. En outre, il fallait qu'en tout temps, tout soit essentiellement et fondamentalement honnête entre nous.

Tout à coup, il s'empara de deux petits cubes et les frappa l'un contre l'autre.

— Une collision, dit-il.

— Oh, c'était une collision ?

— C'est ça, me répondit-il. Une collision !

Un camion entra dans le parking et vint s'arrêter non

loin de la fenêtre ouverte. Dibs se dirigea vers la fenêtre et entreprit de la fermer. Il faisait déjà très chaud dans la pièce, avec la fenêtre ouverte, mais il tourna la poignée pour la fermer.

— Fermer fenêtre, dit-il.

— Tu veux fermer la fenêtre ? lui demandai-je. Mais aujourd'hui il fait très chaud ici. Même avec la fenêtre ouverte.

— C'est ça, me répondit Dibs. Tu la fermeras, Dibs.

— Oh, lui dis-je. Tu veux qu'elle soit fermée tout de même.

— C'est ça, Dibs, ferme-la !

Il parlait d'un ton ferme.

— Tu sais fort bien ce que tu veux, n'est-ce pas ? lui dis-je.

Un bref instant, Dibs me regarda bien en face.

— Tu sais, me répondit-il, sèchement.

Puis il se dirigea à nouveau vers le chevalet et laissa courir ses doigts sur les pots de peinture. Il prit le pinceau dans le pot de peinture rouge et le promena sur un papier posé sur le chevalet. Il fit un carré qu'il emplit avec infiniment de soin par touches précises, soigneuses. Nous ne dîmes mot ni l'un ni l'autre jusqu'au moment où la fin de la séance approcha. Dibs semblait absorbé par sa peinture.

— Le temps que tu pouvais passer aujourd'hui dans cette salle de jeu est presque terminé, lui dis-je. Il ne reste plus que cinq minutes.

Dibs m'ignora. Il continua à faire des carrés de couleur suivant le même ordre inaltérable. Rouge. Orange. Jaune. Vert. Bleu. Noir. Blanc. Violet.

La cinquième minute arriva et s'écoula. Je me levai.

— Notre heure est terminée, Dibs, lui dis-je. Il est l'heure de partir.

Mais Dibs ne voulait pas partir.

— Non ! s'écria-t-il. Dibs pas partir ! Dibs rester !

— Je sais que tu ne veux pas partir, Dibs, lui dis-je. Mais pour aujourd'hui notre heure est terminée et il va falloir que tu rentres chez toi, maintenant. Tu pourras revenir la semaine prochaine. Et la semaine qui suivra. Et la semaine qui viendra après celle-là. Mais chaque fois, lorsque notre heure sera terminée, il faudra que tu rentres chez toi.

Dibs se mit à pleurer.

— Dibs pas aller à la maison, sanglota-t-il. Dibs rester.

— Je sais que tu préférerais rester, lui dis-je. Mais pour aujourd'hui, notre heure est terminée et il faut que tu t'en ailles. S'il te plaît, laisse-moi te mettre ton manteau, maintenant.

Dibs abandonna le coin du chevalet auquel il s'était cramponné. Ses bras pendaient mollement le long de son corps. Il paraissait totalement abattu. Je lui enfilai son manteau.

— Parfois, il n'est pas facile de faire certaines choses qu'il vous faut faire, lui expliquai-je. Mais il y a des choses qui doivent être faites. Veux-tu t'asseoir ici, s'il te plaît, pour que je puisse t'aider à remettre tes chaussures.

J'attendis, pendant qu'il réfléchissait à ce que je venais de lui dire. Tout en gémissant, il s'assit sur la petite chaise. Je lui mis ses chaussures, puis ses bottes, sans grande coopération de sa part. Les larmes roulaient sur ses joues.

— Tu es malheureux, maintenant, lui dis-je. Je comprends ce que tu ressens, Dibs. Mais il y a des choses qu'il nous faut faire, quelquefois, même si nous n'avons aucune envie de les faire.

Il essuya maladroitement son visage baigné de larmes. Il aurait été si facile de le prendre dans mes bras et de le consoler, de prolonger un peu cette heure, d'essayer de lui donner ouvertement un témoignage d'affection et de sympathie. Mais quel intérêt y avait-il à ajouter de nouveaux problèmes affectifs à la vie de cet enfant ? Il devait rentrer chez lui, quels que fussent ses sentiments à cet égard. Eviter de regarder en face cette réalité ne lui servirait à rien. Il avait besoin d'acquérir une certaine force afin d'être capable de faire face à son monde, mais cette force devait lui venir de l'intérieur et il fallait qu'il fît personnellement l'expérience de sa capacité d'affronter son propre monde, tel qu'il était. Tout changement significatif devait venir de lui-même. Nous ne pouvions espérer pouvoir refaire son monde extérieur.

Enfin il fut habillé. Il prit ma main et vint avec moi jusque dans la salle d'attente. Sa mère l'y attendait. Elle ressemblait beaucoup à Dibs, en ce sens qu'elle paraissait embarrassée, mal à l'aise, très peu sûre d'elle-même et de la situation. Lorsque Dibs l'aperçut, il se jeta sur le sol à plat ventre, donna des coups de pied et se mit à hurler son refus. Je lui dis au revoir, prévins sa mère que je le reverrais la semaine suivante et les quittai. Il y eut de l'agitation dans la salle d'attente, pendant que sa mère s'efforçait de le faire partir. Elle était ennuyée, exaspérée même, par son comportement.

Je n'étais pas très heureuse que les choses se fussent passées de cette manière, mais je ne savais que faire, si ce n'est les laisser s'en sortir à leur façon. Il me semblait que si j'étais restée à les observer ou que je fusse intervenue, je n'aurais pu qu'ajouter à leur confusion et compliquer la situation. Je ne voulais pas avoir l'air de prendre parti pour ou contre Dibs ou sa mère. Je ne voulais pas faire la moindre chose qui ait pu impliquer une critique à l'égard de leur comportement — ou paraître soutenir ou rejeter la mère ou l'enfant. Aussi me parut-il que quitter la scène sans chercher à intervenir était encore la meilleure solution.

CHAPITRE V

Dibs revint au Centre la semaine suivante. Il fut très exact à son rendez-vous. Je me trouvai dans mon bureau lorsque la réceptionniste sonna pour me prévenir de son arrivée. Je me rendis immédiatement dans la salle d'attente. Dibs se tenait tout près de la porte. Sa mère l'avait accompagné jusque-là, elle avait dit quelques mots à la réceptionniste, puis elle était repartie.

— Bonjour, Dibs, lui dis-je, tout en m'avançant vers lui.

Il ne me répondit pas. Il demeura au même endroit, les yeux baissés.

— Retournons à la salle de jeu, lui dis-je, en lui tendant la main.

Il la prit et nous suivîmes le couloir jusqu'à la salle de jeu. Je fis un pas de côté pour permettre à Dibs d'entrer le premier. Il fit quelques pas en avant pour pénétrer dans la pièce, puis, soudain, il recula et saisit le bord de la porte. Un écriteau à double face avait été posé sur la porte. Dibs tendit la main et sortit la carte de son étui.

— « Prière de ne pas déranger », lut-il.

Il retourna l'écriteau et lut les mots imprimés sur l'autre face.

— « Jeu », lut-il.

Il frappa plusieurs fois le mot précédent du bout de son doigt. C'était là un mot nouveau pour lui. Thérapie. Il l'étudia avec attention.

— « The-ra-pie », lut-il, en accrochant sur la première syllabe.

— Cela se prononce *thérapie*, lui dis-je, en lui indiquant la prononciation correcte.

— Salle de thérapie par le jeu ? dit-il.

— Oui, répondis-je.

— Salle de thérapie par le jeu, dit-il encore.

Puis il entra dans la salle de jeu et referma la porte derrière nous.

— Tu vas enlever ta casquette et ton manteau, dit-il.

Je le regardai. Je savais qu'il faisait allusion à lui-même, mais qu'il utilisait la seconde personne du singulier. On avait rarement entendu Dibs parler de lui-même en employant le pronom « je ».

— Tu veux que j'enlève *ma* casquette et *mon* manteau ? lui demandai-je.

— C'est ça, dit-il.

— Mais moi, je ne porte pas de casquette et de manteau, lui dis-je.

Dibs me dévisagea.

— Tu vas enlever ta casquette et ton manteau, répéta-t-il, en tirant sur son manteau.

— Veux-tu que je t'aide à enlever ta casquette et ton manteau ? C'est ce que tu veux ? lui demandai-je.

J'avais espéré attirer son attention sur le pronom *je*, mais c'était là un problème troublant et compliqué.

— C'est ça, fit Dibs.

— Je vais t'aider, lui dis-je.

Et je le fis, mais il m'aida un peu plus, cette fois. Je lui tendis la casquette et le manteau, dès que je les lui eus enlevés.

Il me jeta un coup d'œil, prit la casquette et le manteau et se dirigea vers la porte.

— Tu vas les accrocher ici, dit-il, en les pendant à la poignée.

— Je les ai accrochés là la semaine dernière, dis-je. Aujourd'hui, c'est toi qui va les accrocher là.

— C'est ça, répondit-il.

Il s'assit sur le bord de la caisse à sable et réunit à nouveau les soldats deux par deux avant de les aligner. Puis il se dirigea vers la maison de poupée et arrangea d'une autre façon le mobilier qui s'y trouvait.

— Où est la porte ? Où est la porte ? demanda-t-il, en montrant du doigt la maison de poupée, dont la façade avait été enlevée.

— Je crois qu'elle se trouve dans cette armoire, là-bas, lui dis-je.

Dibs alla à l'armoire et en sortit la façade. Comme il contournait la maison de poupée, il la heurta avec la façade et fit tomber l'une des cloisons. Il la redressa et la fit à nouveau glisser dans sa rainure. Puis il tenta de fixer le panneau sur lequel étaient peintes la porte et les fenêtres. C'était un travail difficile. Il fit plusieurs essais, mais chaque fois il ratait quelques-unes des agrafes. Il se mit à gémir.

— La fermer, murmura-t-il. La fermer.

— Tu voudrais que la maison soit fermée ? lui demandai-je.

— Fermée, répéta-t-il.

Il fit un nouvel essai. Cette fois, il réussit à fixer le panneau.

— Ça y est, annonça-t-il. Complètement fermée.

— Je vois. Tu as pu mettre le panneau en place et tu l'as fermée.

Dibs me regarda. Il eut un sourire fugitif.

— *Je* l'ai fait, dit-il, d'une voix hésitante.

— En effet. Et tout seul, lui dis-je.

Il sourit plus franchement. Il paraissait très content de lui.

Il fit le tour de la maison et ferma tous les volets.

— Tous les volets clos, dit-il. Tous verrouillés et tous fermés. Tous fermés et verrouillés.

— Oui. Je vois bien que les fenêtres sont fermées, repris-je.

Il se laissa tomber à quatre pattes et examina le bas de la maison. Dans cette partie, il y avait deux portes qui tournaient sur leurs gonds. Il les ouvrit.

— Voilà, dit-il. Ça c'est la cave. Enlever celles-là. Des murs, encore des murs et des cloisons. Des murs sans portes.

Dans le bas de la maison, on avait en effet rangé d'autres cloisons et quelques pièces supplémentaires de mobilier.

— Faire une poignée, dit-il.

Il se redressa, s'empara de mon crayon et dessina très soigneusement une poignée sur la porte de la maison de poupée.

— Crois-tu qu'il doive y avoir une poignée sur la porte ? lui demandai-je.

— C'est ça, murmura-t-il.

Il dessina une serrure sur la porte.

— Maintenant, il y a aussi une serrure.

— Oui, je vois. Tu as mis une poignée et une serrure sur cette porte.

— Une serrure qui ferme bien, avec une clef, dit-il. Et des murs hauts et durs. Et une porte. Une porte fermée à clef.

— Je vois.

La maison branla légèrement lorsque Dibs la toucha. Il l'examina. Il sortit l'une des cloisons et essaya de la glisser sous un angle de la maison pour la caler. Après avoir tenté de glisser la cloison sous deux angles successifs, il l'inséra sous le troisième et la maison ne bougea plus.

— Voilà, dit-il. Elle ne branle plus, maintenant. Elle ne bouge, ni ne branle, à présent.

Il souleva une partie du toit et déplaça quelques-uns des meubles. La cloison qu'il avait utilisée pour caler la maison glissa et la maison se remit à branler. Dibs fit un pas en arrière et examina la maison.

— Miss A, mettez donc des roulettes à cette maison et alors elle ne pourra plus bouger, ni branler, dit-il.

— Crois-tu que cela résoudrait le problème ? lui demandai-je.

— Oui, répondit-il. Cela le résoudrait certainement.

Manifestement, Dibs possédait beaucoup de mots, même si son vocabulaire demeurait inutilisé. Il savait observer et poser des problèmes. Il savait aussi les résoudre. Pourquoi avait-il dessiné une serrure sur la porte de la maison de poupée ? Les portes fermées à clef avaient dû jouer un grand rôle dans la vie de Dibs et elles l'avaient manifestement marqué.

Il se dirigea vers la caisse de sable et y grimpa. Il ramassa quelques-uns des petits soldats qui y avaient été abandonnés. Il examina chaque soldat au fur et à mesure qu'il le prenait.

— Dibs en a eu quelques-uns comme ça pour Noël, dit-il, en m'en montrant un.

— Tu as eu quelques petits soldats comme ça à Noël ? lui dis-je.

— Oui. Exactement comme ceux-là, répondit-il. Enfin, pas exactement. Mais le même genre. Pour Noël. Ceux-ci ont des fusils dans leurs mains. Voici les fusils. Ils tirent. Les fusils, les vrais fusils, tirent. Celui-ci porte son fusil sur l'épaule. Celui-ci le porte en position de tir. Regardez. En voilà quatre qui sont presque pareils. Et en voilà quatre autres. En voilà trois dont les fusils sont pointés de ce côté-là. Et en voilà un autre comme cela. Quatre et quatre font huit. Ajoutez-y trois et un de plus, ça fait douze.

— Je vois, dis-je, en l'observant, tandis qu'il regroupait ses soldats. Tu sais additionner les groupes de soldats et trouver le résultat exact de l'addition.

— C'est ça, fit Dibs.

Puis, d'une voix hésitante, il ajouta :

— Je... Je... *Je* sais.

— Oui, tu sais, Dibs, lui dis-je.

— Ces deux hommes sont des porte-drapeaux, dit-il, en indiquant deux autres soldats.

Il les aligna tous le long du bord de la caisse à sable.

— Tous ceux-là ont des fusils, dit-il. Ils tirent. Mais ils ont le dos tourné de ce côté-là.

— Tu veux dire qu'ils tirent tous dans la même direction ? lui demandai-je en indiquant d'un geste assez vague l'endroit où se trouvaient les soldats.

Dibs me regarda. Il baissa les yeux et examina ses soldats. Il pencha la tête.

— Ils ne tirent pas — sur *vous*, dit-il d'un ton brusque.

— Je comprends. Ils ne tirent pas sur moi.

— C'est ça, dit-il.

Il glissa sa main dans le sable et ramena quelques autres soldats. Il les prit l'un après l'autre et les aligna. Il remua ses pieds en tous sens dans le sable.

— Enlever les chaussures, dit-il, soudain.

Il défit les lacets et enleva ses chaussures. Puis il regroupa ses soldats d'une manière légèrement différente.

— Voilà, dit-il. Ils sont tous alignés. Ils sont tous ensemble.

Il choisit trois soldats et les plaça sur une rangée. Soigneusement, délibérément, il les enfouit l'un après l'autre dans le sable. Le troisième ne s'enfonça pas aussi loin qu'il l'aurait voulu. Il le ressortit, l'enterra plus profondément, prit une poignée de sable et la laissa glisser entre ses doigts au-dessus des soldats enfouis.

— Il est parti ! annonça Dibs.

— Tu t'en es débarrassé, pas vrai ?

— C'est ça, répondit Dibs.

Il pelleta du sable dans un seau et renversa celui-ci sur la tête des soldats enterrés.

Le carillon de l'église qui se dressait de l'autre côté

du parking retentit, puis il sonna l'heure. Dibs interrompit son jeu.

— Ecoutez, dit-il. Un. Deux. Trois. Quatre. Il est 4 heures.

— Oui. Il est 4 heures. Ce sera bientôt le moment pour toi de retourner chez toi, dis-je.

Dibs fit comme s'il ne m'avait pas entendue. Il sortit de la caisse à sable et se précipita vers la table. Il examina les pots d'une peinture spéciale, dont on se sert pour peindre avec les doigts.

— Qu'est-ce que c'est ? demanda-t-il.

— C'est une peinture pour peindre avec les doigts, lui dis-je.

— Avec les doigts ? Comment ?

Je lui montrai comment utiliser cette peinture.

— Tout d'abord, tu mouilles ton papier. Ensuite, tu mets un peu de peinture sur le papier. Puis tu l'étales avec les doigts ou avec la main tout entière. Comme ceci. Enfin, comme il te plaira, Dibs.

Il m'écouta. Il observa avec attention ma brève démonstration.

— Pour peindre avec les doigts ? demanda-t-il encore.

— Oui. Pour peindre avec les doigts.

Il trempa un doigt timide dans le pot de peinture rouge.

— Tu l'étales partout, partout, dit-il.

Mais il n'en pouvait supporter le contact. De ses mains, il faisait des ronds juste au-dessus du papier mouillé. Puis il s'empara d'une spatule de bois, la trempa dans la peinture et la promena sur le papier.

— Je crois que c'est de la peinture pour peindre avec les doigts, dit-il. Oui. Vous avez dit que c'était de la peinture pour peindre avec les doigts. Etale-la partout, partout avec tes doigts.

Il toucha à nouveau la peinture du bout des doigts.

— Oh, essuie-la, dit-il.

Je lui tendis un mouchoir en papier. Il essuya la peinture.

— Tu n'aimes pas avoir de la peinture sur les mains ? lui demandai-je.

— C'est de la peinture qui salit, dit-il. De la peinture qui salit et qui tache.

Il prit le pot de peinture et lut l'étiquette.

— C'est de la peinture rouge pour les doigts, m'annonça-t-il. Rouge.

Il reposa le pot sur la table et fit tourner ses mains grandes ouvertes au-dessus de la peinture et du papier, très près mais sans les toucher. Vivement, il appuya le bout de ses doigts sur la peinture.

— Etale-la, dit-il. Prends la peinture rouge, Dibs, et étale-la. Prends-en sur un doigt, sur deux doigts, sur trois doigts. D'abord la rouge. Puis la jaune. Puis la bleue. Prends-les dans l'ordre.

— Tu aimerais bien les essayer, n'est-ce pas ?

— Voilà toutes les étiquettes qui disent ce que c'est, me dit Dibs, en levant les yeux sur moi et en indiquant les étiquettes collées sur les pots.

— Oui. C'est le mode d'emploi.

Il trempa à nouveau ses doigts dans la peinture.

— Oh, enlève-la, dit-il.

Il prit un autre mouchoir en papier et s'essuya vigoureusement les doigts.

— D'un côté, tu aimerais bien t'en servir, et d'un autre côté, tu n'aimes pas cela, lui dis-je.

— Eh bien, ces crayons, c'est autre chose, dit Dibs. C'est la Compagnie américaine des Crayons qui les fabrique. Et ça, c'est de la peinture pour peindre avec les doigts de chez Shaw. La peinture à l'eau est fabriquée par Prang.

— Oui, dis-je.

— Ça, c'est des peintures pour peindre avec les doigts, reprit Dibs.

Il trempa ses doigts dans la peinture jaune, et lentement, délibérément, il l'étala sur chacun de ses doigts. Puis il s'essuya avec des mouchoirs en papier. Ensuite, il plongea les doigts dans la peinture bleue. Il posa sa main sur le papier et se pencha en avant, très absorbé par ce qu'il faisait. Il étala la peinture très soigneusement sur chacun de ses doigts.

— Voilà, dit-il avec un accent triomphant, en me montrant ses mains. Regardez !

— Eh bien, cette fois-ci, tu y es arrivé, n'est-ce pas ?

— Regardez, répéta-t-il. Les doigts sont pleins de peinture bleue pour peindre avec les doigts.

Il examina à nouveau ses mains.

— Les doigts sont tout bleus, maintenant. A présent, ils sont tout verts, dit-il, après avoir changé de couleur. D'abord, je les ai colorés tout en rouge. Puis en jaune. Puis en bleu. Puis en vert. Puis en marron. J'en ai mis sur chaque doigt. Je l'ai essuyée. J'ai nettoyé chaque couleur et j'en ai mis une autre à la place. Alors, c'est donc ça, la peinture pour peindre avec les doigts ! Oh, allez, viens, Dibs. Elle est très bête, cette peinture-là. Ça suffit comme ça !

Il enleva la peinture de ses doigts et jeta les mouchoirs de papier dans la corbeille. Il secoua la tête en signe de dégoût.

— Des peintures pour peindre avc les doigts, dit-il. Elles n'ont aucun intérêt pour moi. Je vais peindre un tableau.

— Tu préfères peindre quelque chose ? lui dis-je.

— Oui, me répondit-il. A l'aquarelle.

— Il ne reste que cinq minutes, lui dis-je. Crois-tu que tu puisses peindre un tableau en cinq minutes ?

— Dibs va peindre, m'annonça-t-il.

Il s'empara de la boîte de couleurs.

— Où est l'eau ? s'enquit-il.

Du doigt je lui indiquai le lavabo. Il emplit d'eau un godet à peinture.

— Tu n'auras que le temps de peindre ce seul dessin, lui dis-je. Et puis ce sera l'heure de partir.

C'était là une déclaration risquée de ma part. Il pouvait très bien de ce fait prendre tout le temps qu'il voudrait pour achever son travail, puisque mes propres paroles avaient rendu extensible le temps qui lui restait. Etant donné que je voulais dire « il ne reste plus que cinq minutes », j'aurais dû me tenir à cette limite et non pas compliquer la situation en introduisant un second élément.

Toutefois, Dibs ignora ma dernière remarque.

— La peinture coule, dit-il. Je vais l'arrêter avec ce mouchoir de papier. Ça, ça la sèchera. Ça va être un tableau.

Par touches rapides et précises, il commença avec la peinture rouge et déposa sur le papier ce qui me parut être tout d'abord une suite de taches de couleur de formes différentes, en les plaçant à divers endroits de la feuille. Puis il ajouta les autres couleurs dans le même ordre que l'on suit pour réaliser les roues de couleurs. Au fur et à mesure qu'il ajoutait de nouvelles touches de couleurs, le tableau commença à prendre forme. Lorsqu'il l'eut achevé, il avait peint une maison, un arbre, le ciel, de l'herbe, des fleurs et le soleil. Toutes les couleurs avaient été employées. Il y avait dans ce tableau, une fois terminé, élémentairement de l'harmonie, de la composition et un sens.

— C'est... C'est...

Il bégayait un peu et tripotait son pinceau. Il avait baissé la tête et paraissait soudain tout intimidé.

— C'est la maison de miss A, dit-il. Miss A, je vous donne cette maison.

— Tu veux me la donner, c'est bien ça ? lui dis-je, en indiquant du geste le dessin.

Il hocha la tête. Je lui avais fait cette réponse, plutôt que de lui exprimer mes remerciements ou lui décerner des éloges, afin de conserver une porte ouverte entre nous, tout en freinant l'évolution de nos relations. Ainsi, s'il le désirait, il pouvait exprimer plus complètement ses pensées et ses sentiments sans être brusquement arrêté par ma réaction, mon engagement, mes notions de valeurs ou par certains types de comportements.

Dibs s'empara du crayon et dessina minutieusement une serrure sur la porte. Il ajouta encore quelques petites fenêtres grillagées tout en bas de la maison. Il y avait aussi une grande fenêtre, pour laquelle il avait utilisé le jaune le plus vif. Il avait peint un pot de fleurs rouges sur le bord de la fenêtre. C'était une création artistique tout à fait étonnante qui avait été réalisée d'un façon très particulière.

Il me regarda. Ses yeux étaient d'un bleu très brillant. Son visage exprimait le chagrin et la crainte. Il me montra la porte de son dessin.

— Il y a une serrure dessus, dit-il. On la ferme avec une clef. Il y a une cave qui est toute noire.

J'examinai son dessin, puis je le regardai.

— Oui, je vois, dis-je. Cette maison a, elle aussi, une serrure et une cave noire.

Il fixa attentivement la maison. Il effleura la serrure de la porte. Il me regarda.

— Cette maison-là est pour vous, dit-il.

Il tordait ses doigts.

— C'est votre maison, maintenant, ajouta-t-il.

Il respira profondément. Puis il dit avec un grand effort :

— Dans cette maison, il y a aussi une salle de jeu.

Il me montra la fenêtre peinte en jaune et le pot de fleurs rouges posé sur le rebord de la fenêtre.

— Oh, oui. Je vois. C'est la fenêtre de la salle de jeu, n'est-ce pas ?

Dibs hocha la tête.

— C'est ça, fit-il.

Il alla jusqu'au lavabo et y vida l'eau qui lui avait servi pour sa peinture. Il ouvrit le robinet à fond. Le carillon de l'église se remit à sonner.

— Ecoute, Dibs, lui dis-je. Il est l'heure de partir. Entends-tu le carillon ?

Dibs ignora ma remarque.

— Le marron rend l'eau marron et la peinture orange rend l'eau orange, dit-il.

— Oui, c'est vrai, répliquai-je.

Je savais qu'il avait entendu ma réflexion au sujet de l'heure. Je n'avais pas l'intention de faire comme si je pensais qu'il ne m'avait pas entendue.

— C'est de l'eau C-H-A-U-D-E. Chaude, dit-il. Et ça, c'est de l'eau F-R-O-I-D-E. Froide. Chaude. Froide. Ouvert. Fermé. Ouvert. Fermé.

— Tu t'intéresses maintenant aussi à l'eau chaude et à l'eau froide ?

— C'est ça, fit-il.

— Mais que t'ai-je dit au sujet de notre heure, Dibs ? lui demandai-je.

Il se tordit les mains et se retourna vers moi. Il avait l'air très malheureux et très tourmenté.

— Miss A dit qu'il peindre un tableau d'une maison et puis qu'il vous quitter, dit-il d'une voix sourde.

Je remarquai combien son langage s'était détérioré. Voilà un enfant qui était capable de grands efforts intellectuels, mais dont les moyens étaient soumis aux émotions.

— C'est bien ce que j'ai dit, Dibs, lui répondis-je simplement. Et tu as terminé ton tableau et il est l'heure de partir.

— Il faudrait mettre un peu plus d'herbe ici et quelques fleurs, dit-il, soudain.

— Nous n'avons plus le temps pour ça, lui dis-je. Notre heure est terminée aujourd'hui.

Dibs se dirigea vers la maison de poupée.

— Il faut que j'arrange la maison, dit-il. Il faut que je la ferme.

— Tu penses à toutes les choses que tu pourrais faire afin de ne pas partir, n'est-ce pas ? Mais notre heure est terminée, maintenant, Dibs, et il va falloir que tu rentres chez toi.

— Non. Attendez. Attendez, s'écria Dibs.

— Je sais bien que tu ne veux pas partir, Dibs. Mais notre heure est terminée, aujourd'hui.

— Pas partir maintenant, sanglota-t-il. Pas partir jamais.

— Cela te rend malheureux quand je dis qu'il faut que tu t'en ailles, n'est-ce pas, Dibs ? Mais tu pourras revenir la semaine prochaine. Jeudi prochain.

Je pris sa casquette, son manteau et ses bottes. Dibs s'assit sur la petite chaise, près de la table. Il me regarda de ses yeux pleins de larmes, lorsque je lui mis sa casquette sur la tête.

Brusquement son visage s'éclaira.

— Vendredi ? demanda-t-il. Revenir vendredi ?

— Tu reviendras jeudi prochain, lui dis-je. Parce que le jeudi, c'est le jour où tu viens à la salle de jeu.

Dibs se leva soudainement.

— Non ! cria-t-il. Dibs pas sortir d'ici. Dibs pas aller à la maison. Pas jamais !

— Je sais que tu ne veux pas partir, Dibs. Mais toi et moi, nous ne pouvons passer qu'une heure ensemble chaque semaine, ici, dans cette salle de jeu. Et quand l'heure est terminée, quels que soient tes sentiments, quels que soient mes sentiments, quels que soient les sentiments de n'importe qui, c'est fini pour ce jour-là et nous devons tous les deux quitter la salle de jeu. *Maintenant,* il est l'heure pour nous de partir. En fait, nous sommes déjà un petit peu en retard.

— Peux pas peindre un autre tableau ? demanda Dibs, dont les larmes inondaient les joues.

— Pas aujourd'hui, lui dis-je.

— Un tableau pour vous ? demanda-t-il. Encore un seul tableau que je peins juste pour vous ?

— Non. Notre heure est terminée, aujourd'hui, lui répondis-je.

Il se tenait devant moi. Je lui tendis son manteau.

— Allez, Dibs. Mets tes bras dans les manches de ton manteau.

Il le fit.

— Maintenant, assieds-toi pour que je puisse enfiler tes bottes.

Il s'assit, tout en murmurant :

— Pas aller à la maison. Veux pas aller à la maison. Pas envie d'aller à la maison.

— Je sais ce que tu *ressens*, lui dis-je.

Un enfant tire ses sentiments de sécurité de limites

prévisibles, logiques et réelles. J'avais espéré pouvoir aider Dibs à faire la différence entre ses *sentiments* et ses actions. Il paraissait y être parvenu en partie. J'espérais également lui faire comprendre que cette heure-là n'était qu'une partie de son existence, qu'elle ne pouvait, ni ne devait prendre le pas sur tous les autres rapports et les autres expériences et que le temps qui s'écoulait entre nos rendez-vous hebdomadaires avait son importance, lui aussi. La valeur de toute expérience thérapeutique réussie, dépend, à mon sens, de l'équilibre qui doit être maintenu entre ce que le sujet apporte aux séances et ce qu'il en retire. Si la thérapeutique devient l'influence prédominante et directrice de la vie quotidienne du sujet, je doute sérieusement de son efficacité. Je voulais que Dibs sentît qu'il avait la tâche d'emporter avec lui la capacité croissante d'assumer la responsabilité de lui-même et de gagner par là même une indépendance psychologique.

Comme je lui enfilais ses bottes, je levai les yeux vers lui. Il avait attrapé le biberon plein d'eau qui se trouvait sur la table. Il tirait sur la tétine comme un petit bébé. Les bottes furent enfin mises.

— Allons, dis-je, les voilà mises.

— Mettre les couvercles sur les pots de peinture ? demanda-t-il, en tentant sa chance une dernière fois.

— Pas maintenant, lui dis-je.

— Elles vont se dessécher ? dit-il.

— Si les couvercles n'étaient pas vissés, elles se dessécheraient, répondis-je. Mais je mettrai les couvercles plus tard.

— Mettre les couvercles sur les peintures pour peindre avec les doigts ? demanda-t-il.

— Oui. Ce sera fait également.

— Nettoyer les pinceaux ?

— Oui.

Dibs poussa un soupir. Il avait apparemment épuisé toutes ses ressources. Il se leva et se dirigea vers la porte. Lorsqu'il l'eut ouverte, il s'arrêta brusquement, tendit la main et retourna l'écriteau sur la porte, masquant le « Prière de ne pas déranger » pour laisser la place à « Salle de Thérapie par le Jeu ». Il tapota la porte.

— Notre salle de jeu, dit-il.

Il suivit le couloir jusqu'à la salle d'attente et sans faire d'histoires, quitta le Centre aux côtés de sa mère toute surprise.

CHAPITRE VI

Lorsque Dibs pénétra dans la salle de jeu, le jeudi suivant, il se dirigea vers la table et examina les pots de peinture qui s'y trouvaient. Il prit chaque pot à tour de rôle, en vérifia la fermeture et le replaça dans sa longue boîte étroite.

— Les couvercles sont dessus, observa-t-il.

— Oui. J'ai pensé à les mettre, dis-je.

— C'est bien ce que je vois, dit-il.

Il s'empara du biberon.

— Je voudrais téter, dit-il.

Il demeura là, tirant sur la tétine, tout en me regardant. Puis il reposa le biberon sur la table.

— Enlève tes vêtements, dit-il.

Il déboutonna son manteau, l'enleva sans mon aide et alla l'accrocher à la poignée de la porte. Ensuite il enleva sa casquette et la déposa sur la chaise qui se trouvait près de la porte.

Il s'avança jusqu'à la maison de poupée et en ouvrit toutes les fenêtres.

— Regardez, dit-il. Toutes les fenêtres sont ouvertes. Maintenant, je vais toutes les fermer.

Il prit la façade de la maison, changea brusquement d'idée, la laissa retomber sur le sol, revint à la table et reprit le biberon.

— Je vais prendre mon biberon, m'annonça-t-il.

— Est-ce que tu aimes prendre le biberon ? lui demandai-je — une fois encore, plus pour laisser ouvertes les voies de communication entre nous que pour retirer de notre conversation de nouveaux aperçus.

— C'est ça, fit-il.

Pendant un temps assez long, il continua à tirer silencieusement sur son biberon. Il m'observait tout en buvant son eau. Puis il reposa le biberon, se dirigea vers l'armoire, en ouvrit les portes et se mit à en examiner le contenu.

Il sortit une boîte vide qui avait renfermé quelques-uns des petits cubes.

— Les cubes pour compter rentrent là-dedans, dit-il.

Il inséra plusieurs cubes dans la boîte.

— Vous voyez ? Ça, c'est leur boîte. C'est ce qui est écrit dessus.

Il m'indiqua le nom des cubes imprimé sur le couvercle.

— Oui, je sais, dis-je.

J'étais intéressée par la manière dont Dibs s'y était pris pour me faire comprendre qu'il était capable de lire, de compter et de résoudre des problèmes. Il me semblait que chaque fois qu'il allait aborder une question ayant une base émotionnelle, il se retranchait derrière une démonstration de sa connaissance de la lecture. Peut-être se sentait-il plus en sécurité en manipulant des concepts intellectuels à propos d'*objets* qu'en essayant d'approfondir des sentiments qui le concernaient et qu'il n'acceptait pas facilement. Peut-être était-ce là une mince preuve de l'existence d'un conflit dans lequel il se débattait, entre ce que l'on attendait de son comportement et ses propres efforts pour parvenir à être lui-même — parfois très capable et parfois un bébé. Il avait ainsi battu en retraite à diverses occasions, depuis qu'il venait à la salle de jeu. Peut-être avait-il le sentiment que ses facultés intellectuelles représentaient la seule part de lui qui était estimée par les autres. Mais alors, pourquoi avait-il déployé tant d'énergie à cacher ses possibilités, à l'école comme à la maison ? Se pouvait-il qu'il désirât avant tout être un individu respecté et aimé pour *toutes* ses qualités ? Comment un enfant avait-il pu dissimuler à ce point une telle richesse intellectuelle, alors qu'on la sentait toute proche de la surface, sous un comportement extérieur fait de résistance ? Comment avait-il acquis tout ce qu'il savait ? En matière de lecture, il avait plusieurs années d'avance. Comment avait-il pu parvenir à ce résultat sans avoir jamais révélé oralement qu'il eût un usage intelligent du langage ? La finesse et la force de cet enfant étaient incroyables. Comment avait-il pu cacher cette faculté à sa famille, si c'était le cas ?

Il aurait été extrêmement intéressant de combler les lacunes que nous avions encore dans la compréhension de cet enfant. Mais, nous nous étions mis d'accord, sa mère et moi, sur le fait qu'il n'y aurait pas de questions posées de notre part. Je pouvais seulement espérer qu'un jour elle se sentirait assez sûre d'elle pour me confier ce qu'elle savait du développement de Dibs. Par ailleurs, il était évident qu'un accomplissement intellectuel, sans la maturité émotionnelle et sociale correspondante, n'était pas suffisant. Fallait-il chercher là la raison pour laquelle la famille de Dibs n'était pas satisfaite de lui ? Ou bien sa mère éprouvait-elle un certain malaise et une certaine crainte à l'égard de Dibs parce qu'elle ne réussissait pas à le comprendre ?

Il existait probablement bien des raisons complexes pour expliquer pourquoi les relations entre Dibs et sa famille étaient si peu satisfaisantes. Il m'aurait été d'un grand secours de connaître davantage de réponses aux questions qui se pressaient en moi tandis que j'observais Dibs et que je le voyais passer du biberon et d'un comportement infantile à quelque manifestation intellectuelle précise et presque impérieuse.

Dibs était assis là sur sa chaise et tirait d'un air heureux sur sa tétine. Il était détendu et ne me quittait pas des yeux. Je me demandais quelles questions demeurées sans réponses se pressaient dans son esprit. Soudain, il se redressa, enleva la tétine, but à même le biberon et renversa un peu d'eau sur le sol tout en buvant.

Il m'indiqua les deux sonnettes qui étaient posées au mur.

— Ça, c'est des sonnettes, me dit-il.

— Oui, c'est comme des sonnettes, lui répondis-je.

Il reprit la tétine, la mordilla et la suça, tout en me regardant fixement. Finalement, il désigna mes pieds. Je portais ce jour-là des bottes rouges. Dibs n'avait pas mis les siennes. Il me menaça du doigt.

— Enlevez mes bottes, dit-il.

— Tu trouves que je devrais enlever *mes* bottes ? lui demandai-je.

— Oui. Toujours. A l'intérieur, répondit-il.

Je me baissai et enlevai mes bottes, puis je les posai dans un coin de la pièce.

— Et comme ça ? lui dis-je.

— C'est mieux, répondit-il.

Il essaya de remettre la tétine sur le biberon, mais il n'y parvint pas. Il me les apporta.

— Je ne peux pas, dit-il. Aidez-moi.

— Très bien. Je vais t'aider, lui dis-je.

Je reposai la tétine sur le biberon. Il reprit le biberon, enleva immédiatement la tétine et alla vider l'eau dans le lavabo. Il se retourna et éleva le biberon vide pour que je le voie.

— Biberon vide, me dit-il.

— Oui. Tu l'as vidé.

Dibs demeura près du lavabo, tenant le biberon vide serré contre son cœur. Il me regarda un long moment. Je lui rendis son regard, attendant qu'il prenne l'initiative d'une activité ou d'une conversation. Ou bien qu'il se contente de rester là à regarder et à réfléchir, s'il avait décidé de ne rien faire d'autre.

— Je pense, dit-il.

— Oui ?

— Oui. Je pense.

Je ne le pressai pas de me dire à quoi il pensait. Je voulais qu'il découvre autre chose qu'un simple exercice de questions et de réponses. Je voulais que nos rapports lui permettent de sentir son moi tout entier et d'en faire l'expérience — sans le limiter à un seul type de comportement. Je voulais qu'il apprenne qu'il était une personne complexe qui avait des hauts et des bas, des passions et des haines, des craintes et du courage, des désirs infantiles et des intérêts plus mûrs. Je voulais qu'il apprenne à faire l'expérience de cette responsabilité qui consiste à prendre l'initiative de faire usage de ses capacités dans ses relations avec autrui. Je ne voulais pas le diriger sur une voie plutôt qu'une autre en ayant recours à l'éloge, à la suggestion, à des questions. L'essence de la personnalité totale de cet enfant risquait de m'échapper complètement si je passais à des conclusions prématurées. J'attendis, pendant que Dibs, immobile, pensait. Un très léger et très fugitif sourire parut sur son visage.

— Je vais prendre de la peinture pour peindre avec les doigts, jouer au sable et inviter des enfants pour un goûter, dit-il.

— Tu es en train de décider de que tu vas faire pendant le temps qu'il nous reste à passer ensemble, lui dis-je.

— C'est ça, me répondit-il. Vous avez raison.

Il me sourit plus franchement

— C'est bien souvent que vous avez raison, ajouta-t-il.

— Eh bien ça, c'est encourageant, lui dis-je.

Il rit. Ce fut un rire bref, mais c'était la toute première fois que je l'entendais rire. Il prit une dînette sur l'étagère.

— Je vais tout préparer, m'annonça-t-il.

— Tu vas commencer par le goûter ? lui demandai-je.

— Oui, je crois bien que je vais commencer par ça, me répondit-il.

Il mit de l'eau dans le biberon, mordilla la tétine qu'il ne fixa pas sur le biberon, ouvrit le robinet à fond et ferma les portes du placard dans lequel était installé le lavabo. Il me regarda, attendant visiblement une réaction de ma part. Je ne dis rien. Il traversa la pièce et alla s'accouder sur l'appui de la fenêtre. Il tenait le biberon dans une main, mordillait la tétine et ne me quittait pas des yeux. Soudain, il rit, retraversa la pièce en courant, ouvrit les portes qui masquaient le lavabo et ferma l'eau. Il vida le biberon et le remplit à nouveau. Il mordillait et suçait toujours la tétine. Puis il ouvrit l'une des portes de l'armoire et examina les étagères sur lesquelles on avait rangé toutes sortes de fournitures. Il me regarda.

— Je vais enlever mes guêtres, maintenant, dit-il, en me montrant le survêtement qu'il avait inauguré ce jour-là et qu'il n'avait pas encore ôté.

— Tu crois que tu vas peut-être l'enlever, c'est ça ? lui demandai-je.

— C'est ça, fit Dibs.

Il n'en fit pourtant rien. Il se plongea à nouveau dans l'armoire et se mit à examiner tous les objets qui étaient posés sur l'étagère. Il sortit les boîtes de pâte à modeler. Je lui expliquai qu'il y avait de la pâte à modeler dans un pot qui se trouvait sur la table et que la pâte qui se trouvait encore dans la boîte ne pourrait être utilisée qu'une fois l'autre terminée. Je lui dis encore que les fournitures étaient rangées là pour être employées au fur et à mesure des besoins.

— Oh, je vois, dit Dibs. Ce sont vos réserves.

— Exactement, répondis-je.

Il tira sur son pantalon.

— Mes guêtres, dit-il.

— Que veux-tu dire ?

— Aujourd'hui, il y a un vent très froid dehors.
— C'est vrai. Il fait froid dehors.
— Il fait froid dans la salle de jeu, aujourd'hui, dit Dibs.
— Oui, en effet. Il fait froid.
— Alors, enlever mes guêtres ? me demanda Dibs.
— C'est à toi de décider, lui dis-je. Si tu veux les enlever, tu le peux. Si tu ne veux pas les enlever aujourd'hui, cela ne fait rien, parce qu'aujourd'hui il fait froid, ici.
— C'est ça, dit-il. Très, très froid.

Le carillon sonna quatre heures, mais il ne parut pas l'avoir entendu. Il se dirigea vers la caisse à sable et grimpa dedans. Il se mit à jouer avec les avions et les soldats. Il poussa un soupir.

— Enlève toujours tes bottes quand tu es à l'intérieur, dit-il. Tire et pousse et pousse fort et enlève-les. C'est difficile. Mais garde tes guêtres pour aujourd'hui, parce qu'il fait froid, ici.
— Il semble qu'il y ait certaines choses que nous devrions toujours enlever, lorsque nous sommes à l'intérieur des maisons, et certaines choses que nous pouvons garder, observai-je.
— C'est ça, dit Dibs. Ça trouble les gens.
— On s'y perd un peu, remarquai-je.
— On s'y perd beaucoup ! s'exclama Dibs en hochant vigoureusement la tête.

Dans la caisse à sable, il y avait une très petite maison de poupée qui ne comportait qu'une seule pièce. L'un de ses volets était cassé. En silence, Dibs le répara en faisant preuve de beaucoup d'habileté. Il sortit une boîte d'animaux de la ferme. Ces animaux étaient découpés dans un épais carton et il fallait les insérer dans un socle en bois pour les faire tenir debout.

— Miss A va t'aider à les faire tenir, Dibs, dit-il.

Il se tourna vers moi et me demanda :

— M'aiderez-vous à les faire tenir, Miss A ?
— Qu'en penses-tu ? lui demandai-je.
— Vous allez m'aider, affirma-t-il.

Il continua son jeu et inséra les animaux dans leurs socles sans aide de ma part. Il se mit à chanter tout en travaillant. Il plaça la petite maison au beau milieu de la caisse de sable et posa les animaux de la ferme en divers points tout autour. Il paraissait totalement absorbé par son activité.

— Il y a des chats qui vivent dans cette maison, dit-il. L'homme qui se bat a un chat, un vrai chat. Et voilà le canard. Le canard n'a pas de mare et ce canard voudrait une mare. Regardez. C'est deux canards qu'il y a là. Voilà le grand canard et il est courageux. Et puis, voilà le petit canard. Il n'est pas si courageux. Le grand canard peut avoir quelque part une jolie mare où il est bien en sécurité. Mais ce petit canard-là n'a pas de mare à lui et il voudrait bien en avoir une à lui. Mais maintenant, ces deux canards se sont rencontrés et ils se tiennent là, tous les deux ensemble, et ils regardent tous les deux le camion qui vient de s'arrêter devant la fenêtre.

Son débit était sans heurt et il avait un sens très sûr des mots qu'il employait. Je l'écoutais. Je me rendais compte qu'au moment même où il parlait, un gros camion s'approchait et venait se garer juste devant la fenêtre de la salle de jeu.

— Ainsi, ce petit canard voudrait avoir une mare bien à lui, où il se sente en sécurité. Peut-être une mare semblable à celle qu'il croit que possède le grand canard ? demandai-je.

— C'est ça, fit Dibs. Ensemble, ils regardent le gros camion qui s'approche. Le camion se range, l'homme entre dans la maison, il charge son camion, et puis, quand son camion est plein, il repart.

— Je vois, dis-je.

Dibs prit le camion-jouet et lui fit faire ce qu'il venait de me raconter. Il demeura silencieux un long moment.

— Plus que cinq minutes, Dibs, annonçai-je.

Dibs fit comme s'il ne m'avait pas entendue.

— J'ai dit qu'il ne restait plus que cinq minutes, répétai-je.

— Oui, dit Dibs, d'un ton las. Je vous ai entendue.

— Tu m'as entendue t'annoncer qu'il ne restait plus que cinq minutes, mais tu n'as pas montré que tu m'avais comprise, c'est ça ? lui demandai-je.

— C'est ça, répondit Dibs. Et puis, j'ai répondu.

— Oui. Lorsque je l'ai répété, tu as répondu, remarquai-je.

J'étais en train d'essayer de lui rendre sensible le déroulement du temps afin que l'heure ne se terminât pas de manière brutale, sans qu'il en ait été averti.

— Tout ceci va se passer dans les cinq minutes qui restent, déclara Dibs.

Il traça une route dans le sable. Elle montait jusqu'à la maison, puis elle en faisait le tour.

— Ça fait un drôle de bruit quand ça passe dans le sable, me dit-il.

Il leva les yeux vers moi et se mit à rire.

— Le camion est plein. Quand il passe, il fait une piste, une piste à sens unique, et puis il va jeter le sable, là.

Il chercha dans le groupe de soldats, en choisit rapidement trois et les mit dans le camion. Il les recouvrit de sable.

— Ça, c'est une route à sens unique et ces trois personnes montent dans le camion et elles ne reviendront jamais.

— Elles s'en vont et elles resteront où elles vont ? demandai-je.

— C'est ça, fit Dibs. Pour toujours.

Il poussa le camion dans le tas de sable, l'enfouit et versa des poignées de sable sur le camion et les trois personnages qu'il venait d'enterrer. Il demeura là, assis, les yeux fixés sur le monticule de sable qu'il avait formé ainsi.

— Regarde Dibs, lui dis-je. Voilà les minutes qui restent.

Je levai trois doigts.

Il me jeta un coup d'œil.

— Plus que trois minutes, dit-il.

Il ajouta un peu de sable au tas déjà formé, faisant totalement disparaître le camion et les personnes au sujet desquelles il n'avait rien dit.

— Voilà, petit canard, dit-il gentiment. Tu as vu ce qui est arrivé. Ils sont partis.

Puis il prit le petit canard et le déposa au sommet de la colline qu'il avait formée au-dessus du camion. Il se frotta les mains pour en ôter le sable. Puis il sortit de la caisse à sable.

— Aujourd'hui, c'est la Saint-Valentin, dit-il brusquement.

— C'est vrai, dis-je.

— Laissez-les comme ça toute la nuit et toute la journée, dit-il. Ne les enlevez pas.

— Tu veux qu'ils restent comme tu les as laissés ?

— C'est ça, fit Dibs.

Il vint jusqu'à moi et toucha le petit carnet de notes que j'avais posé sur mes genoux.

— Ajoutez ça à vos notes, dit-il. Dibs est venu aujourd'hui, il a trouvé le sable intéressant. Dibs a joué pour la dernière fois avec la maison et avec les hommes qui se battent. Au revoir !

Il prit son manteau, sa casquette, sortit de la salle de jeu, suivit le couloir et entra dans la salle d'attente. Sa mère l'aida à mettre son manteau et sa casquette. Il sortit sans avoir ajouté un mot.

Je retournai dans mon bureau et m'assis à ma table de travail. Quel enfant ! Il m'était possible de réfléchir, de tenter de comprendre, puis d'arriver sans doute à une interprétation assez juste du sens profond de son jeu symbolique. Il me paraissait pourtant vain, superflu et peut-être même limitatif de chercher une interprétation verbale à ce point de l'histoire — ou encore de m'efforcer d'obtenir des informations supplémentaires.

A mon sens, la valeur thérapeutique de cette sorte de psychothérapie repose avant tout sur le fait que l'enfant fait l'expérience d'être une personne responsable et capable, à l'intérieur d'une relation qui tente de lui faire découvrir deux vérités fondamentales : à savoir que d'une part, nul n'en sait vraiment autant sur le monde intérieur d'un être humain que cet individu lui-même ; et que d'autre part, la liberté et la responsabilité augmentent à l'intérieur même de la personne. L'enfant doit tout d'abord acquérir le respect de lui-même et un sens de la dignité, qui naît de sa compréhension grandissante de lui-même, avant d'apprendre à respecter la personnalité, les droits et les différences des autres.

CHAPITRE VII

Lorsque Dibs arriva au Centre d'Orientation des Enfants le jeudi suivant, il m'accueillit avec un petit sourire et s'engagea devant moi dans le couloir qui menait à la salle de jeu. Dès qu'il fut entré, il se dirigea vers la maison de poupée.

— Ce n'est pas comme l'autre jour, dit-il.

— Quelqu'un a probablement joué ici entre-temps, lui dis-je.

— Oui, observa Dibs.

Il fit un tour sur lui-même et examina la caisse à sable.

— Et les animaux aussi, dit-il. Ils ne sont plus comme je les avais laissés.

— On a dû jouer aussi avec eux, Dibs.

— Cela en a l'air, fit Dibs.

Il s'arrêta au beau milieu de la pièce et tendit l'oreille.

— Vous entendez cette machine à écrire ? me demanda-t-il. Il y a quelqu'un qui tape à la machine. Quelqu'un qui écrit des lettres à la machine.

— Oui. Je l'entends.

Dibs avait le don de prendre des objets inanimés inoffensifs comme thèmes de ses conversations, et en usait comme d'un bouclier lorsque quelque chose le tourmentait. Il était troublé parce que les jouets ne se trouvaient pas à l'endroit où il les avait laissés. Il avait demandé qu'ils ne soient pas déplacés, lorsqu'il était parti, la semaine précédente, mais je ne lui avais rien promis ni expliqué. C'est à dessein que tout engagement avait été évité, parce qu'il semblait important que Dibs, comme tous les enfants, apprenne par expérience que rien au monde n'est statique, ni contrôlable. Maintenant qu'il était confronté avec l'évidence concrète que son monde changeait, il allait être intéressant de faire usage de ses réactions — non pas en le rassurant, ni en lui donnant des explications ou des excuses détaillées, non point en lui donnant des mots, des mots, et encore des mots offerts en remplacement, mais en faisant usage de l'expérience qu'il pouvait avoir à présent et qui lui permettait de prendre la mesure de sa propre capacité à faire face à un monde en perpétuel changement.

Il retourna à la caisse de sable et contempla le sable nivelé et les petits jouets qui y étaient éparpillés.

— Où est donc mon petit canard ? demanda-t-il.

— Tu te demandes ce qui est arrivé au petit canard que tu avais laissé au sommet de ta colline de sable ? lui demandai-je.

Il se retourna vivement et me regarda bien en face :

— C'est ça, dit-il, furieux. Où est-il, mon petit canard ?

— Tu avais dit que tu voulais qu'il reste là et pourtant quelqu'un l'a déplacé, lui dis-je, en essayant de récapituler la situation, tout en freinant ses réactions par mes réponses, afin qu'il puisse reconnaître plus nettement ses pensées et ses sentiments.

Il s'approcha de moi et me regarda droit dans les yeux :

— C'est ça, dit-il avec insistance. Pourquoi ?

— Tu te demandes pourquoi je n'ai pas veillé à ce qu'ils restent à l'endroit où tu les avais laissés ?

— Oui, dit-il. *Pourquoi* ?

— Pourquoi crois-tu que j'ai laissé faire une chose pareille ? lui demandai-je.

— Je ne sais pas, répondit-il. Cela me met en colère. Vous auriez dû le faire.

A présent, c'était mon tour de poser des questions.

— Pourquoi aurais-je dû le faire ? Est-ce que je te l'avais promis ?

Il regarda par terre.

— Non, répondit-il.

Sa voix avait faibli au point de n'être plus qu'un murmure.

— Mais tu aurais voulu que je le fasse ?

— Oui, dit-il, tout bas. Je voulais que vous le fassiez rien que pour moi.

— Il y a d'autres enfants qui viennent ici et qui jouent avec ces objets, lui expliquai-je. L'un d'eux aura probablement déplacé ton canard.

— Et ma montagne ? dit-il. Mon petit canard était au sommet de ma montagne !

— Je sais. Et maintenant, ta montagne de sable n'est plus là, elle non plus, n'est-ce pas ?

— Elle a disparu, dit-il.

— Et tu es furieux et déçu parce qu'elle n'est plus là, n'est-ce pas ?

Dibs hocha la tête. Il me regarda. Je lui rendis son regard. Ce qui allait finalement le plus aider Dibs, ce n'était pas la montagne de sable, ni le précieux petit canard en plastique, mais le sentiment de sécurité et d'heureuse adaptation qu'ils symbolisaient dans ce qu'il avait créé la semaine précédente. Maintenant qu'il avait dû faire face à la disparition de ces symboles concrets, j'espérais qu'il ferait en lui-même l'expérience de la confiance et de l'adaptation, en se rendant maître de sa déception et de la découverte que les choses changent en dehors de nous — et que, bien des fois, nous avons peu de prise sur ces données, mais que si nous apprenons à utiliser nos ressources intérieures, nous emportons notre sentiment de sécurité partout avec nous.

Il s'assit sur le bord de la caisse de sable et examina en silence les petits jouets éparpillés. Puis il se mit à ramasser quelques-uns des petits personnages et les classa par ressemblances. Il tendit la main et s'empara de mon crayon. Il tenta alors de l'introduire dans un trou qui se trouvait dans le socle déformé de l'un des petits animaux. Il cassa la pointe du crayon.

— Oh, regardez, dit-il, d'un air désinvolte. La pointe est cassée.

Il me tendit le crayon. Pourquoi donc avait-il fait cela ?

Je pris le crayon.

— Je vais aller tailler ce crayon, Dibs, lui dis-je. Je serai de retour dans une minute. Reste là, veux-tu.

Et je le quittai.

Il y avait, sur l'un des murs de la salle de jeu, que nous avons utilisée si souvent dans nos recherches sur le comportement des enfants, ainsi que dans le cadre de la formation professionnelle que nous donnons, ce qui paraissait être un grand miroir. C'était, en réalité une glace sans tain. Pour quiconque se trouvait dans la salle de jeu, elle pouvait faire office de miroir. Mais derrière, dans une pièce où l'on avait fait l'obscurité, se tenaient un ou plusieurs observateurs soigneusement sélectionnés et spécialement entraînés, qui faisaient marcher des magnétophones et qui enregistraient aussi des descriptions chronométrées du comportement de l'enfant. Plus tard, ces notes et ces enregistrements étaient transcrits et complétés par des observations sur le comportement de l'enfant et du thérapeute. En marge, le temps était indiqué minute par minute. Nous utilisions ces documents comme bases de nos recherches et comme sujets de discussion pour les séminaires d'un niveau élevé, car ils jouaient un rôle important dans notre programme de formation professionnelle. Tous les noms, ainsi que toutes les informations qui auraient pu permettre d'identifier les sujets, étaient modifiés, avant qu'aucun fragment de ce matériel ne soit utilisé, pour que personne ne puisse jamais reconnaître les individus examinés. Dans notre travail, il existe tant de similitudes à la base des problèmes psychologiques des individus examinés, que, même si l'on pense qu'il demeure encore assez d'éléments pouvant permettre de les identifier, c'est en fait impossible lorsqu'il s'agit du jeu des enfants.

Lorsque je quittai la pièce pour aller tailler mon crayon, les observateurs continuèrent à prendre des notes derrière le miroir.

Dibs s'empara de la pelle et se mit à creuser dans le sable. Il se parlait à lui-même tout en jouant.

— Très bien, sable, dit-il. Tu crois que tu peux rester comme ça, maintenant, et ne pas être dérangé, hein ? Et vous tous, les animaux et les gens ? Eh bien, je vais vous faire voir. Je vais vous déterrer. Je vais vous retrouver. Je retrouverai cet homme que j'ai enterré. Je creuserai et je creuserai jusqu'à ce que j'y arrive.

Il pelleta rapidement le sable. Au bout d'un moment, il en sortit l'un des soldats.

— Alors, te voilà, toi, lui dit-il. Je t'aurai, à présent, toi, homme qui te bats. Toi, qui restes comme ça, tout raide et tout droit. Tu ressembles à un vieux barreau de fer au milieu d'une grille, voilà à quoi tu ressembles ! Je vais te mettre *là*, la tête en bas. Je vais t'enfoncer dans le sable.

Il enfonça le soldat, la tête la première, dans le sable, jusqu'à ce qu'il fût à nouveau hors de vue, enterré. Il se frotta les mains l'une contre l'autre pour essuyer le sable. Il sourit. Il se mit à rire. Puis l'expression de sa voix changea. C'est sur un ton gai et amusé qu'il dit :

— Enlève ta casquette et ton manteau, Dibs. Il fait *froid*, ici.

Je revins avec mon crayon taillé. Dibs leva les yeux vers moi.

— Il fait froid, ici, dit-il. Enlever mon manteau ?

— Oui, il fait froid, ici, admis-je. Tu ferais peut-être mieux de garder ta veste, aujourd'hui.

— Ouvrir le radiateur, fit Dibs.

Il se dirigea vers le radiateur et le toucha.

— Le radiateur est froid, m'annonça-t-il.

— Oui. Je sais.

— Je vais l'ouvrir, dit Dibs.

Il tourna le bouton du radiateur.

— Crois-tu que cela va nous réchauffer ? lui demandai-je.

— Oui. S'il y a un feu à la cave.

— Un feu à la cave ?

— Dans la *chaudière*, répliqua-t-il. Dans la chaudière qui se trouve à la cave.

— Oh, dis-je. Mais, aujourd'hui, la chaudière ne marche pas. Il y a des hommes, en bas, qui sont en train de la réparer.

— Qu'est-ce qui ne va pas ?

— Je ne sais pas, répondis-je.

— Vous auriez pu le savoir, dit-il, après un bref silence.

— Ah oui ? Et comment cela ?

— Vous auriez pu descendre à la cave et tourner un peu autour de ces hommes, sans les gêner, en restant, comme ça, en marge, mais en vous approchant tout de même assez pour pouvoir les observer et entendre ce qu'ils disent.

— En effet, j'aurais pu faire cela, lui répondis-je.

— Alors, pourquoi ne l'avez-vous pas fait ?

— A vrai dire, Dibs, je n'y avais pas pensé.

— On peut apprendre des tas de choses intéressantes, de cette façon, dit-il.

— Sûrement.

Et j'étais tout aussi sûre que Dibs avait appris beaucoup, beaucoup de choses de cette façon, en tournant autour des gens, sans les gêner, en marge, en s'approchant tout de même assez pour les observer et entendre ce qu'ils disaient.

Il se dirigea vers les placards, en ouvrit les portes et les examina.

— Ils sont tous vides, dit-il.

— C'est vrai, répondis-je.

C'était mon tour de confirmer ses affirmations à lui !

— Aujourd'hui encore, il fait trop froid pour enlever mes guêtres, dit-il.

— Je crois que oui.

— La chaudière devait déjà commencer à se dérégler, jeudi dernier.

— C'est bien possible, lui répondis-je.

— Et quelle autre explication pourrait-on donner, si ce n'est celle-là ? me demanda-t-il. Quelle autre explication ?

— Je ne sais pas. Je ne me suis jamais penchée sur le problème de la mauvaise marche des chaudières. Je n'y connais pas grand-chose, avouai-je.

Dibs se mit à rire.

— Vous ne vous en rendez compte que lorsqu'il fait froid.

— C'est ça, acquiesçai-je. Je pense que tout va bien, tant que le chauffage marche. Quand il ne marche plus, la chaudière doit avoir besoin d'être réparée.

— Oui, dit-il. Alors, vous vous rendez compte qu'elle est en panne.

— Oui, à ce moment-là je m'en aperçois, acquiesçai-je.

Il alla jusqu'à la table, s'empara du biberon et avala un peu d'eau. Il continuait à me parler entre deux gorgées.

— Miss A n'a pas mis ses bottes, aujourd'hui.

— Non. Aujourd'hui, je ne les ai pas gardées pour entrer ici.

— C'est bien, dit-il.

Il tira une chaise jusqu'au placard triangulaire qui se trouvait dans un angle de la pièce. On avait découpé un grand carré dans la porte de ce placard et on avait fermé cette ouverture à l'aide d'un rideau. Cela formait un théâtre de marionnettes. Il grimpa sur la chaise et écarta les rideaux pour regarder ce qu'il y avait à l'intérieur.

— Vide, dit-il.

Il traîna sa chaise jusqu'au lavabo, se percha dessus et examina les placards aménagés au-dessus du lavabo.

— Vides, annonça-t-il.

— Il n'y a rien dans tous ces placards du haut, lui dis-je.

Mais il les vérifia tous. Puis il tira sa chaise sur le côté, ouvrit les portes qui masquaient le lavabo et fit couler l'eau. Il enleva la tétine du biberon, tandis que l'eau coulait à flots. Il emplit le biberon, le vida dans le lavabo, tout en conservant la tétine dans la main. Puis il alla poser la tétine sur la table, revint fermer l'eau, s'empara du fusil et le remplit de sable. Il appuya sur la gâchette et tenta de projeter le sable, mais il n'y parvint pas. Le sable coula du canon du fusil sur le sol. Dibs s'assit sur le rebord de la caisse à sable, rechargea le fusil et tira à nouveau sur la gâchette.

— Ça ne marche pas comme ça, dit-il.

— Je m'en aperçois, répondis-je.

Il balaya le sable qui était tombé sur le bord de la caisse. Il me faisait face. Il se mit à ramasser les animaux éparpillés tout en parlant.

— Le coq chante. Cocorico. Le coq chante pendant que la poule pond des œufs. Et ces deux canards-là nagent. Oh, regardez ! Ils ont *leur* mare, leur petite mare bien à eux. Le petit canard fait « coin-coin », et le grand canard fait « coin-coin ». Et ils nagent ensemble dans cette petite mare où ils sont bien en sécurité. Et il y a deux lapins. Deux chiens. Deux vaches. Deux chevaux. Deux chats. Il y a deux de tout. *Rien ici n'est tout seul !*

Il se pencha en avant et attrapa la boîte vide dans laquelle on rangeait habituellement les soldats.

— Voilà la boîte pour mettre tous les hommes qui se battent, dit-il. Elle a un couvercle que l'on peut poser dessus et qui la ferme, oh, tout à fait.

Il se mit à genoux sur le rebord de la caisse à sable pour examiner la petite maison. Il la retourna.

— Il n'y a pas de *gens* qui vivent dans cette maison, remarqua-t-il. Simplement le chat et le lapin. Juste un chat et un lapin. Notre lapin, à l'école, s'appelle Guimauve, dit-il, en jetant un coup d'œil vers moi. Nous le gardons dans une grande cage qui se trouve dans le coin de l'une de nos classes. Quelquefois, nous lui ouvrons la porte pour qu'il puisse sauter et gambader, s'asseoir et réfléchir.

— Le chat et le lapin vivent ensemble dans cette maison ? dis-je. Et Guimauve, c'est le nom du lapin.

— C'est le nom du lapin *de l'école*, m'interrompit

Dibs. Pas de ce lapin-là, qui vit dans cette maison avec le chat. Mais nous avons un lapin à l'école et c'est ce lapin qui s'appelle Guimauve. C'est un très gros lapin blanc — un peu comme celui-là — ce lapin-jouet. C'est ça qui m'a rappelé le lapin de notre école.

— Oh, je vois. Le lapin apprivoisé se trouve à l'école, dis-je.

— Le lapin *en cage,* rectifia Dibs. Mais, quelquefois, nous le laissons sortir. Et quelquefois, aussi, quand personne ne regarde, *moi,* je le fais sortir.

C'était là la première allusion que Dibs faisait à l'école. Je me demandais comment il s'y conduisait maintenant. Son comportement était-il resté le même que le jour où j'étais allée dans sa classe ? Quand la mère de Dibs avait accepté d'essayer le traitement par le jeu, j'en avais averti l'école. J'avais dit à la directrice que je m'occuperais de Dibs, si sa mère consentait au traitement, et cela, dès qu'elle l'accompagnerait au Centre. J'avais déclaré qu'en toute sincérité j'étais incapable de prévoir comment il répondrait à ces séances de jeu — ni si cela apporterait une amélioration ou non. Nous étions convenues que l'école m'appellerait si le personnel enseignant désirait organiser une autre réunion ou bien s'il y avait des observations, des rapports ou des problèmes dont nous pourrions discuter ensemble. J'en étais arrivée à cette solution, parce que je pensais que j'observerais une plus grande neutralité en recevant au sujet de sa conduite des rapports que je n'aurais pas sollicités, plutôt qu'en obtenant des réponses à mes questions, étant donné que j'allais être personnellement engagée dans ce traitement. Je n'avais pas averti l'école que sa mère me l'avait amené. A mon avis, ce sont les parents de l'enfant qui doivent apprécier s'ils désirent parler ou non des séances de thérapie. Et aucun rapport n'est jamais communiqué par nous à quelque personne ou quelque institution que ce soit, sans que les parents le sachent et aient accordé leur autorisation par écrit.

La remarque que Dibs avait faite à propos du lapin de l'école m'avait intéressée. Cela indiquait que Dibs, même s'il n'était pas un membre actif du groupe, observait, apprenait, réfléchissait, tirait ses propres conclusions, pendant qu'il continuait à ramper en marge des choses. Il aurait été intéressant de savoir ce qu'il faisait à l'école et à la maison. Les personnes qui connaissaient Dibs auraient sans doute été curieuses de savoir ce qu'il faisait dans la salle de jeu. Pourtant, cela ne m'incita pas à modifier ma façon d'agir habituelle, car la conscience que Dibs avait de son monde, ses rapports avec autrui, ses sentiments, les idées qu'il développait, ses conclusions, ses déductions et ses inférences m'intéressaient bien davantage. Je voyais Dibs ouvrant la porte du lapin en cage pour le remettre en liberté. Je pouvais deviner le phénomène affectif qui l'avait poussé à entreprendre une telle action.

Il dressa la barrière de carton autour des animaux.

— Je vais faire une porte dans cette barrière, m'annonça-t-il.

Il découpa la barrière et en replia une partie pour en faire une porte ouverte.

— Ça, c'est pour que les animaux puissent toujours sortir quand ils veulent.

— Je vois, dis-je.

Il ramassa les différents petits morceaux de carton de formes étranges, les chutes qui restaient du découpage de la barrière. Il les examina soigneusement, d'un œil critique.

— C'est... C'est...

Il tentait de définir l'objet.

— Eh bien, m'annonça-t-il. C'est un morceau de rien. C'est à ça que « rien » doit ressembler.

Il l'éleva pour que je le voie. C'était là une déduction intéressante — et, jusqu'à un certain point, juste.

Il ramassa quelques-uns des petits soldats.

— Cet homme-là a un fusil, me dit-il. Celui-là monte un cheval. Et voilà encore d'autres hommes qui se battent.

Il les aligna sur le bord de la caisse à sable.

— Ceux-là, je vais les remettre dans la boîte.

Il le fit.

— Et le camion recommence à faire une piste autour de la maison. Le lapin et le chat regardent par la fenêtre. Ils se contentent de regarder et d'observer.

Il demeura immobile, les mains jointes posées sur les genoux, et me regarda en silence pendant quelques minutes. L'expression de son visage était grave, mais ses yeux brillaient de toutes les pensées qui l'agitaient. Il se pencha vers moi et se remit à parler :

— Aujourd'hui, ce n'est pas la fête nationale, me dit-il. Et ce ne sera pas la fête avant le 4 juillet. Mais le 4 tombe un jeudi. C'est dans quatre mois et deux semaines et ça tombe un jeudi et je viendrai voir miss A. J'ai regardé le calendrier pour savoir ça. Le 1er juillet est un lundi. Mardi sera le 2 juillet. Mercredi, le 3 juillet. Le mercredi, c'est presque la fête nationale, mais pas tout à fait. Puis vient le 4 juillet, qui est le jour de la fête nationale, et le jeudi, je viens ici !

Il se pencha et attrapa le petit lapin.

— Le mercredi 3 juillet sera une journée longue — le matin, l'après-midi, la nuit. Et puis viendra la lumière du lendemain matin. La fête nationale, le 4 juillet, un jeudi, *et je serai ici* !

— Tu dois vraiment beaucoup aimer venir ici, lui dis-je.

— Oh, oui, déclara Dibs. Oui !

Il sourit. Puis il se reprit et poursuivit son discours.

— La fête nationale, c'est la fête des soldats et des marins. Les tambours font boum, boum, boum. Et on met les drapeaux.

Il entonna un chant de marche. Il creusa dans le sable. Il emplit le camion de sable. Il le poussa en tous sens.

— C'est un jour très gai ! reprit-il. La fête nationale ! Et ils titubent, tellement ils sont heureux. Ces soldats déchargent la liberté et déverrouillent toutes les portes !

La beauté et la puissance du langage de cet enfant étaient impressionnantes, surtout si l'on songeait qu'il s'était formé et épanoui alors même qu'il avait été contraint par la solitude et la crainte, à se développer dans le désert de son anxiété ! Mais à présent, Dibs s'était attaqué à sa peur et devenait plus fort, chaque fois qu'il découvrait des certitudes. Il était en train d'échanger sa colère, sa peur et son angoisse contre l'espoir, la confiance et la joie. Sa tristesse et son sentiment de défaite étaient en train de disparaître.

— Toi aussi, tu sens cette joie-là, n'est-ce pas, Dibs ? lui dis-je, au bout d'un certain temps.

— C'est une joie que je ne voudrais pas perdre, me répondit-il. Je viens avec joie dans cette pièce.

Je le regardai, assis sur le bord de la caisse à sable, rayonnant de ce sentiment de paix qui l'habitait à ce moment. Il avait l'air si petit, et pourtant si plein d'espoir, de courage et de confiance que je sentais la puissance de sa dignité et de son assurance.

— Je viens avec joie dans cette pièce, répéta-t-il. Je la quitte avec tristesse.

— C'est vrai ? Est-ce qu'un peu de la joie s'en va avec toi ? lui demandai-je.

Dibs enterra trois soldats dans le sable.

— Cela les rend malheureux, *eux*, dit-il. Ils ne peuvent pas voir. Ils ne peuvent pas entendre. Ils ne peuvent pas respirer, m'expliqua-t-il. Dibs, sors-les de là, s'ordonna-t-il. Tu verras qu'avant que tu aies eu le temps de dire ouf, ce sera l'heure de s'en aller. Tu veux les laisser comme ça enterrés, Dibs ? se demanda-t-il à lui-même.

— Dans cinq minutes, ce sera l'heure de t'en aller, lui dis-je. Eh bien, tu veux les laisser enterrés ?

Il sortit d'un bond de la caisse de sable.

— Je vais jouer là sur le plancher avec les hommes qui se battent, dit-il. Je vais les mettre en rang et bien les aligner.

Il se laissa tomber sur le sol et rangea ses soldats. Il se retourna vers la caisse de sable et déterra les soldats qu'il venait d'enterrer. Il les examina longuement. Il m'en tendit un.

— C'est Papa, dit-il, en lui donnant une identité.

— Oh ? Celui-là, c'est Papa ? dis-je, d'un air détaché.

— Oui, me répondit-il.

Il le posa sur le sol devant lui, ferma le poing, le renversa, le releva, puis le rejeta à terre. Il recommença cela plusieurs fois. Puis il me regarda.

— Il reste encore quatre minutes ? demanda-t-il.

— C'est ça, dis-je, en jetant un coup d'œil à ma montre. Il reste quatre minutes.

— Et puis ce sera l'heure de retourner à la maison, dit Dibs.

— Mmm ! fis-je.

Il se remit à jouer avec le soldat « Papa », le redressant, puis le jetant à terre d'un coup de poing. Il leva à nouveau les yeux vers moi.

— Plus que trois minutes ? demanda-t-il.

— C'est ça, dis-je. Puis j'ajoutai : Alors, il sera l'heure de rentrer à la maison.

Je répétai cela plus pour savoir ce qu'il allait me répondre que pour attirer son attention sur un fait qu'il connaissait déjà.

— C'est ça, reprit Dibs. Même si je ne veux pas rentrer à la maison, ce sera l'heure d'y retourner.

— Oui, Dibs, lui répondis-je. Même si tu ne veux pas rentrer à la maison, ce sera l'heure d'y retourner.

— C'est ça, fit Dibs.

Il poussa un soupir. Il demeura assis en silence pendant encore une minute. Il paraissait avoir un sens étonnant de l'heure.

— Encore deux minutes ? me demanda-t-il.

— Oui.

— Je reviendrai jeudi prochain, affirma-t-il.

— Oui, tu reviendras, acquiesçai-je.

— Demain, c'est l'anniversaire de Washington, dit-il. C'est vendredi. Samedi, il n'y a rien. Dimanche, c'est le 24. Puis vient lundi et je retourne à l'école ! annonça-t-il.

Il y avait une lueur de contentement dans ses yeux.

Quelle que fût la conduite extérieure de Dibs à l'école, cette école avait beaucoup d'importance pour lui. Même si ses maîtresses étaient déconcertées, même si elles éprouvaient un sentiment de frustration et de défaite, elles étaient parvenues à atteindre Dibs. Il savait ce qui se passait dans leur classe. La chanson de marche qu'il m'avait chantée, était probablement l'une de celles que les enfants avaient apprises à l'école. Guimauve était leur lapin apprivoisé — ou plutôt leur lapin en cage. Mais Guimauve était une part de l'expérience qu'il avait acquise à l'école. Je songeais à la réunion à laquelle j'avais assisté. Je me souvenais comment miss Jane avait parlé de son monologue sur les principes de l'attraction magnétique. Les maîtres ne devraient jamais perdre courage. Nous ne savons jamais quelle part de ce que nous présentons aux enfants est acceptée par chacun à sa façon, et cela vient s'intégrer aux expériences grâce auxquelles ils apprennent à faire face à leur monde.

— Nous allons recevoir *Les nouvelles de l'école primaire,* lundi, me dit Dibs. Ce numéro-là aura une couverture jaune clair, bleue et blanche. Et treize pages. Il y a une affiche sur le panneau dans l'entrée, pour nous l'annoncer. Et puis, il y a mardi et mercredi et jeudi. Et jeudi, je serai à nouveau ici !

— Tu sais assez bien ce que la semaine prochaine te réserve, pas vrai ? L'anniversaire de Washington, le journal de l'école, tous les jours de la semaine, et puis ton retour ici.

— Oui, dit Dibs.

Et tu es vraiment très en avance sur les enfants de ton âge en ce qui concerne la lecture, pensai-je. Et tu comprends parfaitement ce que tu lis. Pourtant je ne fis aucun commentaire sur sa connaissance de la lecture. Il la considérait comme normale ; j'en ferais autant. Même si, manifestement, il savait fort bien lire, cela ne suffirait pas pour assurer son développement total.

— Encore une minute ? demanda-t-il.

— Oui. Encore une minute, lui répondis-je.

Il ramassa le soldat qu'il avait identifié comme étant « Papa » et le jeta dans la caisse à sable.

— Aujourd'hui, c'est Papa qui vient me chercher ici, m'avertit Dibs.

— Oh ? dis-je, en dressant l'oreille.

Ainsi, « Papa » émergeait un petit peu dans le monde de Dibs !

— Oui, dit Dibs.

Il me regarda. Je le regardai. L'heure était terminée et nous le savions tous les deux, mais ni l'un, ni l'autre, nous n'y fîmes allusion. Au bout d'un moment, Dibs finit par se lever.

— L'heure est terminée, dit-il, en poussant un profond soupir.

— En effet, dis-je.

— J' veux peindre, reprit Dibs.

— Tu veux dire que tu n'as pas envie de partir, même si tu sais que l'heure est terminée, lui dis-je.

Dibs me jeta un coup d'œil. Il y eut l'ombre d'un sourire sur ses lèvres. Il se baissa et déplaça rapidement chaque soldat qu'il avait posé sur le sol. Il les aligna de façon à ce qu'ils me mettent en joue. Il se dirigea ensuite vers la porte.

— Les fusils, c'est utile quand il faut tirer, dit-il.

— Je vois, lui répondis-je.

Il prit sa casquette et s'engagea dans le couloir. Je l'accompagnais. Je tenais à voir « Papa ».

— Au revoir, me dit Dibs, en me donnant congé.

— Au revoir, Dibs. Je te verrai jeudi prochain.

« Papa » me jeta un coup d'œil.

— Bonjour, Madame, me dit-il, guindé.

Il semblait très mal à l'aise.

— Bonjour, Monsieur, lui répondis-je.

— Dis donc, Papa, intervint Dibs, est-ce que tu sais qu'aujourd'hui, ce n'est pas la fête nationale ?

— Viens, Dibs, je suis pressé, dit « Papa ».

— Ce ne sera pas la fête nationale avant le mois de juillet, insista Dibs. Mais elle tombera un jeudi, dans quatre mois et deux semaines.

— *Viens, Dibs*, répéta « Papa » affreusement embarrassé par la conversation de Dibs qui devait lui paraître très bizarre — si, toutefois, il écoutait l'enfant.

— La fête nationale tombe un jeudi, reprit Dibs, en faisant une nouvelle tentative. Ce sera le 4 juillet.

« Papa » poussait Dibs devant lui pour lui faire franchir la porte.

— Est-ce que tu ne peux pas arrêter ce jacassement qui n'a aucun sens ? lui dit-il, entre ses dents.

Dibs poussa un soupir. Ses épaules s'affaissèrent un peu. En silence, il sortit avec son père.

La réceptionniste me regarda. Il n'y avait personne d'autre dans la salle d'attente.

— Ce vieil âne ! dit-elle. Pourquoi ne va-t-il pas se faire pendre ?

— Oui, n'est-ce pas ? acquiesçai-je.

Je retournai dans la salle de jeu pour la ranger avant l'arrivée du prochain jeune client. Les observateurs vinrent m'aider. L'un d'eux me raconta ce que Dibs avait dit lorsque j'étais sortie pour tailler mon crayon. La bande magnétique avait été rebobinée et nous écoutâmes cette partie de l'enregistrement.

— Quel gosse ! dit l'un des observateurs.

Et comme il sentait bien les choses, pensai-je. « Toi, qui restes comme ça, tout raide et tout droit. Tu ressembles à un vieux barreau de fer au milieu d'une grille, voilà à quoi tu ressembles ! » C'était là ce qu'avait déclaré Dibs. Pour ma part, j'avais envie de laisser « Papa » enterré là dans le sable pour toute la semaine. Il n'avait pas écouté l'enfant. Dibs avait tenté d'engager la conversation avec lui, mais il l'avait repoussé en qualifiant son langage de « jacassement qui n'avait aucun sens ». Il fallait que Dibs eût une force intérieure prodigieuse pour avoir conservé une personnalité aussi vigoureuse alors qu'elle était soumise à de telles attaques.

Il est très difficile parfois de ne pas oublier que les parents, eux aussi, ont des raisons pour faire ce qu'ils font, des raisons emprisonnées dans la profondeur de leurs personnalités qui expliquent leur incapacité d'aimer, de comprendre, de se donner à leurs enfants.

CHAPITRE VIII

Le lendemain matin, je reçus un coup de téléphone de la mère de Dibs. Elle voulait savoir si j'accepterais de la recevoir. Elle semblait presque s'excuser de me demander pareille chose et se hâta d'ajouter qu'elle comprendrait fort bien si je lui disais que j'étais trop occupée. Je consultai mon carnet de rendez-vous et lui fis plusieurs propositions : une heure ce matin même, une dans l'après-midi, et d'autres, les lundi, mardi et mercredi suivants, toujours dans l'après-midi. Elle disposait donc d'un large éventail d'heures parmi lesquelles choisir. Elle hésita, puis me demanda quelle serait l'heure que je préférerais, me laissant donc là l'initiative du choix. Je lui répondis que je n'avais pas de préférence ; l'heure qui lui conviendrait le mieux serait la mienne. Je lui dis aussi que je passerais toutes les heures que j'avais mentionnées au Centre, afin qu'elle se sente libre de me donner l'heure et le jour auxquels il lui serait le plus facile de se déplacer. Elle hésitait encore. Enfin, après mûre réflexion, elle se décida.

— Je passerai tout à l'heure, à 10 heures, me dit-elle. Merci. Je vous suis reconnaissante de me recevoir.

Je me demandais ce qui avait pu l'inciter à cette démarche. Etait-elle contente de Dibs, ou bien insatisfaite ou tourmentée ? Son mari avait-il réagi défavorablement après sa courte visite de la veille, lorsqu'il était venu chercher Dibs ? Elle allait être au Centre dans moins d'une heure. Peut-être pourrions-nous alors clarifier un peu plus la situation.

Il était bien difficile de prévoir comment une telle entrevue allait se dérouler. La mère de Dibs pouvait très bien se replier sur elle-même et ne pas être davantage en mesure d'aborder le problème qu'elle ne l'avait été auparavant. Mais, d'un autre côté, elle était peut-être si malheureuse, elle éprouvait peut-être un tel sentiment de frustration, d'insuffisance et d'échec qu'elle accueillerait avec joie l'occasion de se décharger, au moins en partie, de son fardeau sur quelqu'un d'autre. Il était primordial de ne pas faire peser la moindre menace sur elle, mais de tenter, au contraire, de lui communiquer un sentiment de sécurité et de confiance tout au long de cet entretien. Une chose dont je pouvais être certaine, c'est que pour cette mère, cette rencontre allait être extrêmement difficile, épuisante, même, sur le plan affectif, quelle que soit la façon dont elle utiliserait le temps que nous allions passer ensemble — qu'elle demeurât silencieuse et qu'elle choisît de parler de choses rassurantes, mais sans rapport avec le sujet qui nous intéressait, qu'elle posât des questions ou qu'elle me racontât une partie de son histoire personnelle qu'elle avait si jalousement gardée jusqu'alors. Il m'appartiendrait de lui faire sentir aussi efficacement que je le pourrais — avant tout par l'attitude que j'adopterais et par ma propre philosophie —, que son monde personnel, son monde privé lui appartenait et que c'était à elle de décider si elle voulait en ouvrir la porte et m'en révéler une partie. Et si elle s'y décidait, je n'allais pas la bousculer, pour tenter de lui arracher quelque chose qu'elle ne m'offrirait pas volontairement, confiante dans sa capacité de partager son monde intérieur avec une autre personne. Et si elle préférait ne pas ouvrir cette porte, je n'avais certes pas l'intention d'y frapper. Encore moins de tenter de la forcer en posant des questions indiscrètes. Il serait intéressant de l'entendre parler de Dibs et d'elle-même, mais il serait beaucoup plus important de lui permettre de faire l'expérience de sa dignité, de lui permettre d'être un individu respecté et reconnu qui est entièrement maître de sa vie intime.

Elle arriva à l'heure. Nous nous rendîmes immédiatement dans mon bureau car elle m'avait fait comprendre qu'elle se sentait très mal à l'aise si elle était obligée d'attendre à la réception. Et puisqu'elle arrivait si ponctuellement, il me semblait important de la recevoir sur-le-champ et de ne pas la faire attendre inutilement.

Elle vint s'asseoir près de ma table de travail, en face

de moi. Elle était très pâle, elle pressait l'une contre l'autre ses mains. Son regard me fuyait. Elle me jeta un rapide coup d'œil, puis elle détourna vivement les yeux — exactement comme Dibs l'avait fait, lorsque je l'avais vu pour la première fois dans la salle de jeu.

Je lui offris une cigarette.

— Non, merci, dit-elle.

Je laissai le paquet sur la table. Elle le désigna d'un geste de la main.

— Je ne fume pas, me dit-elle. Mais si vous désirez fumer, je vous en prie.

— Je ne fume pas non plus, lui répondis-je.

Je rangeai le paquet de cigarettes dans le tiroir de ma table, plus pour rompre la tension des premiers instants que pour tout autre chose. Je pris mon temps pour le faire, puis je levai les yeux sur elle. Il y avait une expression d'angoisse et de panique dans ses yeux. Il était important de ne pas la pousser à évoquer ses problèmes, important de ne pas prendre la direction des opérations en lui posant des questions, important aussi de ne pas transformer cette séance en un simple échange de bavardages. Bien entendu, si c'était elle qui choisissait l'une de ces solutions, ce serait totalement différent ; mais si c'était moi, cela équivaudrait à manquer le but même de l'entretien. Elle m'avait demandé de la recevoir. Elle devait avoir une raison pour l'avoir fait. Si moi, je lui avais demandé de venir me voir, il aurait été de mon devoir de prendre l'initiative et d'entamer la conversation.

Ce moment est le plus difficile et le plus important de toute première entrevue. Il détermine dans une large mesure l'intérêt de toute expérience. Tenter de fournir une explication sur le sens d'une telle entrevue ou une quelconque « structuration de l'expérience », comme on appelle parfois cette opération, est d'une telle vanité, bien souvent, que je ne pris même pas la peine de faire des commentaires à ce sujet. Le silence ne me mettait pas mal à l'aise. J'étais bien certaine qu'elle y réagirait de façon beaucoup plus constructive que devant tout effort que je pourrais faire dans le but de lancer la conversation. Nous ne voulions pas d'une conversation pour le simple plaisir de converser.

— Je ne sais pas par où commencer, me dit-elle.

— Je comprends. Il est parfois difficile de commencer, lui dis-je.

Elle sourit, mais d'un sourire sans gaieté.

— Il y aurait tant à dire ! reprit-elle. Et tant de choses que l'on ne peut dire !

— C'est très souvent le cas, lui dis-je.

— Il est des choses qu'il vaut mieux taire, me dit-elle, en me regardant bien en face.

— On a cette impression, quelquefois.

— Mais toutes ces choses qu'on ne dit pas peuvent devenir un lourd fardeau, me dit-elle.

— Oui. Cela peut arriver aussi, dis-je.

Elle tourna les yeux vers la fenêtre et demeura silencieuse un long moment. Elle commençait à se détendre.

— Vous avez une très jolie vue par cette fenêtre, remarqua-t-elle. Cette église, là-bas, est bien belle. Elle a l'air si vaste, si solide et si paisible.

— Oui, c'est vrai.

Elle regarda ses mains jointes. Puis elle leva les yeux et rencontra mon regard. Elle avait les larmes aux yeux.

— Je me tourmente tellement au sujet de Dibs, me dit-elle. Je me fais tellement de soucis pour lui !

Je n'avais pas prévu cette réflexion. Je m'efforçai d'accepter cette remarque comme si elle avait été des plus naturelles.

— Vous vous tourmentez à son sujet ? lui demandai-je.

Rien de plus, à ce point de notre entretien. Je ne lui demandais pas pourquoi elle se tourmentait.

— Oui, reprit-elle. Je suis tellement tourmentée ! Depuis peu, il me paraît si malheureux. Il reste là à me regarder et il est toujours tellement silencieux. Il sort plus souvent de sa chambre, maintenant. Mais il se contente de rester là, en marge des choses, comme une ombre qui viendrait me hanter. Et chaque fois que je lui adresse la parole, il s'enfuit. Au bout d'un moment, il revient, mais il me regarde alors avec une tristesse si tragique au fond des yeux.

Elle prit quelques mouchoirs en papier dans la boîte qui se trouvait sur mon bureau et s'essuya les yeux.

Voilà une observation qui ne manquait pas d'intérêt. Dibs sortait plus souvent de sa chambre, à présent. Et, s'il fallait l'en croire, il avait paru *plus malheureux, depuis peu.* Bien entendu, il se pouvait qu'elle fût plus sensible à la tristesse de l'enfant qu'elle ne l'avait été jusqu'alors. Il était possible, aussi, que Dibs montrât plus ouvertement ses sentiments quand il était chez lui.

Et le fait qu'il continuait à se taire alors qu'il possédait un tel vocabulaire, indiquait qu'il possédait une immense force intérieure et un grand contrôle de lui-même.

— Je me sens très mal à l'aise, lorsqu'il fait cela, ajouta-t-elle, après un long silence. C'est comme s'il me demandait quelque chose — quelque chose que je ne peux pas lui donner. C'est un enfant très difficile à comprendre. J'ai essayé. J'ai vraiment essayé. Mais j'ai échoué. Dès le début, alors qu'il n'était encore qu'un nourrisson, je n'ai jamais pu le comprendre. Je n'avais jamais véritablement connu d'enfants, avant d'avoir Dibs. Je n'avais pas une expérience de femme en ce qui concerne les enfants ou les bébés. Je n'avais pas la moindre idée de ce qu'ils sont, de ce qu'ils sont réellement, en tant que personnes, je veux dire. Je savais tout d'eux au point de vue biologique, physique, médical. Mais je n'ai jamais pu comprendre Dibs. C'était un tel déchirement — une telle déception, et cela, depuis le moment de sa naissance. Nous n'avions pas projeté d'avoir un enfant. Sa conception a été un accident. Il a brisé tous nos projets. J'avais une profession, moi aussi. Mon mari était fier des résultats que j'obtenais. Mon mari et moi, nous étions très heureux avant la naissance de Dibs. Et puis, quand il est né, il était si différent. Si gros et si laid. Une grosse masse informe ! Il ne réagissait à rien. En fait, il m'a rejetée dès le début. Il se raidissait et se mettait à pleurer chaque fois que je le prenais dans mes bras !

Les larmes ruisselaient sur son visage et elle les essuyait avec les mouchoirs en papier, pendant qu'elle me racontait son histoire, presque en sanglotant. Je commençai une phrase, mais elle m'interrompit aussitôt.

— Je vous en prie, ne dites rien, me supplia-t-elle. Il faut que j'en parle au moins une fois. J'ai porté tout cela avec moi trop longtemps. C'est comme une lourde pierre que j'aurais au fond du cœur. Pensez de moi ce que vous voudrez, mais je vous en prie, laissez-moi vous raconter. Je n'avais pas l'intention de le faire. Quand je vous ai appelée et que je vous ai demandé un rendez-vous, je voulais vous poser des questions à propos de Dibs. Son père a été très troublé, hier. Il est persuadé que les séances de thérapie aggravent encore le cas de Dibs. Mais il y a aussi toutes ces choses, dont il faut absolument que je vous parle. J'ai gardé cela emprisonné au fond de moi depuis trop longtemps.

Ma grossesse a été très difficile. J'ai été très malade presque tout le temps. Et mon mari était irrité par cette grossesse. Il estimait que j'aurais pu l'éviter. Oh, je ne le blâme pas. J'en étais très contrariée moi-même. Nous ne pouvions plus vivre comme nous l'avions fait jusqu'alors, nous ne pouvions plus aller nulle part. Je suppose que je devrais dire que nous n'allions plus nulle part, et non pas que nous ne le pouvions plus. Mon mari s'est éloigné de plus en plus de moi et il s'est plongé dans son travail. C'est un scientifique, vous savez. Un homme brillant ! Mais distant. Et très, très sensible. Et puis ceci va peut-être vous surprendre. Je n'en parle même plus. Je ne l'ai même pas mentionné dans les dossiers de l'école.

A nouveau, ce pauvre sourire, sans la moindre joie, apparut sur ses lèvres.

— Avant cette grossesse, j'étais chirurgien. J'adorais mon travail. Et j'avais même l'espoir de devenir célèbre. J'avais réussi deux opérations du cœur extrêmement complexes. Mon mari était fier de moi. Tous nos amis étaient des hommes et des femmes très brillants, connus et extrêmement intéressants. Et puis la naissance de Dibs est survenue et tous nos projets, toute notre vie en ont été gâchés. J'avais l'impression d'avoir échoué misérablement. J'ai alors pris la décision d'abandonner ma carrière. Certains de mes amis médecins, parmi les plus proches, n'ont pu comprendre mon attitude, ni la décision que j'avais prise. Je ne leur ai pas parlé de Dibs. Oh, ils ont bien su que j'attendais un enfant. Mais ils ont tout ignoré de Dibs. Parce qu'il nous est apparu très tôt que Dibs n'était pas normal. Il était déjà assez pénible d'avoir un enfant, mais avoir un enfant retardé, c'était vraiment plus que nous n'en pouvions supporter. Nous avions honte. Nous étions humiliés. Il n'y avait jamais eu un cas comme celui-là dans l'une ou l'autre de nos familles. Mon mari est renommé d'un bout à l'autre du pays pour son intelligence remarquable. Et moi-même, je n'avais connu que des succès. L'intelligence a toujours eu la première place dans notre échelle des valeurs. Nous avons toujours recherché un accomplissement, des résultats remarquables, dans le domaine intellectuel.

Quant à nos familles, nous avons tous les deux grandi dans des familles où ces qualités étaient plus appréciées que tout. Et puis, Dibs ! Si étrange. Si à part. Si intouchable. Ne parlant pas. Ne jouant pas. Lent à se mettre à marcher. Se jetant sur les gens pour les griffer comme un petit animal sauvage. Nous avons eu tellement honte de lui. Nous n'avons jamais voulu que nos amis sachent à quoi s'en tenir. Nous nous sommes donc éloignés de plus en plus d'eux. Nous nous sommes interdit toute vie sociale, parce que si nous avions continué à recevoir, nos amis auraient demandé à voir le bébé, bien entendu. Or, nous ne voulions pas qu'on le voie. Nous avions tellement honte. Et puis, j'avais perdu toute confiance en moi-même. Je n'ai pas pu reprendre mon travail. Je savais que je ne serais plus jamais capable de réussir une opération !

Il n'existait pas d'endroit où nous aurions pu l'envoyer. Nous avons donc essayé de résoudre le problème aussi bien que nous le pouvions. Nous ne voulions pas que l'on sache quoi que ce soit à son propos. Je l'ai emmené voir un neurologue qui habite sur la côte ouest. Je me suis servie d'un faux nom. Nous ne voulions pas qu'une personne de notre connaissance apprenne ce que nous soupçonnions. Mais ce neurologue n'a pu découvrir aucun trouble organique. Enfin, il y a un peu plus d'un an, nous l'avons emmené chez un psychiatre qui, lui non plus, n'exerce pas à New York. Nous pensions que nous pourrions le laisser dans cette maison pour que l'on fasse un diagnostic psychiatrique et psychologique. Je pensais que Dibs était peut-être schizophrène. Ou qu'il était autique, s'il n'était pas retardé mentalement. J'avais l'impression que les symptômes qu'il présentait, indiquaient l'existence de troubles cérébraux. Le psychiatre insista pour nous voir, mon mari et moi, à plusieurs reprises. C'était la première et unique fois que nous révélions notre véritable identité à un médecin que nous consultions au sujet de Dibs. Cette expérience a été désastreuse. Le psychiatre nous a interrogés séparément, puis ensemble. Les assistantes sociales nous ont interrogés. Ils ont fouillé sans pitié notre vie privée et dans ce que nous avions de plus secret. Quand nous trouvions que leurs questions dépassaient de beaucoup les besoins de la cause, les assistantes sociales nous ont déclaré que nous étions hostiles et récalcitrants. Elles paraissaient prendre un plaisir sadique à nous persécuter de cette façon cruelle et insensible.

Et puis le psychiatre nous a déclaré qu'étant donné notre formation, il allait être très franc avec nous. Il nous a dit que Dibs n'était pas retardé mentalement, qu'il ne souffrait pas de psychose et qu'il n'avait pas de troubles cérébraux, mais que c'était l'enfant le plus mal aimé et le plus privé d'affection qu'il eût jamais vu. Il a précisé que c'étaient mon mari et moi qui avions besoin de son aide. Il nous a proposé de suivre un traitement tous les deux. C'était l'expérience la plus choquante que nous ayons vécue l'un ou l'autre. N'importe qui pouvait se rendre compte que mon mari et moi étions équilibrés. Nous n'avions jamais été enclins à mener une vie sociale très libre ou très mondaine, mais les quelques amis et collègues que nous voyions, nous respectaient comme nous l'entendions ! Nous n'avions jamais eu de problèmes personnels que nous n'ayons pu résoudre seuls.

Nous avons donc ramené Dibs à la maison et nous nous sommes débrouillés du mieux que nous l'avons pu. Mais cela a failli briser notre mariage.

Nous n'avons jamais parlé de cette expérience à quiconque. Nous n'en avons pas averti l'école. Mais mon mari s'est éloigné de plus en plus. Dorothy est née un an après Dibs. Je pensais qu'un autre enfant pourrait l'aider. Mais ils ne se sont jamais entendus. Pourtant, Dorothy a toujours été une enfant parfaite. Elle est certainement la preuve que nous n'avons rien à nous reprocher. Et puis nous avons envoyé Dibs dans cette école privée où vous l'avez rencontré.

Je puis vous assurer que nul ne sait quelle terrible tragédie et quelle souffrance c'est d'avoir un enfant qui n'est pas normal ! La seule personne avec laquelle il se soit bien entendu, c'est sa grand-mère. Elle était venue vivre avec nous pendant le premier mois de sa vie et elle nous a rendu visite une fois par mois pendant trois ans — jusqu'à ce qu'elle aille vivre en Floride. Après quoi, elle est venue nous voir deux fois par an et elle reste chez nous à peu près un mois chaque fois qu'elle vient. Dibs s'est toujours souvenu d'elle, il l'a toujours accueillie avec joie quand elle est venue et l'a toujours regrettée désespérément une fois qu'elle nous avait quittés. Il semblait compter les jours jusqu'à son retour.

J'ai fait pour Dibs tout ce que j'ai pu. Nous lui avons donné tout ce que l'on peut se procurer avec de l'argent, en espérant que cela l'aiderait. Des jouets. De la musique. Des jeux. Des livres. Sa salle de jeu est remplie de tout ce qui, à notre avis, pouvait l'amuser, faire son éducation et le distraire. Et quelquefois il a paru être heureux dans sa chambre. Il a toujours paru être plus heureux tout seul. C'est pourquoi nous avons envoyé Dorothy dans un internat, non loin d'ici. Elle vient passer les week-ends et les vacances à la maison. Je crois que Dibs est plus heureux lorsqu'elle n'est pas là. Je crois qu'elle est plus heureuse à l'école. Ils ne s'entendent pas du tout. Dibs se jette sur elle comme un animal sauvage, lorsqu'elle s'approche trop de lui ou pénètre dans sa chambre.

Récemment, il m'a paru si malheureux. Et il me semble qu'il a changé. Et puis, hier, quand mon mari a ramené Dibs, il était bouleversé. Ils étaient tous les deux bouleversés. Mon mari m'a dit que Dibs débitait des sottises et parlait comme un idiot. Il l'a dit devant l'enfant.

Elle s'interrompit, brisée, et se mit à sangloter amèrement.

— Et puis, reprit-elle, je lui ai demandé ce que Dibs avait bien pu lui dire et il m'a répété que Dibs débitait des âneries et parlait comme un idiot ! Dibs a traversé la pièce, il a attrapé une chaise et l'a renversée. Du revers de la main, il a fait tomber quelques objets qui se trouvaient sur une petite table à thé et s'est mis à hurler à son père : « Je te hais ! Je te hais ! » Puis il a couru jusqu'à lui et s'est mis à lui donner des coups de pieds comme un forcené. Mon mari l'a attrapé, Dibs s'est débattu, mais il a réussi à l'emmener dans sa chambre et l'y a enfermé à clef. Lorsque mon mari est redescendu, il m'a trouvée en larmes. Je ne pouvais pas m'en empêcher. Je sais qu'il a horreur des scènes. Je sais qu'il méprise les larmes. Mais je n'en pouvais plus. Je lui ai dit : « Dibs ne parlait pas comme un idiot, tout à l'heure. Il a dit qu'il te haïssait ! » Alors, mon mari s'est assis sur une chaise et s'est mis à pleurer à son tour. C'était terrible. Je n'avais jamais vu un homme pleurer. Je n'aurais jamais pensé qu'il y ait une chose au monde qui puisse faire verser une larme à mon mari. J'avais peur. Brusquement, j'étais terrifiée parce qu'il paraissait tout aussi effrayé que moi. Je crois qu'à ce moment-là, nous avons été plus proches l'un de l'autre que nous ne l'avons jamais été. Tout à coup, nous n'étions plus que deux êtres humains effrayés, solitaires, malheureux, dont toutes les défenses avaient été abattues et réduites à néant. C'était terrible — et pourtant, c'était un soulagement de savoir que nous pouvions être humains, que nous pouvions échouer et admettre que nous avions échoué ! Finalement, nous nous sommes repris et mon mari a dit que nous nous étions peut-être trompés au sujet de Dibs. Je lui ai dit que je viendrais vous voir et que je vous demanderais ce que vous pensiez de Dibs.

Elle me regarda avec une expression de peur et de panique au fond des yeux.

— Dites-moi, poursuivit-elle, croyez-vous que Dibs soit un retardé mental ?

— Non, dis-je, répondant à sa question sans en dire plus qu'elle n'avait désiré entendre. Je ne crois pas que Dibs soit un retardé mental.

Il y eut un long silence. Elle poussa un profond soupir.

— Croyez... croyez-vous qu'il guérira et qu'il pourra apprendre à se comporter comme les autres enfants ? me demanda-t-elle.

— Je le crois. Mais ce qui est plus important, je crois que c'est *vous* qui serez à même de répondre à cette question avec beaucoup plus de précision que je ne pourrais le faire, puisque vous vivez avec lui, que vous lui parlez, que vous jouez avec lui et que vous l'observez. Je pense que votre propre expérience vous permet d'y répondre dès à présent.

Elle hocha la tête lentement.

— Oui, dit-elle, et sa voix n'était plus qu'un murmure, j'ai remarqué bien des choses chez Dibs qui semblaient indiquer qu'il avait quelques capacités. Mais il me paraît être si malheureux, à mesure qu'il révèle un peu plus de lui-même à la maison. Il n'a plus ces terribles crises de colère. Ni à la maison, ni à l'école. La scène qu'il a faite hier n'était pas un simple accès de colère. C'était sa façon de protester contre l'insulte qu'il avait dû percevoir dans la réflexion de son père. Il ne suce plus son pouce constamment. Il parle de plus en plus. Mais il se parle à lui-même — il ne s'adresse plus à nous. Sauf cette sortie indignée contre son père. Il est en train de changer. Il s'améliore... Je ne peux qu'espérer et prier que tout ira bien ! dit-elle avec ferveur.

— Je l'espère aussi, lui répondis-je.

Il y eut un long silence.

Elle sortit son poudrier de son sac et se poudra.

— Je ne me rappelle pas avoir jamais pleuré comme cela, me dit-elle.

Elle montra du doigt la boîte de mouchoirs.

— Vous avez toutefois l'air d'y être préparée. Je ne suis donc pas la seule à venir pleurer dans votre giron ?

— Non. Vous n'êtes pas la seule, lui dis-je.

Elle sourit. Dibs et elle avaient tant de points communs.

— Je ne puis vous dire combien je vous suis reconnaissante, reprit-elle. Il paraît impossible qu'une heure se soit déjà écoulée. Mais j'entends le carillon. Il est onze heures.

Je n'aurais pas été trop surprise si elle avait dit à ce moment qu'elle ne voulait pas retourner chez elle !

— Ici, le temps semble parfois nous glisser entre les doigts, lui dis-je.

— C'est vrai.

Elle se leva et mit son manteau.

— Merci pour tout, dit-elle.

Et elle s'en fut.

Quel que soit le nombre de fois où nous entendons ce type de confession (et cela nous arrive fréquemment), la complexité de la motivation et de la conduite humaine apparaît toujours sous un jour nouveau. Il n'y a pas d'expérience ou de sentiments particuliers qui déclenchent des réactions types. Il y a toujours une accumulation d'expériences auxquelles se mêlent des émotions, des buts et des valeurs infiniment personnels, qui influencent la personne et déterminent sa réaction. Qu'avait-elle dit comme introduction à son histoire ? « Il y aurait tant à dire ! Et tant de choses que l'on ne peut dire ! Il est des choses qu'il vaut mieux taire. Mais toutes ces choses qu'on ne dit pas peuvent devenir un lourd fardeau. »

Elle n'ignorait pas ce qui pesait si lourdement sur sa conscience. Elle avait probablement une meilleure connaissance encore des choses qu'elle préférait taire ; elle se rendait d'autant plus compte de leur existence, qu'elle exerçait une vigilance constante pour les garder secrètes. Elle et son mari avaient vraisemblablement appris très tôt dans leurs vies que leur intelligence aiguë pouvait être dressée comme un bouclier devant eux, qu'elle pouvait les protéger contre des émotions qu'ils n'avaient jamais appris à comprendre et à employer de manière constructive.

Dibs, lui aussi, avait appris cette leçon. Lire tout ce qui tombe sous les yeux, déployer cette habileté lorsqu'on est confronté avec des réactions émotives inconfortables, esquiver toute confrontation directe avec un sentiment. C'était là un comportement défensif.

Sa mère et son père étaient encore victimes de leur absence de lucidité à l'égard d'eux-mêmes et manquaient de maturité affective. Ils ressentaient très vivement leur incapacité à établir des rapports affectifs avec Dibs. Et avec Dorothy, sans doute. Ils se débattaient dans les profondeurs de leurs sentiments d'insuffisance et d'insécurité.

Lorsqu'elle m'avait demandé si j'estimais que Dibs était un déficient mental, j'aurais pu lui affirmer que ce n'était nullement le cas et qu'il était beaucoup plus vraisemblable qu'il s'agissait d'un enfant doué d'une intelligence supérieure. Mais porter un tel jugement à ce moment, aurait été aller à l'encontre du but même que je m'étais proposé d'atteindre. Cela aurait pu intensifier chez cette mère un sentiment de culpabilité tel qu'il s'était fait jour dans la scène qu'elle m'avait décrite et qui, la veille, avait opposé Dibs à son père, et dans ses propres réactions à cet affrontement. Et si la mère et le père de Dibs avaient accepté mon opinion, ils auraient pu être tentés de mettre l'accent sur les dons intellectuels de l'enfant, en les considérant comme le point central de son développement. Or, il avait déjà utilisé pleinement son intelligence. C'était l'absence d'équilibre dans son développement total qui avait créé le problème. Ou peut-être avaient-ils choisi, tout à fait inconsciemment, de voir en Dibs un déficient mental, plutôt que la personnification, à un plus haut degré encore, de leur propre insuffisance affective et sociale. Tout était encore du domaine de la spéculation.

Le point crucial du problème n'était pas un diagnostic intellectuel des raisons de leur comportement — encore que bien des gens considèrent cette théorie comme étant un principe de base pour l'amélioration du développement de la personne. Nombre de gens croient qu'on peut changer sa façon d'agir et de sentir, si l'on comprend *pourquoi* l'on agit et l'on sent d'une certaine manière. J'ai souvent pensé, pourtant, que si l'on comprend les choses de cette façon, les transformations les plus importantes se produisent le plus souvent dans le comportement extérieur, et que, peu à peu, cela entraîne des changements dans la motivation et les sentiments. J'estime qu'il faut beaucoup plus de temps pour parvenir à ce type de changement. En outre, cela semble parfois exiger une intense attention accordée au moi, ce qui fausse la position qu'un individu doit occuper dans ses relations avec les autres — son monde devient alors plus centré sur lui-même, même si ses activités externes semblent vouloir le démentir.

Il y a beaucoup de conceptions différentes de la structure et de la thérapie de la personnalité. Cela explique qu'il y a tant de méthodes diverses employées en psychothérapie, car la méthode n'est que la mise en œuvre d'une formulation théorique de base.

Quant à la mère de Dibs, il me paraissait hautement improbable qu'elle ait pu ne pas se rendre compte des dons intellectuels de son enfant — tout au moins jusqu'à un certain point. Si l'on prenait son expérience dans sa totalité, l'accomplissement intellectuel seul n'était pas une réponse très satisfaisante. Son incapacité à établir avec son enfant des rapports basés sur l'amour, le respect et la compréhension, avait sans doute pour origine sa propre prostration affective. Qui peut aimer, respecter et comprendre une autre personne, si l'on n'a pas eu soi-même de telles expériences fondamentales ? Il me semblait que ce qui avait le mieux contribué à l'aider, avait été d'apprendre, au cours de cette entrevue, qu'elle était respectée et comprise, même si cette compréhension n'était, nécessairement, qu'un concept très général qui acceptait le fait qu'elle avait des raisons pour faire ce qu'elle faisait, qu'elle avait en elle la possibilité de se transformer, que les changements devaient prendre leur source en elle, et que toutes les transformations — les siennes, celles de son mari et celles de Dibs — étaient motivées par l'accumulation d'expériences nombreuses. De quelle façon avait-elle formulé tout cela ? « Deux êtres humains effrayés, solitaires, malheureux dont toutes les défenses avaient été abattues et réduites à néant... un soulagement de savoir que nous pouvions être humains, que nous pouvions échouer et admettre que nous avions échoué. »

CHAPITRE IX

C'est tout joyeux que Dibs entra dans la salle de jeu, le jeudi suivant. Sa mère avait téléphoné pour demander s'il ne pourrait pas venir un quart d'heure plus tôt, parce qu'elle devait l'emmener ensuite chez un pédiatre pour lui faire faire quelques piqûres. Nous nous étions donc arrangées en conséquence.

Lorsque Dibs pénétra dans la pièce, il me dit :

— Aujourd'hui, c'est le jour où je vais voir le docteur pour qu'il me fasse une piqûre. Le rendez-vous a été pris.

— Oui, je sais, lui répondis-je. Eh bien, tu y seras à l'heure.

— Je suis heureux que notre heure ait été changée, dit-il, en me faisant un grand sourire.

— C'est vrai ? Et pourquoi ?

— Je suis heureux, parce que je me *sens* heureux, me dit-il.

Il n'y avait rien à ajouter. Il se dirigea vers la maison de poupée.

— Je vois qu'il y a un travail qui m'attend, dit-il.

— Et lequel ?

— Ça, répondit-il, en désignant la maison de poupée. Il faut l'arranger et la fermer. Fermer la porte à clef ! Fermer les fenêtres !

Il alla jusqu'à la fenêtre de la salle de jeu et regarda dehors. Il se retourna pour me jeter un coup d'œil.

— Le soleil brille, me dit-il. Aujourd'hui, il fait très, très chaud, dehors. Je vais enlever mes affaires.

Il enleva sa casquette, son manteau et ses guêtres sans

aide de ma part, traversa toute la pièce et alla les accrocher à la poignée de la porte.

— J'aimerais beaucoup faire de la peinture, aujourd'hui, me dit-il.

— Eh bien, libre à toi, lui dis-je.

— Oui, reprit Dibs. Libre à moi.

Il se dirigea vers le chevalet.

— Je vais enlever les couvercles et je vais mettre un pinceau dans chacun des pots de couleur. Maintenant, je vais les ranger dans l'ordre. Rouge. Orange. Jaune. Bleu. Vert, dit-il.

Il se retourna une nouvelle fois pour me regarder.

— Il y a des choses que je peux décider. Et d'autres, non, dit-il vivement.

— Oui. Je suppose que c'est vrai.

— Mais *c'est* vrai, insista-t-il.

Il continua à replacer les couleurs dans l'ordre du prisme. Puis il commença à faire courir des bandes de couleur sur son papier.

— Oh, là là ! La peinture coule, dit-il. Les crayons, eux, ne coulent pas, ajouta-t-il. Ils restent là où on les met. Mais les peintures ? Non. Elles se mettent à couler. Je vais faire une grosse tache orange. Vous voyez la peinture courir ? Et puis, maintenant, une bande verte. Et la voilà qui coule goute à goutte. Lorsqu'elle tombera par terre, je l'essuierai.

Il se dressa sur la pointe des pieds et tapota du bout des doigts le mur sur lequel était accroché le miroir.

— Là-dedans, c'est la pièce de quelqu'un d'autre, dit-il. Avant, il y avait des gens qui étaient assis dans cette chambre noire, mais pas aujourd'hui.

J'étais surprise par cette déclaration inattendue.

— Ah, tu crois ? lui dis-je.

— Je le *sais*, dit-il. Ce sont des petits bruits et des chuchotements qui me l'ont dit.

Ce petit exemple révèle combien les enfants sont avertis des choses qui se passent autour d'eux, même s'ils ne font pas de commentaires au moment où ils en prennent conscience. C'était vrai pour Dibs, comme pour d'autres enfants. D'ailleurs, c'est vrai pour nous aussi. Nous ne faisons pas de commentaire oral à propos de tout ce que nous entendons, voyons, pensons et déduisons. Il est vraisemblable que nous ne communiquons aux autres par voie orale qu'un très faible pourcentage des expériences qui enrichissent nos connaissances.

— Vous le saviez, vous aussi ? me demanda-t-il.

— Oui, lui répondis-je.

Il se retourna vers le chevalet et peignit quelques autres bandes de couleurs.

— Ce sont les bandes et les raies de mes pensées, dit-il.

— Ah bon ?

— Oui. Et maintenant, je vais sortir les hommes qui se battent. Surtout un certain homme !

Comme il traversait la pièce pour aller du chevalet à la caisse à sable, il s'arrêta près de moi et jeta un coup d'œil sur mes notes. J'avais indiqué en abrégé les noms des couleurs qu'il avait employées en n'en inscrivant que la première lettre. Dibs examina mes notes, qui ne concernaient que ses actions et non ses paroles. Tout ce qu'il disait était en effet enregistré par les observateurs, plus silencieux ce jour-là, qui manipulaient le magnétophone.

— Oh, écrivez ça en entier, me dit Dibs. Le R, c'est pour rouge. R-O-U-G-E, c'est comme ça qu'on écrit rouge. O, c'est pour orange. O-R-A-N-G-E. J, c'est pour jaune. J-A-U-N-E.

Il m'épela tous les mots de cette façon.

— Est-ce que tu crois que parce que tu sais écrire le nom de toutes les couleurs, je devrais le faire, moi aussi ? lui demandai-je. Ne crois-tu pas que je pourrais les écrire en abrégé, s'il m'en prend la fantaisie ?

— Mmmmm ? fit-il. Eh bien, non. Ne leur faites pas ça. Faites toujours les choses correctement. Ecrivez les noms en entier. Faites-le bien.

— Mais pourquoi ? lui demandai-je.

Dibs me regarda. Il me sourit.

— Parce que c'est moi qui le dis, me dit-il.

— Est-ce que c'est une raison suffisante ? lui demandai-je.

— Oui, dit Dibs. A moins que vous ne préfériez le faire à votre façon.

Il rit. Il alla jusqu'à la table, prit une boule de pâte à modeler, la jeta en l'air, la rattrapa et la remit dans le pot. Par terre, près de la corbeille à papier, il y avait une petite image. Il la ramassa et l'examina.

— Oh, dit-il, je voudrais l'avoir. Je voudrais la découper — découper les petits personnages qui sont là. Où sont les ciseaux ?

Je lui tendis une paire de ciseaux. Il découpa l'image. Puis il se dirigea vers la maison de poupée.

— J'ai un travail à faire, aujourd'hui, m'annonça-t-il.

— Un travail ?

— Oui.

Avec d'infinies précautions, il enleva tous les murs de la maison de poupée et les transporta jusqu'à la caisse de sable. Il prit une pelle et creusa un grand trou dans le sable, où il enterra les murs. Il revint ensuite à la maison de poupée et se servit de la solide pelle mécanique comme d'un levier pour arracher la porte. Il alla ensuite l'enterrer dans le sable. Il travaillait rapidement, avec efficacité, en silence et avec l'attention la plus soutenue. Quand il eut terminé, il se tourna vers moi.

— Je me suis débarrassé de toutes les cloisons. Et de la porte, me dit-il.

— Oui. J'ai vu.

Il s'empara alors de la façade de la maison, qui avait maintenant une entrée mais plus de porte, et essaya de la faire tenir debout dans le sable. Il y parvint au bout d'un moment. Il choisit une petite voiture et se mit à la faire rouler dans le sable. Il s'était perché sur le rebord de la caisse à sable et se penchait en avant, dans une position apparemment malaisée et inconfortable. Il surveillait la situation.

— Il va falloir que j'entre dans la caisse à sable, dit-il.

Il se glissa dans la caisse, alla s'asseoir au milieu, leva les yeux vers moi et me fit un grand sourire.

— Aujourd'hui, je suis entré dans le sable, me dit-il. Petit à petit, je suis entré dans le sable. J'y suis entré un petit peu l'avant-dernière fois, puis un petit peu la dernière fois et puis maintenant.

— C'est vrai, c'est ce que tu as fait, lui répondis-je. Et maintenant, aujourd'hui, tu es complètement dedans.

— Le sable rentre dans mes chaussures, remarqua-t-il. Aussi, je vais enlever mes chaussures.

Il enleva une chaussure. Il glissa son pied dans le sable jusqu'à ce qu'il fût caché. Puis il se tourna sur le ventre et se coucha de tout son long dans le sable, s'y frotta les joues, tira la langue et le goûta. Il fit crisser le sable entre ses dents. Il me regarda.

— Eh bien, ce sable crisse sous la dent, il est piquant et il n'a aucun goût, dit-il. C'est comme cela, le goût de rien ?

Il prit une poignée de sable et la laissa couler sur sa tête. Il frotta le sable contre son cuir chevelu. Il rit. Soudain, il leva un pied en l'air.

— Regardez ! cria-t-il. J'ai un trou dans ma socquette. J'ai une socquette toute trouée à un pied.

— C'est ce que je vois, dis-je.

Il se recoucha de tout son long dans la caisse à sable. Il se roula sur lui-même. Il se tortilla dans le sable et le prit à pleines mains pour s'en couvrir. Ses mouvements étaient libres, larges, détendus.

— Passez-moi le biberon, m'ordonna-t-il.

Je le lui tendis.

— Je vais faire semblant de croire que c'est mon petit berceau, me dit-il. Je vais me rouler comme une gentille petite boule et je vais faire comme si j'étais encore un petit bébé.

Il fit ce qu'il avait déclaré et se mit, tout heureux, à prendre son biberon. Brusquement, il se redressa et me sourit.

— Je vais vous le chanter, m'annonça-t-il. Je vais faire une chanson et je la chanterai juste pour vous. D'accord ?

— D'accord, lui répondis-je.

Il demeurait assis là, les jambes croisées.

— Je réfléchis, me dit-il.

— Très bien. Réfléchis, si tu en as envie, lui dis-je.

Il rit.

— J'inventerai les paroles au fur et à mesure, me dit-il.

— C'est parfait.

Il respira profondément. Puis il se mit à chanter. Il paraissait également composer la mélodie. Sa voix était claire, mélodieuse et douce. La musique contrastait violemment avec les paroles qu'il inventait. Il avait joint les mains. Son expression était grave. Il avait l'air d'un enfant de chœur. Les paroles de sa chanson, pourtant, n'étaient pas de celles que l'on aurait attendues dans la bouche d'un enfant de chœur.

— Oh, je hais — je hais — je hais, chantait-il. Je hais les murs et les portes qui se ferment à clef et les gens qui vous poussent dedans. Je hais les larmes et les mots de colère et je les tuerai tous avec ma petite hache et puis je broierai leurs os et je leur cracherai dessus.

Il prit un petit soldat dans le sable, lui donna de grands coups de sa petite hache de caoutchouc et lui cracha dessus.

— Je te crache à la figure. Je te crache dans l'œil. Je t'enfouis la tête, loin, loin dans le sable, chanta-t-il.

Sa voix résonnait, douce et claire.

— Et les oiseaux volent vraiment d'est en ouest et c'est un oiseau que je veux être. Alors, je m'envolerai par-dessus les murs, je sortirai par la porte et j'irai loin, loin, loin de tous mes ennemis. Je volerai et je volerai tout autour du monde et je reviendrai dans le sable, dans la salle de jeu, chez mon amie. Je creuserai dans le sable. J'enterrerai dans le sable. Je jetterai le sable en l'air. Je jouerai dans le sable. Je compterai tous les grains de sable et je serai à nouveau un bébé.

Il se remit à prendre son biberon. Il me sourit.

— Comment avez-vous trouvé ma chanson ? me dedanda-t-il.

— Eh bien, c'était une chanson pas ordinaire, répondis-je.

— C'est ça, dit-il. C'était une chanson pas ordinaire. Il sortit de la caisse à sable, vint jusqu'à moi et regarda ma montre.

— Encore dix minutes, me dit-il, tout en levant ses dix doigts.

— Oui. Encore dix minutes, répondis-je.

— *Vous,* vous pensez, encore dix minutes et puis ce sera l'heure de retourner à la maison, dit-il.

— C'est bien ça. C'est ce que, moi, je pense, répondis-je. Et toi, que penses-tu ?

— Ha, ha ! s'écria-t-il. Vous voulez le savoir ? Eh bien, je pense qu'il sera bientôt l'heure de partir. Je vais sortir le reste des hommes qui se battent. Ces deux-là, qui ont un fusil. Et cet avion. Comme un oiseau. Avion, vole. Oh, avion, toi qui es plein de sable. Vole partout. Vole partout. Envole-toi haut dans le ciel !

Il se mit à courir dans la pièce, tenant l'avion en l'air. Ses mouvements étaient pleins de grâce et de rythme.

— Oh, toi l'avion, dis-moi ! Jusqu'où peux-tu voler, toi ? Peux-tu voler jusqu'au ciel, tout bleu ? Peux-tu voler au-delà du ciel ? Jusqu'aux nuages et jusqu'aux vents qui retiennent la pluie prisonnière, là-haut, tout là-haut ? Peux-tu voler ? Dis-moi, bel avion, peux-tu voler ? Oh, avion...

Brusquement, il interrompit toute activité. Il écouta très attentivement. Il laissa l'avion tomber dans le sable. Toute exubérance et toute joie semblaient soudain l'avoir abandonné.

— Voilà Dorothy, dit-il.

Il fit quelques pas jusqu'à la caisse à sable, y grimpa et

déterra à l'aide de la pelle la porte et les murs de la maison de poupée.

— Ils ne peuvent pas encore être enterrés, dit-il.

Il me regarda. La détresse lui avait pincé les lèvres et plissé le front.

— Encore neuf minutes ? me demanda-t-il, d'une voix que la tristesse avait éteinte.

— Non. Il ne reste plus que cinq minutes, lui dis-je.

— Oh, fit Dibs, en levant cinq doigts. Où sont passées les quatre autres ?

— Tu n'avais pas l'impression que quatre minutes s'étaient écoulées sans que tu t'en aperçoives ?

— Ce sera bientôt l'heure de rentrer à la maison, me dit Dibs. Même si je ne veux pas rentrer à la maison. Même ainsi, ce sera l'heure qui viendra et qui nous dira que c'est la fin.

Il y eut le bruit d'un moteur de camion que l'on mettait en marche.

On entendit le camion qui démarrait.

— Voilà notre camion qui s'en va, dit-il. Vous l'avez entendu ?

— Oui.

— Pour le camion aussi c'est l'heure de retourner à la maison.

— Oui. Sans doute.

— Le camion n'a peut-être pas envie de rentrer à la maison, lui non plus.

C'est possible, lui dis-je.

— Combien de minutes reste-t-il ? demanda Dibs.

— Trois minutes.

Dibs prit la porte de la maison de poupée à deux mains et l'examina.

— Il va falloir que je repose cela sur la maison de poupée et que je ferme toutes les fenêtres, dit-il. Où est le marteau que je puisse reclouer la porte ?

— Il n'y en a pas pour le moment, lui dis-je. Pose la porte sur l'étagère — ou mets-la dans la maison de poupée, si tu veux. Le gardien la remettra en place.

Dibs posa la porte sur la table, changea d'avis, la reprit et alla la glisser dans la maison de poupée. Il ferma toutes les fenêtres.

— Aidez-moi à remettre ma chaussure, me dit-il, en me tendant sa chaussure.

Il s'assit sur la petite chaise pour que je la lui mette.

— Aidez-moi à enfiler mon manteau et à mettre ma

casquette, me dit-il, incapable, soudain, de faire quoi que ce fût.

Je le fis.

— Les gens sont tous endormis, dans la maison, me dit-il. Et dehors, c'est une nuit de début de printemps. C'est l'heure où il fait noir et où l'on a sommeil et ils dorment et ils disent qu'ils vont dormir et dormir encore, dormir ici où il fait quelquefois chaud et quelquefois froid, mais où l'on est toujours en sécurité. Dormir et attendre. Dormir et attendre. Et poser une sorte de porte sur leur maison. Une porte qui s'ouvre dans les deux sens, vers l'intérieur et vers l'extérieur. Une porte qui s'ouvre rien que quand on s'en approche. Pas de serrure. Pas de clef. Pas de claquement. Et maintenant, je vais vous dire au revoir, ajouta Dibs, en venant se planter devant moi.

Il me regardait dans les yeux, l'air grave.

— Souvenez-vous toujours, me dit-il. Je reviendrai plus tard !

— Oui, répondis-je. Tu reviendras plus tard. Je m'en souviendrai.

Dibs aperçut un petit animal qui avait été découpé et jeté dans la corbeille à papier.

— Je voudrais ça, dit-il, en s'en emparant. Est-ce que je peux l'avoir ?

— Oui, lui dis-je.

Dibs le mit dans sa poche.

— Dites : « Oui, Dibs, tu peux l'emporter chez toi. Si c'est ce que *toi,* Dibs, tu veux, alors, c'est parfait. »

— Oui, Dibs, tu peux l'emporter chez toi, répétai-je, après lui. Si c'est ce que *toi,* Dibs, tu veux, alors, c'est parfait.

Dibs sourit. Il tendit la main et tapota la mienne.

— Ça, c'est *bien* ! dit-il.

Il ouvrit la porte, fit un pas dans le couloir, puis il revint en arrière et regarda ma montre. Il tendit le bras et referma la porte en la claquant.

— Non, dit-il. Ce n'est pas l'heure. L'aiguille est sur le quart après quatre heures. Je vais attendre que les cloches de l'église sonnent !

— Tu es arrivé plus tôt, aujourd'hui, c'est pourquoi tu t'en vas plus tôt, lui dis-je. Tu es resté ici une heure entière.

Dibs me dévisagea fixement pendant une longue minute.

— Mon heure d'arrivée était plus tôt, mais mon heure de départ sera la même que d'habitude, m'annonça-t-il.

— Non. Aujourd'hui, l'heure de départ arrive également plus tôt, lui dis-je.

— Oh, non, dit Dibs. Je suis venu plus tôt, mais je ne m'en vais pas plus tôt.

— Si, tu t'en vas plus tôt, lui dis-je. Parce qu'aujourd'hui, tu vas voir le docteur. Tu t'en souviens ?

— Se souvenir de ça n'a rien à voir avec le reste, me dit-il.

— C'est simplement que tu ne veux pas partir maintenant, lui dis-je. Mais...

— C'est ça, m'interrompit-il.

Il me jeta un long regard, comme s'il me jaugeait.

— Tu n'en es pas très sûr ?

Dibs poussa un soupir.

— Je suppose que si. Bien. Je vais m'en aller, maintenant. Et j'espère que le docteur va planter son aiguille dans Dorothy et j'espère qu'il lui fera mal jusqu'à ce qu'elle hurle et qu'elle hurle. Et au fond de moi, je rirai et je serai tout content qu'elle sente la douleur. Et je ferai comme si ça ne me faisait rien du tout. Au revoir. Je vous reverrai jeudi prochain.

Dibs s'engagea dans le couloir, puis il entra dans la salle d'attente où l'attendaient sa mère et Dorothy. Il fit comme s'il ne voyait pas sa sœur, prit la main de sa mère et quitta le Centre sans dire mot.

CHAPITRE X

Lorsque Dibs vint au Centre, le jeudi suivant, il se dirigea immédiatement vers la salle de jeu d'une démarche souple et détendue. Il s'arrêta devant la porte et retourna le petit écriteau qui y était accroché.

— « Prière de ne pas déranger », lut-il.

Il entra dans la pièce, enleva sa casquette et son manteau et alla les accrocher à la poignée de la porte. Puis il revint s'asseoir sur le bord de la caisse à sable et enleva ses chaussures. Il retourna les déposer par terre, sous son manteau. Il ramassa les quatre fusils qui avaient été placés çà et là dans la pièce et alla les ranger dans le théâtre de marionnettes. Il ressortit du théâtre, alla prendre sa casquette et son manteau et revint les déposer à côté des fusils. Il ressortit et s'empara d'un petit avion, dont l'hélice était cassée. Il prit place à la table et répara l'hélice brisée, habilement et en silence.

Il prit la petite boîte de petits animaux de la ferme, les tria et les nomma. Puis il alla à la caisse de sable, grimpa dedans et examina la petite maison qui s'y trouvait.

— Vous savez, j'ai vu une petite maison exactement comme celle-ci dans une quincaillerie de Lexington Avenue, m'annonça-t-il.

— Vraiment ?

— Oui, me répondit-il. Elle était exactement comme celle-ci. La même taille. La même couleur. En métal. Deux dollars et quatre-vingt-dix-huit cents. C'était son prix.

Il tourna la maison en tous sens.

— Elles arrivent complètement à plat dans une boîte. Puis, on les monte. Elle était tout à fait comme celle-ci.

Il tapa le métal du bout des doigts.

— C'est une mince feuille de métal, constata-t-il.

Il tourna les yeux vers le radiateur.

— Il fait chaud, ici, aujourd'hui, dit-il. Je vais fermer le radiateur.

Il se pencha en avant et ferma le radiateur.

— Il y avait beaucoup de jouets dans cette quincaillerie, dit-il. Il y avait un petit camion très semblable à celui-là.

Il leva l'un des petits camions pour que je le voie mieux.

— Un camion à bascule avec une manivelle que l'on peut tourner pour qu'il décharge le sable.

— Un camion comme celui-ci ?

Pour une raison ou pour une autre, Dibs paraissait chercher à gagner du temps. Pourtant, il me semblait très détendu.

— Presque comme celui-ci. Mais pas exactement pareil. Je dirais qu'il avait presque la même taille. Et le mécanisme était le même que celui-là. Mais il n'était pas peint de la même couleur — et il portait un nom sur le côté. Il était fait d'un métal plus fort. Ils demandaient un dollar et soixante-quinze cents pour le camion du magasin.

Il emplit le petit camion de sable, tourna la manivelle, fit lever la benne, déchargea le sable, tourna la manivelle une nouvelle fois pour baisser la benne et la ramener à sa position de départ. Il répéta ce jeu plusieurs fois. Un tas de sable commença à monter devant lui.

— Cela va faire une colline sur laquelle je pourrai grimper, me dit-il. Je pourrai jouer aux hommes qui vont se battre.

Il sortit d'un bond de la caisse à sable, traversa la pièce d'un pas vif, et s'empara du tambour. Il s'assit sur le bord de la caisse à sable et se mit à frapper le tambour avec les baguettes.

— Drôle, drôle de tambour, dit-il. Oh, tambour, si riche en sons. Des sons lents. Des sons rapides. Des sons doux. Des sons durs. Des sons pour marcher. Des sons pour courir. Des sons réguliers. Bats - bats - bats, tambour. Battez-vous - battez-vous - battez-vous, dit le tambour. Venez - venez - venez, dit le tambour. Suivez-moi. Suivez-moi. Suivez-moi. Suivez-moi.

Il posa le tambour avec précaution sur le rebord de

la caisse à sable, grimpa à nouveau dans le sable et se mit à faire une colline.

— Je vais commencer à travailler, maintenant, dit-il. Je vais faire une haute colline. Une colline haute, haute. Et les soldats se battent tous pour atteindre le sommet de cette colline. Ils désirent *tant* arriver en haut de cette colline.

Rapidement, il fit sa colline, puis il choisit quelques soldats et les plaça à des endroits différents, comme s'ils étaient en train d'escalader la colline.

— Ils ont vraiment l'air de vouloir atteindre le sommet de cette colline, n'est-ce pas ?

— Oh, oui, répondit Dibs. Ils veulent réellement y arriver.

Il rassembla tous les petits soldats qu'il put trouver. Il les disposa tout autour de la colline qu'il venait de faire.

— Je prendrai de plus en plus de soldats, dit-il. Je les laisserai essayer d'arriver en haut de cette colline — tout à fait au sommet de cette colline. Parce qu'ils savent ce qu'il y a là-haut, si seulement ils pouvaient y arriver. Et ils désirent tellement aller jusqu'au sommet.

Il me regarda. Ses yeux brillaient.

— Vous savez ce qu'il y a au sommet de cette colline ? me demanda-t-il.

— Non. Qu'y a-t-il ?

Dibs rit, l'air entendu, mais il garda son secret. Il fit monter lentement chaque soldat, centimètre par centimètre, vers le sommet. Mais après qu'il eut avancé tous les soldats de quelques millimètres, il fit couler un peu plus de sable au sommet de la colline, ce qui la haussa un peu plus. Il fit alors faire un demi-tour à chacun des soldats, et, doucement, les fit redescendre la pente l'un après l'autre. Il les mit ensuite un par un dans la petite maison de métal qui se trouvait toujours dans le sable.

— Ils n'ont pas pu atteindre le sommet, aujourd'hui, dit-il. Ils s'en retournent tous dans leur maison. Ils se retournent et saluent de la main. C'est un salut triste. Ils voulaient aller jusqu'au sommet de cette colline. Mais aucun d'entre eux n'a pu y arriver, aujourd'hui.

— Et ils étaient tristes, n'est-ce pas, parce qu'ils n'ont pas pu faire ce qu'ils avaient tant désiré ? demandai-je.

— Oui, soupira Dibs. Ils le désiraient tant. Et ils ont essayé. Mais ils n'ont pas pu y arriver tout à fait. Mais ils ont pourtant trouvé leur montagne. Et ils l'ont gravie.

Haut. Haut. Haut. Ils ont fait beaucoup de chemin ! Et pendant un certain temps, ils ont *cru* qu'ils pourraient atteindre le sommet. Et pendant le temps où ils le *croyaient,* ils étaient heureux.

— Rien que d'essayer d'atteindre le sommet de la colline, cela les rendait heureux ? demandai-je.

— Oui, répliqua Dibs. C'est comme ça, avec les collines. Avez-vous jamais gravi une colline ?

— Oui. Et toi, Dibs ? lui dis-je.

— Oui. Une fois. Je ne suis pas arrivé au sommet, ajouta-t-il, avec un air nostalgique. Mais je me tenais au pied de cette colline et j'ai regardé en haut. Je pense que chaque enfant devrait avoir une colline rien qu'à lui, qu'il pourrait gravir. Et je pense que chaque enfant devrait avoir une étoile, là-haut, dans le ciel, qui serait à lui tout seul. Et je pense que chaque enfant devrait avoir un arbre qui lui appartienne. C'est comme ça, que moi, je *pense* que cela devrait être, ajouta-t-il, en levant les yeux vers moi et en hochant la tête pour mieux souligner ses paroles.

— Ces choses-là te paraissent importantes, n'est-ce pas ? lui demandai-je.

— Oui, me répondit-il. Très importantes.

Il prit la pelle métallique, puis, tranquillement et avec l'attention la plus soutenue, il se mit à creuser un trou profond dans le sable. C'est alors que je m'aperçus qu'il avait choisi et mis de côté l'un des petits soldats. Lorsqu'il eut fini de creuser son trou, il déposa soigneusement ce soldat au fond du trou, puis il pelleta le sable pour le recouvrir. Lorsque cette tombe fut remplie, il en nivela le dessus du dos de sa pelle.

— Celui-là vient juste d'être enterré, m'annonça-t-il. Celui-là n'a même pas eu la possibilité d'essayer de monter sur cette colline. Et naturellement, il n'est pas allé au sommet. Oh, il en avait bien envie, lui aussi. Il voulait être avec les autres. Il voulait espérer, lui aussi. Il voulait essayer. Mais il n'a pas eu l'ombre d'une possibilité. Il a été enterré.

— Ainsi, celui-là a été enterré, commentai-je. Il n'a pas eu la possibilité de monter sur la colline. Et il n'a pas atteint le sommet.

— Il a été enterré, me dit Dibs, en se penchant vers moi, tout en parlant. Et non seulement il a été enterré, mais je vais faire une autre colline, très grande, très haute, énorme, au-dessus de cette tombe. Il ne sortira jamais, jamais, de cette tombe-là. Il n'aura jamais, jamais, jamais la possibilité de gravir une colline !

Il ramassa le sable avec de larges mouvements de bras et fit naître une colline au-dessus de la tombe qu'il avait creusée — au-dessus de la tombe où était enterré le petit soldat. Quand il eut terminé sa colline, il s'essuya les mains, puis demeura assis en tailleur devant elle en la contemplant.

— Celui-là, c'était Papa, dit-il tranquillement, en sortant de la caisse à sable.

— C'était Papa qui a été enterré sous la colline ?

— Oui, répondit Dibs. C'était Papa.

Le carillon de l'église résonna. Dibs se mit à compter lorsque les cloches sonnèrent l'heure.

— Un. Deux. Trois. Quatre. 4 heures, dit-il. J'ai une montre, à la maison, et je sais lire l'heure.

— Tu as une montre ? Et tu sais aussi lire l'heure ?

— Oui, dit-il. Il existe bien des sortes de montres. Il y en a que l'on remonte à la main. Il y en a qui sont électriques. Certaines ont des sonneries. D'autres ont un carillon.

— Et de quelle sorte est la tienne ? lui demandai-je.

Dibs semblait vouloir écarter l'enterrement de « Papa » en se lançant dans cette conversation intellectuelle. J'allais le suivre sur ce terrain. Il lui faudrait du temps pour venir à bout de ses sentiments à l'égard de son père. S'il avait l'impression d'être un peu dépassé, s'il semblait un peu effrayé par le jeu auquel il venait de se livrer, s'il cherchait à se réfugier dans la sécurité d'une discussion à propos de quelques objets matériels — comme les montres — je n'allais pas le pousser à approfondir ses sentiments. Il avait, par son jeu, déjà apporté des témoignages extrêmement précis sur son efficacité.

— Moi, j'ai un réveil avec un carillon, dit-il. Je le remonte à la main. J'ai aussi une montre-bracelet. Et puis, j'ai une pendulette sur ma radio.

Il prit le tambour et se mit à en jouer lentement.

— Je bats du tambour pour Papa, dit-il.

— Ainsi, ces lents battements de tambour sont pour Papa ? demandai-je.

— Oui, dit Dibs.

— Et que dit le tambour, maintenant ? lui demandai-je.

Dibs frappa le tambour lentement, délibérément.

— Dors. Dors. Dors, dit-il. Dors. Dors. Dors. Dors. DORSDORSDORSDORSDORSDORSDORS !

Tout en épelant le mot ainsi, lettre par lettre, il accéléra peu à peu le rythme. Il termina par un roulement extrêmement fort.

Dibs demeurait assis au même endroit, la tête penchée. Le tambour était silencieux. Au bout d'un moment, il se leva et rangea doucement le tambour dans le théâtre de marionnettes, dont il ferma la porte.

— Je te mets là-dedans, tambour, dit-il. Je te mets dans ce placard et je ferme la porte.

Il revint à la caisse à sable et demeura planté là, les yeux fixés sur la tombe recouverte par une colline.

Puis il entra dans le théâtre de marionnettes et referma la porte derrière lui. Il y avait à l'intérieur de ce théâtre d'angle une petite fenêtre qui donnait sur le parking. De là, Dibs pouvait voir le chevet de l'église. Je ne voyais pas l'enfant, mais j'entendais très distinctement tout ce qu'il disait.

— Voilà l'arrière de l'église, dit-il. La grande, grande église. L'église qui monte jusqu'au ciel. L'église qui fait de la musique. L'église qui carillonne — un, deux, trois, quatre, quand il est 4 heures. Une grande église avec des arbustes autour d'elle. Une église où vont les gens.

Il y eut un long silence. Puis il se remit à parler.

— Et le ciel. Il y a tant de ciel, tout là-haut. Et un oiseau. Et un avion. Et de la fumée.

Il y eut un autre long silence.

— Et Dibs qui est debout, près d'une petite fenêtre et qui contemple toute cette immensité.

— Vu d'ici, tout cela a l'air d'être un monde immense pour toi, dis-je.

— C'est ça, dit-il, doucement. L'immensité. L'immensité, simplement.

— Tout paraît tellement, tellement grand, dis-je.

Dibs ressortit du théâtre de marionnettes. Il poussa un soupir.

— Mais pas Dibs, dit-il. Dibs n'a pas la taille d'une église.

— Tout est si grand, cela donne à Dibs l'impression d'être petit ? dis-je.

Dibs pénétra à nouveau dans la caisse à sable.

— Là-dedans, dit-il, je suis grand. Je vais démolir cette colline. Je vais l'aplatir.

Il nivela sa montagne. Il fit couler du sable entre ses doigts.

— Oh, colline aplatie, dit-il. Oh, montagne aplatie !

Il leva les yeux vers moi et me sourit.

— Nous sommes allés dans la boutique du réparateur de chaussures pour chercher les chaussures de Papa, dit-il. Nous avons suivi Lexington Avenue. Puis nous avons pris la Soixante-Douzième Rue. Il y avait des autobus et des taxis, et sur la Troisième Avenue, il y avait des voies ferrées aériennes. Nous aurions pu prendre le bus. Nous aurions pu prendre un taxi. Nous aurions pu y aller à pied. Mais nous n'avons rien fait de tout ça. Nous avons pris notre voiture.

— Vous auriez pu y aller de différentes façons, mais vous y êtes allés avec votre voiture ?

Dibs se pencha vers moi. Il avait une lueur de malice au fond des yeux.

— Mais n'oubliez pas, me reprit-il gentiment. Nous sommes allés chercher les chaussures de *Papa.*

— Oh, oui, dis-je. Je ne dois pas oublier que vous êtes allés chercher les chaussures de Papa.

— Le cordonnier les avait arrangées, dit Dibs.

— Elles avaient été réparées ?

— Arrangées et raccommodées, dit Dibs. Et même réparées !

— Eh bien, Dibs, dis-je. C'est l'heure de partir, maintenant.

— C'est l'heure de partir, acquiesça Dibs.

Il se leva.

— C'est l'heure de partir depuis cinq minutes déjà !

Dibs avait absolument raison. Je n'avais pas voulu interrompre son récit de la sortie pour aller chercher les chaussures de « Papa » en lui annonçant la fin de l'heure.

— C'est vrai, lui dis-je. Il y a cinq minutes que l'heure est terminée.

Dibs alla chercher sa casquette et son manteau dans le théâtre de marionnettes.

— Ça, c'est un drôle de placard, dit-il, lorsqu'il en sortit, tout en mettant sa casquette et son manteau. Un drôle de placard avec un trou dans la porte et une petite fenêtre à l'intérieur.

Il traversa la pièce et ramassa ses chaussures.

— Ce sont des chaussures neuves, dit-il.

Il s'assit et les mit sans mon aide. Auparavant, il tendit les pieds vers moi.

— Vous voyez ? dit-il. Des nouvelles socquettes, aussi. Sans trous. Maman était tellement ennuyée chez le docteur.

Il rit. Il noua ses lacets adroitement, en les serrant bien. Comme il franchissait la porte, il retourna le petit écriteau.

— Ils peuvent venir déranger, dit-il. Nous sommes partis.

CHAPITRE XI

Lorsque Dibs revint le jeudi suivant, c'est d'un pas vif qu'il entra dans la salle de jeu. Il enleva sa casquette et son manteau et les jeta sur une chaise.

— Le bureau de Miss A porte le numéro 12, annonça-t-il. Et cette pièce porte le numéro 17. Et cette chaise a un numéro sur son dossier. Le numéro 13. Vous le voyez ?

Il retourna rapidement la chaise et effleura le numéro de son doigt.

— C'est exact, lui dis-je.

Parfois, il semblait féru de détails précis. Il se dirigea vers l'armoire et y choisit une boîte contenant les petites maisons d'un village de poupée. Il s'assit par terre et tria les maisons en miniature, les magasins, les usines, les églises et quelques autres bâtiments. Il y avait de minuscules arbres que l'on pouvait disposer çà et là dans la ville que l'on construisait. Dibs était complètement absorbé par ce jeu.

— C'est un village de poupée, dit-il. Voyons voir ce que nous avons là. Des églises. Des maisons. Des arbres. Je vais construire un village avec tout ça. Voilà deux églises. Je vais commencer par les églises. Je vais mettre cette grande église au centre de mon petit village. Puis je vais mettre cette petite église par ici. Ensuite, je vais choisir mes maisons et les aligner en rues bien droites. Cela va être une petite ville, comme ça il y aura plus d'espace autour des maisons. Les petites villes et les petits villages ont toujours des églises. Voyez-vous le clocher de cette église ? Cela va faire tout un monde de maisons.

Il s'était allongé sur le sol, la joue appuyée contre le linoléum. Il déplaça quelques-uns des bâtiments.

— J'ai créé cette petite ville, dit-il. J'ai fait là un petit monde de maisons. J'ai planté des arbres tout autour. J'ai imaginé le ciel, la pluie et les vents légers. J'ai rêvé les saisons. Et maintenant, je vais appeler le printemps. Les arbres font pousser leurs feuilles. Tout est agréable, et beau, et confortable, dans cette tranquille petite ville. Il y a des gens qui marchent dans la rue. Les arbres poussent silencieusement le long de cette rue. Les arbres sont différents. Les arbres ont différentes sortes d'écorces sur leurs troncs.

Il roula sur le côté et me regarda.

— Demandez-moi s'il me reste encore des maisons, dit-il.

— Te reste-t-il encore d'autres maisons ? demandai-je.

— J'ai utilisé toutes les maisons, dit Dibs. Il n'en reste plus.

Il disposa d'autres arbres autour de son village.

— Cet arbre a des contours verts, dit-il. Il est là et il pointe haut, haut vers le ciel. Il murmure des secrets aux vents qui passent. « Dis-moi, où es-tu allé ? » demande l'arbre au vent. « Dis-moi, qu'as-tu vu ? Car moi j'ai des racines qui m'attachent à la terre et je dois demeurer à cet endroit pour toujours. » Et le vent lui répond dans un murmure : « Moi, je ne reste jamais en place. Je vais au loin. Aujourd'hui au loin. Au loin, je te dis. Au loin. Au loin. » Et l'arbre lui crie : « Je veux aller avec toi. Je ne veux pas rester là, tout seul et tout triste. Je veux aller avec toi. Tu as l'air si heureux. » Enfin...

Dibs se leva et s'avança vers la table. Il y prit un puzzle qu'on avait abandonné là. Il s'assit à mes pieds et assembla rapidement les éléments.

— C'est *Tom Tom, le fils du Joueur de Flûte,* dit-il. A l'école, nous chantons une chanson sur lui. Je vais vous la chanter.

Dibs chanta la chanson. Les paroles et la mélodie étaient bien rendues.

— Fin, m'annonça-t-il, lorsqu'il eut terminé.

— Tu as appris cela à l'école ? lui demandai-je.

— Oui, répliqua-t-il. Mlle Jane est ma maîtresse. Mlle Jane est une femme, une grande personne. Miss A est une femme, une grande personne. Il y a grandes personnes et grandes personnes.

— Les grandes personnes diffèrent les unes des autres, il te semble ? lui demandai-je.

— Ah oui, alors ! déclara Dibs d'un ton énergique.

— Connais-tu d'autres grandes personnes ? lui demandai-je.

— Bien sûr, répondit Dibs. Il y a Hedda. Et encore quelques autres à l'école. Et puis il y a Jake, notre jardinier. Et il y a Millie, qui vient laver notre linge. Et Jake a taillé l'un des grands arbres de notre cour, à la maison. C'était l'arbre qui poussait devant ma fenêtre, si près que je pouvais me pencher par la fenêtre et le toucher. Mais Papa voulait qu'il soit taillé. Il disait qu'il venait frotter contre la maison. Alors j'ai regardé Jake grimper dans l'arbre et scier les branches de l'arbre. J'ai ouvert la fenêtre et je lui ai dit que cet arbre était mon ami et que j'avais besoin de cette branche et je lui ai dit que je ne voulais pas qu'elle soit coupée. Et Jake ne l'a pas coupée. Et puis Papa est sorti et il a dit qu'il voulait qu'elle soit enlevée parce qu'elle était trop près de la maison et qu'elle gâtait la forme de l'arbre. Jake a dit que j'aimais cette branche parce qu'elle était si proche que je pouvais me pencher par ma fenêtre et la toucher. Alors Papa a dit qu'il voulait qu'elle soit coupée quand même. Il a dit qu'il ne voulait pas que je me penche par la fenêtre. Il a dit qu'il ne savait pas que je faisais cela et il a dit qu'il mettrait une grille de sécurité devant la fenêtre pour que je ne puisse pas tomber. Puis il a ordonné à Jake de couper la branche, et tout de suite. Et Jake a dit qu'il en couperait un petit morceau pour qu'elle ne vienne pas frotter contre la maison, parce que Jake a dit que *j'aimais* cette branche-là. Et Papa a dit que j'avais beaucoup d'autres choses avec lesquelles je pouvais jouer. Il a forcé Jake à la couper, si loin de la fenêtre que je ne pourrai plus jamais l'attraper. Mais Jake a gardé pour moi le bout de la branche que j'avais pris l'habitude de toucher. Jake m'a dit que je pourrais garder cette partie de l'arbre *à l'intérieur* de ma chambre — que tous les arbres n'avaient pas la chance d'avoir leur branche favorite qui vivait dans une maison. Il m'a dit que c'était un vieil, un très vieil orme. Il a dit qu'il avait probablement deux cents ans et que pendant tout ce temps personne ne l'avait probablement jamais aimé autant que moi. Aussi j'ai gardé le bout de cette branche. Je l'ai toujours.

— Quand est-ce que cela est arrivé ? lui demandai-je.

— L'année dernière, dit Dibs. Mais Jake n'y pouvait rien. Il fallait qu'il coupe cette branche. Et puis ils ont posé la grille sur la fenêtre. Ils ont fait venir un homme pour la poser. Il en a posé une sur ma fenêtre et une sur celle de Dorothy.

— Est-ce que quelqu'un a su que Jake t'a donné le bout de cette branche ? lui demandai-je.

— Je ne sais pas. Je ne l'ai jamais dit à personne. Je l'ai simplement gardée. Je l'ai toujours. Je ne permettrai jamais à personne d'y toucher. Je donnerais des coups de pied et je mordrais si quelqu'un essayait d'y toucher.

— Tu l'aimais beaucoup, cette branche, pas vrai ?

— Oh, oui, répondit Dibs.

— As-tu passé beaucoup de temps avec Jake, lui demandai-je.

— Oui. Chaque fois que je pouvais sortir dans la cour, j'allais voir Jake. Il me parlait. J'écoutais tout ce qu'il disait. Il me racontait toutes sortes d'histoires. Il me parlait de saint François d'Assise. Saint François d'Assise vivait il y a très longtemps et il aimait les oiseaux et les arbres, et le vent et la pluie aussi. Il disait qu'ils étaient nos amis. Et ils le sont en effet. Ils sont plus gentils que les gens, ajouta Dibs énergiquement.

Il se mit à arpenter la pièce.

— J'observe cet arbre, dit-il. Encore maintenant, j'observe cet arbre. Au printemps les feuilles sortent et se déplient et deviennent vertes parce que la pluie leur a redonné une vie verte. Et elles s'ouvrent parce qu'elles sont toutes joyeuses de voir revenir le printemps. Et tout l'été elles donnent une ombre fraîche et amicale. Puis quand vient l'hiver, les feuilles s'envolent. Jake dit qu'à l'automne, le vent vient les chercher et qu'il les emmène faire un voyage autour du monde. Un jour, il m'a raconté une histoire au sujet de la dernière feuille qui était restée sur l'arbre. Il m'a dit que la petite feuille était triste, parce qu'elle croyait qu'elle avait été oubliée et qu'elle ne pourrait jamais aller nulle part. Mais le vent est revenu chercher cette petite feuille solitaire et il l'a emmenée faire l'un des plus merveilleux voyages que l'on ait jamais faits. Il a dit que la petite feuille a été poussée tout autour du monde et qu'elle a vu toutes les choses merveilleuses qu'il y a au monde. Et quand elle a eu fait tout le tour du monde, elle est revenue dans notre cour, a dit Jake, parce qu'elle s'ennuyait de moi. Et Jake l'a retrouvée sous notre arbre un jour d'hiver. Elle était toute fatiguée et toute rabougrie et comme usée par son long voyage. Mais Jake a dit qu'elle avait voulu revenir me voir parce qu'elle n'avait rencontré personne tout autour du monde qu'elle aimait autant que moi. Alors Jake me l'a donnée.

Dibs fit une fois de plus le tour de la pièce du même pas nerveux. Il revint s'arrêter devant moi.

— J'ai gardé cette feuille, dit-il. Elle est très fatiguée et très vieille. Mais je l'ai gardée, cette feuille. Je l'ai collée sur une feuille de papier que j'ai encadrée. Et je me représente quelques-unes des choses qu'elle a dû voir en volant avec le vent tout autour du monde. Et je lis dans mes livres des histoires sur les pays qu'elle a vus.

Il se dirigea vers la maison de poupée.

— Je vais la fermer à clef, dit-il. Je fermerai la porte à clef et puis je fermerai toutes les fenêtres.

— Pourquoi, Dibs ? lui demandai-je. Pourquoi veux-tu, *toi,* fermer la porte et les fenêtres ?

— Je ne sais pas, murmura Dibs.

Il revint vers moi.

— Ma chaussure, dit-il, avec une trace de son ancien gémissement d'impuissance au fond de la voix. Nouez mon lacet pour moi, Miss A.

— Très bien, Dibs. Je vais l'attacher.

Ce que je fis.

Il s'empara du biberon et se mit à en sucer la tétine. Il poussa un soupir.

— Est-ce que tu te sens un peu triste ? lui demandai-je.

Il fit signe que oui de la tête.

— Triste, dit-il.

— Est-ce que Jake vient toujours faire votre jardinage ?

— Plus maintenant, dit Dibs. Papa dit qu'il est trop vieux et que cela ne vaut rien pour lui de travailler depuis qu'il a eu sa crise cardiaque. Mais il vient encore de temps à autre. Nous nous voyons dans la cour. Il me raconte toujours une histoire. Ça fait longtemps qu'il n'est pas venu. Je m'ennuie de lui.

— Oui, cela ne m'étonne pas, Dibs, lui dis-je. Jake doit être un homme très gentil.

— Oh, oui, reprit Dibs. Je l'aime beaucoup, beaucoup. Je suppose que c'est ça un ami ? demanda-t-il, d'un air nostalgique.

— Oui, je dirais que c'est un ami, Dibs, lui répondis-je. Un très, très bon ami.

Dibs se dirigea vers la fenêtre et pendant un très long moment, il regarda dehors, sans dire mot.

— Jake allait à l'église tous les dimanches, dit-il, en montrant l'église. Il me l'a dit.

— Es-tu jamais allé à l'église, Dibs ? lui demandai-je.

— Oh, non, dit Dibs, rapidement. Papa et maman ne sont pas croyants. C'est pourquoi ni Dorothy, ni moi ne sommes croyants.

— Je vois, fis-je.

— Mais Jake croit. Et grand-mère, dit Dibs.

Il y eut un nouveau silence.

— Plus que dix minutes ? demanda Dibs.

— Non.

— Plus que neuf minutes ?

— Non.

— Plus que huit minutes ? demanda Dibs.

— Oui. Encore huit minutes.

— Alors, je vais jouer avec la famille des poupées et la maison pendant le temps qui reste.

Il prit un paquet de feuilles de papier.

— Je vais mettre ça dans ma maison, dit-il.

Il plaça le papier dans l'une des pièces de la maison de poupée.

— Quelqu'un a remis la porte en place, dit-il.

— Oui.

Il désigna le grenier de la maison.

— Ça, c'est la mansarde, dit-il.

— Oui, peut-être bien, fis-je.

— Préparez les grandes personnes pour qu'elles aillent se coucher, dit-il, en choisissant les poupées et en les déposant dans les chambres. Et maintenant, aux enfants. Ça, c'est le bébé. Et ici la cuisinière. Et ça, c'est la femme qui lave le linge. Elle dit qu'elle est fatiguée. Elle désire se reposer. Voilà les lits. Ça, c'est la pièce du père. Tu ne dois pas y entrer. Tu ne dois pas aller l'ennuyer. Il est occupé. Et voilà le lit de l'homme. Ça, c'est la chambre de la mère. Voilà son lit. Et chaque enfant a son propre lit. Et chacun d'eux a sa propre chambre. La cuisinière a une chambre et un lit. Elle dit qu'elle aussi, elle finit par être fatiguée. Et la femme qui lave le linge n'a pas de lit. Elle doit rester debout et surveiller les machines et cet enfant-là descend quelquefois à la buanderie et il lui demande pourquoi elle ne va pas se mettre au lit, pourquoi elle ne va pas se reposer si elle est fatiguée et elle, elle dit qu'ils la payent pour travailler, non pas pour se reposer. Mais maman dit qu'elle peut avoir un rocking-chair en bas, si elle veut. Aucune raison pour qu'elle ne se balance pas un peu dans un rocking-chair, si elle veut. Elle lave le linge de cette famille depuis quarante ans. Grand Dieu, elle peut bien s'asseoir dans un rocking-chair de temps à autre, si elle en a envie, non ? dit la cuisinière. Mais elle, elle dit que non, que si le rocking-chair se met à grincer, elle ne pourra pas, parce que cela dérangerait l'homme et que Dieu nous garde si jamais nous dérangeons cet homme-là, dit-elle. Mais la cuisinière dit qu'il n'a qu'à aller se tremper la tête dans la lessive, s'il n'est pas content. Et puis elle dit au garçon de remonter, elle lui dit que la buanderie n'est pas assez belle pour lui. Alors il remonte.

A ce moment, je donnai accidentellement un coup de pied dans le puzzle que Dibs avait fait sur le sol près de moi. Je me baissai et remis les pièces en place. Dibs me jeta un bref coup d'œil.

— Qu'est-ce que vous faites ? me demanda-t-il.

— J'ai renversé ton puzzle et *Tom Tom, le fils du Joueur de Flûte* est parti en petits morceaux, lui expliquai-je.

Dibs me regarda avec curiosité.

— Qu'est-ce que vous avez dit ? me demanda-t-il. Je n'ai pas compris ce que vous m'avez dit tout à l'heure.

— J'ai dit que j'avais renversé accidentellement ton puzzle et que *Tom Tom, le fils du Joueur de Flûte* s'était défait, répétai-je.

— Oh, fit Dibs.

Il était certainement conscient de tout ce qui se passait dans cette pièce, quel que fût son intérêt pour son activité du moment. Il se laissa tomber sur les genoux et vérifia si j'avais bien replacé les pièces du puzzle. Il ne trouva rien à redire. Il se releva et se mit à jouer avec la serrure de la porte de la salle.

— Je peux fermer à clef ? me demanda-t-il.

— Tu veux fermer cette porte ? lui demandai-je.

— C'est ça, me dit Dibs.

Il ferma la porte à clef.

— C'est fermé, me dit-il.

Au bout d'un moment, je repris.

— Oui. Maintenant elle est fermée à clef. A présent, voyons si tu peux l'ouvrir, parce qu'il est l'heure de retourner chez toi.

— C'est ça, fit Dibs. Même si *vous*, vous savez que je ne veux pas rentrer chez moi.

— Oui. Même si je sais que tu n'as pas *envie* de rentrer chez toi, il y a des moments où il faut que tu le fasses, Dibs. Et ce moment-ci est l'un de ces moments.

Il vint se planter devant moi et me regarda droit dans les yeux. Il soupira.

— Oui, dit-il. Je sais. Je peux faire tant de choses ici et puis, finalement, je dois toujours m'en aller.

Il ouvrit la porte et la franchit.

— Ta casquette et ton manteau, lui dis-je.

— Oui. Ta casquette et ton manteau, reprit-il.

Il revint sur ses pas, prit son manteau et l'enfila. Il se planta la casquette sur la tête.

— *Ma* casquette et *mon* manteau, dit-il.

Il me regarda.

— Au revoir, Miss A. Jeudi reviendra bien. Chaque semaine a son jeudi. Au revoir.

Il suivit le couloir jusqu'à la salle d'attente. Je le regardai partir. Il se retourna et agita la main.

— Au revoir, répéta-t-il.

Si jeune. Si petit. Et pourtant, si plein de force. Puis je songeai à Jake et me demandai s'il savait combien sa compréhension, sa douceur et sa gentillesse avaient joué un rôle important dans le développement de ce jeune enfant. Je pensais à l'extrémité symbolique de cette branche d'arbre et à la petite feuille si mince, si fatiguée et si usée. Je me souvenais de la question rêveuse de Dibs : « Je suppose que c'est ça un ami ? »

CHAPITRE XII

Chaque semaine a son jeudi et la semaine qui suivit ne fit pas exception à la règle. Pourtant, Dibs ne put venir à la salle de jeu. Il avait la rougeole. Sa mère téléphona pour annuler notre rendez-vous. Le jeudi d'après, il était suffisamment remis et se présenta ponctuellement pour sa séance de thérapie par le jeu. Il avait le teint pâle et son visage était encore couvert de taches rouges, mais dès qu'il fut entré dans la salle d'attente, il me déclara :

— La rougeole a disparu. Je vais mieux, maintenant.

— Tu en as fini avec la rougeole, maintenant ? demandai-je, sceptique.

— Oui, dit Dibs. C'en est fini et bien fini. Retournons à la salle de jeu.

Comme nous passions devant mon bureau, Dibs y jeta un coup d'œil. Deux hommes s'y trouvaient pour réviser des magnétophones.

— Il y a deux hommes dans notre bureau, dit-il. Je veux dire qu'il y a deux hommes dans votre bureau.

— Oui. Ils travailleront là pendant que nous serons dans la salle de jeu, lui dis-je.

— Vous laissez d'autres personnes entrer dans votre bureau ? me demanda-t-il.

— Oui. Quelquefois.

— Qu'est-ce qu'ils y font ?

— Ils réparent quelques-uns des magnétophones.

Comme nous entrions dans la salle de jeu, Dibs enleva sa casquette et son manteau et les jeta sur une chaise.

— Ça m'a manqué, jeudi dernier, dit-il.

— Je sais. C'est dommage que tu aies eu la rougeole et que tu n'aies pas pu venir.

— J'ai reçu la carte que vous m'avez envoyée, dit-il. Ça m'a rendu heureux. J'ai bien aimé recevoir cette carte.

— Je suis bien contente.

— Elle disait qu'il fallait que je me dépêche d'aller mieux. Elle disait que je vous manquais.

— C'est ce que j'ai écrit, en effet.

— J'ai beaucoup aimé les chatons de saule que vous m'avez envoyés. On aurait dit le printemps. De très jolis chatons. Ces gros chatons sur chaque branche. Ils m'ont plu. Papa m'a dit qu'ils pourraient faire des racines s'ils restaient longtemps dans l'eau et que je pourrais les planter dans la cour. Il a dit qu'ils pourraient *peut-être* devenir des arbustes. Est-ce que c'est possible ? me demanda Dibs.

— Tu viens de me raconter que ton papa t'a dit ça. Alors, qu'est-ce que tu en penses ?

— Je suppose qu'il a raison, dit Dibs. Mais je vais bien faire attention. Je vais essayer et je verrai.

— C'est une façon de découvrir les choses, lui dis-je.

L'allusion que Dibs avait faite à la remarque de son père m'intéressait. Il était difficile de savoir si cette conversation était une nouvelle tentative du père pour entrer en contact avec Dibs — ou bien s'il avait maintes fois essayé d'expliquer des choses à Dibs, même s'il ne recevait pas de réponse logique de la part de l'enfant. Comme Mlle Jane à l'école. Comme Jake l'avait peut-être fait, lui aussi, tant de fois, alors que Dibs se contentait d'écouter. A présent, pourtant, Dibs me rapportait cette réflexion d'une façon tout à fait naturelle.

— Et qu'as-tu dit, toi, quand ton papa t'a parlé des chatons de saules ? lui demandai-je, en espérant recueillir un autre fragment qui me permettrait de le mieux comprendre.

— Je n'ai rien dit du tout, répliqua Dibs. J'ai juste écouté.

Il fit le tour de la pièce, examina les pots de peinture et les fournitures qui se trouvaient sur la table. Puis il se dirigea vers la caisse à sable et sauta dans le sable dans un mouvement libre et spontané. Il se coucha de tout son long.

— Veux-tu enlever tes chaussures, Dibs ? se demanda-t-il. Non, répondit-il. Eh bien, qu'est-ce que tu veux faire alors ? Décide-toi !

Il roula sur lui-même et plongea son visage dans le sable.

— Je ne suis pas pressé, dit-il. Pour le moment, je vais me contenter d'*être*.

Il enfonça les mains dans le sable et sortit quelques-unes des petites maisons qu'un autre enfant avait dû enterrer.

— Oh, mais je trouve des choses, dans ce sable. Des petites maisons. Des petits bouts de tout. Des choses.

Puis, brusquement, il s'en alla à l'autre bout de la caisse à sable et se mit à creuser. Finalement, sa pelle vint racler le fond métallique de la caisse. Dibs se baissa, fouilla dans le sable et en sortit un petit soldat. Il l'éleva à bout de bras.

— Oh, la, la ! Cet homme-là ! s'écria-t-il. Vous voyez ça ? Vous voyez cet homme qui se bat ? C'est l'homme que j'avais enterré sous ma montagne. Je suis heureux de découvrir qu'il est resté enterré pendant toutes ces semaines. Eh bien, maintenant, monsieur, vous allez retourner d'où vous venez ! Allez ! Retournez dans votre tombe !

Il enterra une nouvelle fois le petit soldat. Tout en l'ensevelissant, il se mit à chanter :

Oh, connaissez-vous le marchand de p'tits pains,
Le marchand de p'tits pains, le marchand de p'tits pains,
Oh, connaissez-vous le marchand de p'tits pains,
Il vit dans une rue, pleine de chagrins.

Il leva les yeux vers moi et me fit un beau sourire.

— J'ai appris cette chanson à l'école, me dit-il. Maintenant, je vais la chanter pour l'homme enterré :

Oh, connaissez-vous l'homme de rien,
L'homme de rien, l'homme de rien,
Oh, connaissez-vous l'homme de rien,
Il vit dans une tombe pleine de chagrins.

Dibs se mit à rire. Il frappa le dessus de la tombe avec la pelle pour bien souligner ses paroles.

— Non, me dit-il, comme incidemment, comme s'il n'y avait pas eu d'intervalle entre ma question et sa réponse. Je ne parle pas beaucoup à Papa.

— Non ?

— Non.

— Pourquoi pas ? lui demandai-je.

— Je ne sais pas, répondit Dibs. Je suppose que c'est parce que c'est comme ça.

Il se mit à fredonner une autre mélodie.

— Celle-là aussi, je l'ai apprise à l'école, me dit-il.

— Tu chantes ça aussi à l'école ? lui demandai-je.

— Je l'ai apprise à l'école, m'expliqua Dibs. Je la chante ici, pour vous.

— Ah, fis-je.

Il serait bien utile, en thérapie, de pouvoir poser des questions, si quelqu'un acceptait d'y répondre avec précision. Mais personne ne le fait jamais. Je m'étais souvent demandé si on avait constaté des changements dans le comportement de Dibs à l'école. Apparemment, il n'y avait pas de changements bien remarquables, puisque les maîtresses ne m'avaient rien signalé. Or, nous étions convenues qu'elles le feraient, le cas échéant. Pourtant, Dibs apprenait beaucoup de choses à l'école, chez lui, partout où il allait, même s'il ne se conduisait pas de telle manière qu'on ait pu juger ou tester ses acquisitions.

— Enlève tes chaussures, Dibs, s'ordonna-t-il.

Il enleva ses chaussures. Il les emplit de sable, très soigneusement, à l'aide de la pelle. Puis il enleva l'une de ses socquettes et l'emplit également de sable. Il tira sur son autre socquette pour l'écarter de sa jambe et pelleta du sable entre la jambe et la socquette. Il la retira ensuite et enfouit ses pieds dans le sable. Il pelleta le sable sur ses pieds jusqu'à ce qu'un monticule les cachât complètement, ainsi que le bas de ses jambes.

Brusquement, il sortit ses pieds du sable, se leva, bondit hors de la caisse et ouvrit la porte de la salle de jeu. Il se leva sur la pointe des pieds, sortit la carte de son étui, revint dans la pièce, ferma la porte et vint me mettre la carte sous le nez.

— Qu'est-ce que c'est, thérapie ? me demanda-t-il.

J'étais surprise.

— La thérapie ? lui dis-je. Eh bien, laisse-moi réfléchir une minute.

Pourquoi avait-il posé cette question ? Quelle explication pourrais-je bien lui fournir pour le satisfaire ?

— Je dirais que cela signifie avoir la possibilité de venir ici, de jouer et de parler à peu près de toutes les façons qu'on veut, dis-je. C'est un moment où tu peux être comme tu veux. Un moment que tu peux employer comme tu veux. Un moment où tu peux être *toi.*

C'était la meilleure explication que je pus trouver alors. Il me prit la carte des mains et la retourna.

— Je sais ce que ceci veut dire. « Prière de ne pas déranger » veut dire, s'il vout plaît, tout le monde, laissez-les tranquilles. N'allez pas les ennuyer. N'entrez pas. Ne frappez pas non plus à la porte. Laissez-les simplement être, tous les deux. Ce côté-ci veut dire, *ils sont en train d'être.* Et ce côté-là dit, *laissez-les être tous les deux !* C'est comme ça ?

— Oui. C'est comme ça.

Quelqu'un passa dans le couloir. Dibs entendit les pas.

— Il y a quelqu'un qui marche dans le couloir, dit-il. Mais ici, c'est notre pièce. Ils ne vont pas venir ici, n'est-ce pas ?

— Je ne le pense pas, lui dis-je.

— C'est juste pour moi, pas vrai ? demanda Dibs. Juste pour moi. Pour personne d'autre. N'est-ce pas ?

— C'est juste pour toi, à cette heure-ci, toutes les semaines, si tu le veux, lui dis-je.

— Pour Dibs et pour Miss A, reprit Dibs. Pas juste pour moi. Pour vous aussi.

— Pour nous deux, alors, lui dis-je.

Dibs ouvrit la porte.

— Je vais remettre l'écriteau à sa place, dit-il. Qu'on ne nous dérange pas.

Il remit la carte en place, donna quelques petites tapes à la porte, rentra et referma la porte. Il y avait un sourire heureux sur son visage. Il se dirigea vers le chevalet.

— Dibs, maintenant que tu es sorti de la caisse à sable, ne crois-tu pas que tu devrais remettre tes chaussures et tes socquettes ? lui demandai-je.

— C'est vrai, dit Dibs. Avec ma rougeole et tout ça... Mais *d'abord* mes socquettes et ensuite mes chaussures.

— Oh, oui. Bien sûr. J'ai dit tes chaussures et tes socquettes, n'est-ce pas ?

— C'est ça, dit Dibs.

Il sourit. Puis, une fois ses socquettes et ses chaussures aux pieds, les lacets bien noués, il retourna dans le sable.

— Quand j'avais la rougeole, il fallait que je reste au lit, me dit-il. Et ils avaient baissé les stores et la pièce était aussi sombre que possible. Et je ne pouvais ni lire, ni dessiner, ni écrire.

— Alors, que faisais-tu ?

— On m'a mis des disques. Et maman m'a raconté des histoires. J'ai beaucoup d'histoires sur disques et je les ai toutes réécoutées. Mais ce que je préfère, c'est mes disques de musique.

— Les histoires et la musique t'ont certainement aidé à passer le temps, non ?

— Mais je regrettais mes livres, répondit Dibs.

— Tu aimes bien lire, n'est-ce pas ?

— Oh oui. Beaucoup, beaucoup. Et j'aime écrire des histoires sur ce que je vois ou sur ce que je pense. J'aime aussi dessiner. Mais je préfère la lecture à tout.

— Qu'aimes-tu lire ? lui demandai-je. Quelles sortes de livres as-tu ?

— Oh, j'ai toutes sortes de livres. J'ai des livres sur les oiseaux et les animaux et les arbres et les plantes et les roches et les poissons et les gens et les étoiles et le temps et les pays et deux séries d'encyclopédies et un dictionnaire — mon dictionnaire illustré que j'ai depuis très, très longtemps. Et le grand dictionnaire géant qui était à Papa, avant. J'ai plusieurs grandes étagères pleines de livres. Et des recueils de poèmes. Et quelques vieux livres d'histoires. Mais ceux que je préfère, ce sont les livres de science. Mais ce que j'ai mieux aimé que tous les livres, c'est la carte que vous m'avez envoyée. On a permis que je la garde avec moi dans mon lit. On m'a laissé ouvrir l'enveloppe. Maman m'a laissé la lire le premier. Et elle a bien voulu que je la garde et que je la lise et que je la relise.

— Je suppose que tu as passé une grande partie de ton temps à lire, non ?

— Oh, oui. Bien des fois, c'est tout ce que je faisais, dit Dibs. Mais j'aime ça. J'aime bien lire des livres au sujet des choses que je vois. Et puis, j'aime bien voir les choses sur lesquelles j'ai lu des livres. J'ai toutes sortes de roches et de feuilles et d'insectes et de papillons sous verre. Et des jumelles et des appareils de photo. Je prends quelquefois des photos de choses qu'il y a dans la cour. Et de ce qui se passe dans l'arbre devant ma fenêtre. Seulement, mes photos ne sont pas très bonnes. Je fais de plus beaux dessins. Mais j'aime encore mieux votre salle de jeu, ajouta-t-il, en hochant la tête.

— Tu préfères cette salle de jeu ? Elle est très différente de la tienne, n'est-ce pas ?

— Oh, oui, fit Dibs. Tellement, tellement différente.

— Mais en quoi sont-elles différentes ? lui demandai-je ; je ne pouvais m'empêcher de poursuivre cette conversation.

— Juste comme vous l'avez dit, me répondit Dibs, avec le plus grand sérieux. Elles sont tout à fait différentes en quoi.

Je renonçai à poursuivre. Tous ces détails étaient intéressants, mais ils ne m'expliquaient pas comment Dibs avait appris à lire, à écrire, à épeler et à dessiner. Selon toutes les théories existant en matière d'éducation, il n'aurait pas dû être capable d'acquérir aucune de ces techniques sans avoir tout d'abord dominé l'expression orale et sans avoir fait les expériences de base appropriées. Néanmoins, Dibs possédait ces techniques à un degré avancé.

Le camion hebdomadaire entra dans le parking et vint s'arrêter devant la fenêtre de la salle de jeu.

— Regarde par la fenêtre, s'ordonna Dibs.

Il le fit. Il observa les hommes qui déchargeaient le camion, puis il regarda celui-ci s'éloigner. Il ouvrit la fenêtre et se pencha pour mieux suivre le camion jusqu'à ce qu'il ait disparu. Alors il referma la fenêtre.

Le carillon de l'église se mit à sonner. Dibs se tourna et me regarda.

— Oh, écoutez, dit-il. Il va être quatre heures. Maintenant !

Il compta le nombre de coups.

Un. Deux. Trois. Quatre. Combien reste-t-il de temps ? demanda-t-il.

— Encore quinze minutes.

— Oh ? fit Dibs.

Il se mit à compter sur ses doigts, comme un avare, jusqu'à quinze. Lentement, laborieusement.

— Quinze ? demanda-t-il. Cinq minutes et dix minutes ? Dix minutes et cinq minutes ?

— C'est ça, lui dis-je.

— Quelquefois, les minutes sont heureuses, dit-il. Et quelquefois, elles sont tristes. Il y a des moments tristes et des moments heureux.

— Oui. Il y a des moments qui sont tristes et d'autres qui sont heureux.

— Je suis heureux, maintenant, dit Dibs.

— Tu es heureux ?

— Oui. Heureux.

Il ouvrit la fenêtre et se pencha.

— Oh, beau jour ! dit-il. Oh, heureux jour. Avec un ciel si bleu. Et des oiseaux qui volent. Oh, vous entendez cet avion ? Oh, heureux ciel. Oh, heureux avion, toi qui voles vers l'ouest. Oh, heureux oiseau. Oh, heureux Dibs. Oh, Dibs, toi qui as des branches de saules pleines de chatons que tu vas pouvoir planter et regarder pousser ! Oh, dis-moi, Dibs, à quel point es-tu heureux ?

Il se retourna et me regarda. Puis il reprit sa position devant la fenêtre ouverte.

— Je suis si heureux que je vais même cracher par cette fenêtre avant de la refermer ! s'écria-t-il.

Ce qu'il fit.

— Quand les cloches sonneront à nouveau, ce sera l'heure de partir, lui dis-je.

— Oh ? fit Dibs.

Il vint me rejoindre et rapidement, silencieusement, il me toucha la main. Puis il se dirigea vers le chevalet. Rapidement, il remit de l'ordre dans les peintures. Il alla chercher la boîte d'animaux de la ferme. Il sortit les petits morceaux de la barrière et les examina.

— Je vais faire une jolie ferme, m'annonça-t-il.

Il se mit à chanter :

Oh, je vais faire une ferme !
Oh, je vais faire une ferme !
Une ferme heureuse !
Une ferme pour vous et moi !

Il me regarda.

— Combien reste-t-il de minutes ? me demanda-t-il.

J'écrivis le chiffre cinq sur une feuille de papier et la lui tendit. Il la lut et se mit à rire. Il prit mon crayon, attendit quelques secondes écrivit un quatre, attendit une seconde, écrivit un trois, attendit une seconde de plus, écrivit un deux, attendit une seconde, puis écrivit un un.

— Il est l'heure de retourner à la maison, s'écria-t-il. Seulement, les cloches de l'église n'ont pas encore sonné.

— Tu as été plus vite qu'elles, déclarai-je.

— Oui, c'est vrai, dit-il.

Il regarda la barrière qu'il avait posée sur le sol.

— Vous voyez ? dit-il, en me la montrant.

— C'est une longue barrière, dis-je.
— Oh, oui, dites donc ! Elle est longue ! s'exclama-t-il.
Il se remit à chanter :

J'ai construit une barrière,
Une barrière si longue
Que je n'en voyais pas le bout.
A quoi sert une barrière ?
Où met-on une barrière ?
Je n'en veux pas pour moi !

Il rit.
— Je vais mettre les animaux de la ferme à l'intérieur de cette barrière, m'annonça-t-il.
Il déposa un cheval et une vache derrière la barrière.
— Maintenant, prenez cette vache, me dit-il, en me montrant la vache qu'il tenait entre ses doigts. Cette vache donne du lait. C'est une gentille vache. Toutes les vaches se mettent en rang. Elles sont prêtes à donner leur lait.
Puis, d'une voix sèche, il ordonna :
— Rentre dans le rang, toi, la vache. Range-toi. Tu m'as entendu. Ne te conduis pas comme une idiote !
Il souleva le coq.
— Ça, c'est le coq, dit-il.
Le carillon se mit à sonner.
— Ecoute, Dibs, lui dis-je.
— Oui, fit Dibs. Une heure. Il reste encore trois heures avant qu'il soit quatre heures.
— Oh, voyons, Dibs, lui dis-je. Est-ce que tu serais en train d'essayer de te moquer de moi ? Est-ce que ce n'est pas l'heure de rentrer à la maison ?
— Oui, c'est bien l'heure, répondit-il, mais faisons semblant.
— Semblant ?
— Oui. Faisons semblant de croire qu'il est une heure, dit-il.
— Est-ce que le fait de faire semblant changera vraiment l'heure? lui demandai-je.
— Eh bien, non, dit Dibs. Mais il y a deux façons de faire semblant.
— Et quelles sont-elles ?
— Une façon de faire semblant qui est bien, dit-il. Et une façon de faire semblant qui est tout simplement idiote.

Il se leva et s'approcha de moi.

— Et quelquefois, elles se confondent si bien qu'on n'est plus capable de savoir laquelle est laquelle, ajouta-t-il. Maintenant je vais aller chez le docteur. En fait, nous étions en route pour aller chez lui, quand nous sommes venus ici, aujourd'hui. Mais nous sommes d'abord venus ici parce que je voulais tant venir et que maman était sûre que ça ne ferait rien parce qu'elle m'a dit qu'elle vous avait posé la question et pour savoir si vous aviez eu la rougeole et que vous aviez répondu que oui. Mais peut-être que le docteur, lui, aurait dit non.

Il mit sa casquette et son manteau.

— Pourtant, je vais bien, m'assura-t-il. Je ne peux plus donner la rougeole à personne, maintenant.

Il sourit, tout joyeux.

— Au revoir, me dit-il. Je pense que je vous verrai jeudi prochain.

Il sortit.

Et il me laissa à mes méditations et aux conclusions que je pouvais tirer d'une partie de cette conversation. Il paraissait être plus à l'aise dans ses rapports avec sa mère. Il y avait aussi quelques indications tendant à révéler que Dibs était traité avec plus de considération, de compréhension et de respect chez lui. Même « Papa » semblait émerger un peu plus en tant que personne. Mais étaient-ils en train de transformer leur comportement à l'égard de Dibs ? Ou bien Dibs avait-il augmenté sa capacité d'entrer en relation avec sa mère et son père, de telle sorte qu'il pouvait accepter plus naturellement leurs avances ?

Assurément, ils lui avaient fourni de nombreux objets pouvant répondre aux besoins de ses facultés intellectuelles si aiguës. Assurément, ils avaient fait des tentatives pour communiquer avec lui et lui enseigner beaucoup de choses. Il était extrêmement difficile de comprendre comment ils avaient pu en venir à croire que cet enfant était arriéré alors qu'ils lui avaient offert du matériel éducatif bien supérieur aux capacités d'un enfant moyen de l'âge de Dibs. Assurément, ils avaient dû comprendre que le problème de Dibs n'était pas dû à un manque de facultés intellectuelles. Mais alors, pourquoi celui-ci s'obstinait-il à conserver ces deux types de comportement si complètement opposés — celui d'un être très doué, d'une intelligence supérieure, et celui d'un individu déplorablement déficient ?

CHAPITRE XIII

Dibs paraissait tout joyeux lorsqu'il entra dans la salle de jeu, le jeudi d'après.

— Maman viendra peut-être me chercher avec un peu de retard, aujourd'hui, me dit-il.

— Oui, je sais. Elle m'a prévenue qu'elle serait peut-être en retard, dis-je.

— Elle est allée faire une course, reprit Dibs. Elle a dit que je pouvais l'attendre ici jusqu'à ce qu'elle revienne. Elle a dit qu'elle s'était mise d'accord avec vous.

— C'est vrai.

Il fit le tour de la pièce, un sourire aux lèvres.

— Je crois que je vais chanter, dit-il.

— Si tu veux chanter, chante, répliquai-je.

Il rit.

— Et si je veux me taire, je me tais ! s'exclama-t-il. Et si je veux réfléchir, je me contente de réfléchir. Et si je veux jouer, je joue. Comme ça, hein ?

— Oui. C'est comme ça, lui dis-je.

Il s'avança jusqu'au chevalet et examina les peintures. Il prit le pot de peinture bleue. Il se mit à chanter. Tout en chantant, il balançait en mesure le pot de peinture qu'il tenait :

Oh, peinture ! Oh, peinture si bleue !
Que peux-tu, oh que peux-tu faire ?
Tu peux peindre un ciel.
Tu peux peindre une rivière.
Tu peux peindre une fleur.
Tu peux peindre un oiseau.

Toutes ces choses seront bleues
Si toi, tu les rends bleues.
Oh, peinture bleue, oh peinture, si bleue !

Il s'approcha de moi avec le pot de peinture.

Elle débordera. Elle barbouillera tout.
Elle coulera partout. Elle tombera goutte à goutte.
Ma jolie peinture bleue, c'est ce qu'elle fera.

Il continua à chanter ainsi des paroles qu'il inventait au fur et à mesure.

C'est une couleur mouvante
Elle bouge, elle bouge,
Oh, bleue ! Oh, bleue ! Oh, bleue !

Il balançait le pot de peinture tout en chantant. Il le reposa sur le chevalet et s'empara du pot de peinture verte.

Oh, verte peinture si verte.
Tu es paisible et jolie.
Autour de moi, au printemps.
Autour de moi, en été.
Sur les feuilles et sur l'herbe et sur les haies aussi.
Oh, verte ! Oh, verte ! Oh, verte !

Il remit en place le pot de peinture verte et se saisit du pot de peinture noire.

Oh, noire ! Oh, nuit !
Oh, sombre noir.
Viens à moi de tous les alentours.
Oh, ombres et rêves
Tempêtes et nuit !
Oh, noire ! Oh, noire ! Oh, noire !

Il alla replacer ce pot et se saisit de la peinture rouge. Les mains réunies en forme de coupe, il l'apporta jusqu'à moi et l'éleva pour que je la voie. Cette fois, il ne chanta pas, mais prononça ses paroles sur un ton énergique :

Oh, rouge, peinture de colère.
Oh, peinture qui gronde.

Oh, sang si rouge.
Oh, haine. Oh, folie. Oh, peur.
Oh, combats bruyants et rouge visqueux.
Oh, haine. Oh, sang. Oh, larmes.

Il baissa les mains. Il demeura là, en silence, contemplant le pot de peinture rouge. Puis, il poussa un profond soupir et le reposa sur la tablette du chevalet. Il prit la peinture jaune.

— Oh, misérable peinture jaune, dit-il. Oh, misérable peinture, porteuse de colère. Oh, barreaux sur les fenêtres qui empêchez l'arbre d'entrer. Oh, porte à la serrure et à la clef tournée. Je te déteste, jaune. Vile couleur misérable. Couleur des prisons. Couleur d'un être solitaire, apeuré. Oh, misérable couleur jaune.

Il remit le pot sur le chevalet.

Il alla jusqu'à la fenêtre et se pencha dehors.

— C'est une très belle journée, aujourd'hui, déclara-t-il.

— Oui, c'est vrai, lui répondis-je.

Il demeura là, penché à la fenêtre, pendant très longtemps. Je me demandai pourquoi il avait projeté de telles associations sur les différentes couleurs des peintures. Pourquoi avait-il révélé tant d'associations négatives avec la peinture jaune ?

Il revint au chevalet.

— Cette peinture turquoise est nouvelle, dit-il.

— Oui, c'est vrai.

Il posa deux grandes feuilles de papier sur le chevalet. Il tourna soigneusement un pinceau dans la peinture turquoise. Il emporta ce pinceau jusqu'au lavabo, ouvrit un robinet et laissa couler l'eau.

— Oh, regardez ! dit-il. Cela rend l'eau toute bleue.

Il tenta de boucher le robinet avec ses doigts, mais ne réussit qu'à faire gicler l'eau dans toute la pièce.

Il éclata de rire.

— L'eau est sortie, est sortie, est sortie, cria-t-il. Et moi, Dibs, moi-même, je peux faire de cette eau une fontaine et peux changer la couleur de cette eau et la rendre bleue.

— C'est ce que je vois.

Il laissa tomber le pinceau et celui-ci glissa dans le tuyau d'écoulement. Il essaya vivement de l'atteindre, mais ne put le rattraper. Le pinceau était déjà profondément engagé.

— Eh bien, s'exclama-t-il, en voilà une histoire ! Je ne peux pas le sortir de là. Il est tombé et le voilà disparu. Mais il est dans le tuyau. Il est dans la partie inférieure.

Il ouvrit les portes du placard aménagé sous le lavabo et examina le tuyau.

— C'est là-dedans qu'est le pinceau, m'annonça-t-il, en tapant sur le coude du tuyau. C'est vraiment dommage ! dit-il.

Il se mit à rire de bon cœur.

— Oui. Le pinceau se trouve dans le tuyau, dis-je.

Il se remit à jouer avec l'eau. Il l'ouvrit avec tant de force qu'elle gicla dans la pièce. Il prit le biberon et le remplit. Il prit la tétine, essaya de la poser sur le biberon, mais le tout était si mouillé et si glissant que cela lui était impossible. Il mordilla la tétine. Il déposa le biberon dans le lavabo et laissa l'eau l'éclabousser. Puis il glissa le biberon dans le tuyau d'écoulement et le lavabo commença à se remplir. Il ouvrit le robinet d'eau potable installé sur ce lavabo, mordilla encore la tétine, mit son visage tout près du jet d'eau potable pour le mouiller.

— L'eau est en train de monter, m'annonça-t-il. Lave. Lave. Lave.

Il s'empara de deux pots à peinture, vides et sales, et les déposa dans l'évier. C'est alors qu'il découvrit sur une étagère une dînette en plastique. Il enleva les pots de peinture du lavabo et y plongea les assiettes de plastique. Il se mit à sauter sur place, tout en riant à gorge déployée.

— Je vais laver la vaisselle, cria-t-il. Les assiettes nagent et se mouillent. Tout est en train de se mouiller. L'eau gicle. Où est le torchon ? Où est l'égouttoir ? Où est le savon ? Eclabousse. Eclabousse. Eclabousse. Oh, là, là. Ce que je m'amuse !

— Tu t'amuses bien, n'est-ce pas ? lui dis-je.

— Oui. Ça se remplit. Tout est mouillé. Il y a des assiettes qui se sont renversées. Trouvez-moi du savon.

J'allai lui chercher un peu de savon, un torchon et une serviette. Il lava les assiettes soigneusement, les rinça, les essuya.

— Est-ce que vous avez jamais vu des assiettes aussi belles que ça ? me demanda-t-il. Ces assiettes-là sont comme celles que grand-mère a envoyées à Dibs, parce qu'il avait oublié les petits animaux de sa ferme chez sa grand-mère et qu'elle avait dû les lui envoyer par la poste.

— Oh ? fis-je. Ta grand-mère t'a envoyé une petite dînette comme celle-ci par la poste ?

— Oui. J'étais allé passer quelques jours chez elle. Je suis revenu à la maison. Grand-mère avait oublié de mettre les animaux de ma ferme dans ma valise. Aussi, elle en a fait un paquet qu'elle a envoyé par la poste. Et elle y a mis une surprise. Une dînette juste comme celle-ci. De très belles assiettes exactement comme celles-ci.

— Ça t'a fait plaisir que ta grand-mère t'aie envoyé une surprise, n'est-ce pas ? dis-je.

— Oui. Oh, oui ! Et le douze mai, *grand-mère vient chez nous* ! m'annonça Dibs.

Il me regarda, les yeux brillants, un beau sourire sur les lèvres.

— *Grand-mère vient à la maison,* reprit-il. Sois heureux ! s'exclama-t-il. Le douze mai, grand-mère vient à la maison.

— Je crois que cela te rend très, très heureux, lui dis-je. Tu seras content de voir ta grand-mère, pas vrai ?

— Oh, oui ! dit Dibs. Si content que j'éclate presque de joie.

Il se remit à chanter :

Pour Dibs, avec toute l'affection de sa grand-mère
Pour Dibs, avec affection, avec affection.
Grand-mère vient ! Grand-mère vient !
Grand-mère vient à la maison
Avec affection !

Il battit des mains, plein d'enthousiasme.

— Je vais faire une invitation, m'annonça-t-il. Tout de suite. Je vais faire un goûter.

Il aligna toutes les petites tasses. Il les emplit d'eau l'une après l'autre.

— Pour tous les enfants, m'annonça-t-il. Un goûter pour chaque enfant. Pour tous les enfants, quelque chose à boire. Je reçois des invités. Il y aura des enfants au goûter que je donne.

— Tu vas préparer un goûter pour des enfants ? lui demandai-je.

— Oui. Pour des enfants. Pour des tas d'enfants. Des tas d'enfants très gentils.

Il compta les tasses.

— Sept tasses, dit-il. Il y aura sept enfants à mon goûter.

— Tu vas recevoir sept enfants à goûter, c'est bien cela ?

— Six et Dibs, répliqua-t-il.

— Oh ! Six enfants, plus toi, lui dis-je.

— C'est ça, me dit Dibs. Six enfants, plus Dibs, ça fait sept enfants.

— Exact.

En jouant ainsi, Dibs exprimait le désir de n'être plus qu'un enfant parmi d'autres enfants.

Le biberon dont il s'était servi pour bloquer l'écoulement du lavabo glissa soudain et l'eau s'écoula en gargouillant.Dibs se mit à rire.

— Oh, quel drôle de bruit, dit-il. Il est quatre heures. Il fait déjà plus sombre. Il se fait tard. Je vais jeter l'eau qui se trouve dans ces tasses et les remplir à nouveau avec la boisson prévue pour le goûter. Il est temps de remplir ces tasses.

Il fit couler de l'eau dans un petit pot en plastique et en versa un peu dans chaque tasse. Il se mit à chanter tout en versant.

— Oh, première tasse, voilà de l'eau pour toi. Et pour toi, deuxième tasse, et troisième tasse, pour toi. Fais attention de ne pas renverser, mais éclabousser, ça, tu peux. Quatrième et cinquième et sixième tasses. Et septième, et flac ! Gicle ! Gicle ! Gicle ! Répands-toi. Répands-toi. Répands-toi. De l'eau partout, partout. Plus qu'une grande flaque d'eau qui s'est étalée partout, partout.

Il emplit à nouveau son petit pot et arrosa l'égouttoir, le sol, la table. Comme il l'avait dit, il n'y avait plus qu'une grande flaque d'eau, étalée partout. Mais chaque goutte répandue, comme chaque minute de jeu, lui avait fait infiniment plaisir.

Il découvrit deux tasses en plastique de plus.

— Oh, deux tasses de plus, cria-t-il. Il y aura neuf enfants à mon goûter. Ce sera un thé. Je vais tous les inviter à prendre le thé. Je vais vider les tasses et les préparer pour le thé.

Il fit couler un peu plus d'eau.

— Maintenant, je vais servir le thé, dit-il. Combien reste-t-il de minutes ?

— Huit minutes encore.

— Ce sera un thé qui durera huit minutes, annonça-t-il. Nous prendrons notre beau service à thé, aujourd'hui.

Le ton de sa voix changea, pour devenir plus maîtrisé,

légèrement agacé. Il imita parfaitement l'inflexion et l'expression précises de la voix de sa mère.

— Si nous invitons pour le thé, il faut faire les choses comme il faut, dit-il. Oui. Il y aura du thé. Un peu de thé au fond de chaque tasse que l'on remplira avec du lait. Ça, c'est trop de thé. J'ai dit *un peu* de thé dans chaque tasse, et puis on les remplit avec du lait. Si tu veux un peu plus d'eau, tu n'auras qu'à en demander. Mais plus de thé. Et pas de discussion.

A l'aide d'une cuiller, il versa de l'eau dans chaque tasse.

— Il y a trop de thé dans la sixième tasse, dit-il, d'un ton sévère. Enlève un peu de thé de la sixième tasse, s'il te plaît, et suis mes instructions. C'est assez de sucre pour les enfants. *Assez de sucre*. Il ne devrait pas être nécessaire pour moi de dire les choses deux fois. Si tu veux inviter des gens à prendre le thé, tu t'assiéras gentiment à cette table et tu attendras que tout le monde soit servi. Tu peux prendre un toast à la cannelle avec ton thé. Tu ne dois pas parler lorsque tu as la bouche pleine.

Dibs mit la table. Il tira une chaise jusqu'à la table. Il prit un air humble, soumis et but son thé en silence.

Il prit ensuite le petit pot d'eau et fit lentement le tour de la table en versant soigneusement un peu d'eau dans chaque tasse.

— On versera un petit peu de thé dans chaque tasse, dit-il, d'une voix tendue, précise. Il y a trop de thé dans la troisième tasse. Je vais en enlever un peu

Dibs jeta un peu d'eau.

— Tu peux mettre un peu de sucre dans chaque tasse, reprit-il.

Il s'affaira autour de la table. Un second pot fut baptisé lait. Une toute petite cuillerée de sable fut ajoutée avec précaution pour tenir lieu de sucre.

— Fais attention à la façon dont tu tiens cette cuillerée de sucre, poursuivit-il, de la même voix imitée.

— Il y a trop de thé dans la tasse six. il faut rectifier cela. Fais attention au sucre. Les enfants ne devraient pas manger trop de sucre. Enlève tes coudes de la table. Si j'ai encore une réflexion à te faire, tu iras dans ta chambre. Je vais — t'enfermer — dans ta chambre.

Dibs revint s'asseoir à la table devant l'une des tasses. Il prit soin de poser ses mains jointes sur l'extrême bord de la table.

— Tu feras très attention en mangeant le toast, poursuivit Dibs.

Il tendit la main pour prendre le toast et renversa l'une des tasses. Il se leva d'un bond, le visage effrayé.

— Plus de goûter, s'écria-t-il. Le goûter est terminé. J'ai renversé le thé !

Il vida rapidement les tasses et les reposa sur l'étagère.

— Le goûter est terminé parce que tu as renversé du thé ? lui demandai-je.

— Stupide ! Stupide ! Stupide ! s'écria-t-il.

— C'était un accident, dis-je.

— Ce sont les gens stupides qui causent des accidents ! cria-t-il.

Il avait des larmes plein les yeux.

— Le goûter est fini. Tous les enfants sont partis. Il n'y a plus de goûter.

Les larmes le faisaient suffoquer. Pour lui, l'expérience avait été très réelle.

— C'était vraiment un accident, me dit-il, mais le goûter est fini tout de même.

— Tu as eu peur et cela t'a rendu malheureux, lui dis-je. Le fait d'avoir renversé le thé, ce qui n'était qu'un accident, a mis fin au goûter. Est-ce que le petit garçon qui a renversé le thé, a été envoyé dans sa chambre ?

Dibs arpentait la pièce en se tordant les mains.

— Oui. Oui. Il aurait dû faire attention. C'était stupide de sa part d'être aussi maladroit.

Il renversa une chaise d'un coup de pied. Il balaya les tasses qui se trouvaient sur l'étagère.

— Je ne voulais pas faire un goûter, cria-t-il. Je ne voulais pas voir d'autres enfants !

— Cela te rend furieux et malheureux quand il t'arrive une chose comme celle-là, lui dis-je.

Dibs vint me retrouver.

— Allons dans votre bureau, me dit-il. Sortons d'ici. Je ne suis pas *stupide* !

— Non. Tu n'es pas stupide, lui dis-je. Mais tu es bouleversé quand il t'arrive une chose comme celle-là.

Nous allâmes dans mon bureau. Dibs demeura longtemps assis en gardant le silence. Puis il me regarda, un petit sourire aux lèvres.

— Je m'excuse, dit-il.

— Tu t'excuses ? Et de quoi t'excuses-tu ? lui demandai-je.

— Parce que j'ai renversé le thé, dit-il. Je n'ai pas fait attention. J'aurais dû.

— Tu crois que tu aurais dû être plus attentif ? lui demandai-je.

— Oui, dit Dibs. J'aurais dû être plus attentif, mais je ne suis pas stupide.

— Tu n'as peut-être pas fait attention, mais tu n'es pas stupide ?

— C'est ça, répondit-il.

Un sourire illuminait son visage, à présent.

Dibs était sorti vainqueur de cette tempête. Il avait découvert une force en lui qui lui permettait de surmonter sa peine.

— Je vais écrire une lettre, dit-il.

Cher Dibs,

J'ai lavé le service à thé et j'ai bouché le tuyau. J'ai donné un goûter. Des enfants y sont venus.

Affectueusement
Moi.

Il aperçut mon agenda de bureau et s'en empara. Il le feuilleta jusqu'à ce qu'il arrive à la date du 8 avril. Il entoura le 8 d'un cercle et écrivit son nom sur cette page de l'agenda.

— Le 8 avril, c'est mon anniversaire, me dit-il.

Il continua à feuilleter l'agenda, s'arrêta à une nouvelle date et écrivit « Maman ». Puis, sur une troisième page, il écrivit « Papa ». Sur une autre encore, il écrivit « Dorothy ».

— Ça, ce sont les anniversaires de Maman, Papa et Dorothy, me dit-il.

Il revint en arrière jusqu'à la page où il avait écrit « Papa ». Il inscrivit au-dessous le mot « Grand-mère ».

— L'anniversaire de Papa et l'anniversaire de Grand-mère tombent le même jour, dit-il.

— C'est vrai ?

— Oui, reprit-il. Seulement, l'un est plus âgé que l'autre.

— Quel est le plus âgé des deux ?

— Grand-mère ! me répondit-il, une note de surprise dans la voix. Le vingt-huit février. C'est ça. C'est aussi l'anniversaire de Washington.

— Le vingt-huit ? lui demandai-je.

— Non. Washington est né le vingt-deux. Mais le même mois, quand même.

Il baissa les yeux pour examiner cette page de l'agenda.

— Je vais effacer ça, dit-il, en indiquant le mot « Papa ».

— Tu vas l'effacer ?

— Non, dit-il, en poussant un soupir. Ça devra rester là, parce que *c'est vraiment* son anniversaire.

— Que tu le veuilles ou non, c'est son anniversaire, hein ?

— C'est ça, fit Dibs. Et il en a besoin.

— Que veux-tu dire ?

— Il en a besoin. Et moi, j'en ai besoin, dit Dibs.

— Ah ! fis-je.

Il découvrit une page blanche à la fin de l'agenda.

— Je peux l'enlever ? dit-il.

— Si tu veux.

Il le fit.

— Il n'y a pas de jours en blanc dans l'année, me dit-il. Ils portent tous un numéro et un nom, et ils appartiennent à quelqu'un.

— Vraiment ?

— Oui, répondit-il. Il n'y en a aucun qui n'appartienne pas à quelqu'un.

Il tourna les pages jusqu'à ce qu'il arrive au vingt-trois septembre.

— Je vais appeler celui-là le premier jour de l'automne, me dit-il.

A cette date, il écrivit en capitales les mots : « Bienvenue à l'Automne. »

Puis il tira mon fichier à lui.

— Est-ce que mon nom se trouve dans votre fichier ? me demanda-t-il. Est-ce qu'il y a une fiche qui porte mon nom, comme il y en a une chez le docteur ? Est-ce qu'il y en a une ?

— Pourquoi ne regardes-tu pas ?

Il examina les fiches placées à l'initiale de son nom de famille.

— Non. Elle n'est pas là, dit-il. Je vais regarder à D. Peut-être l'avez-vous classée à D. Elle devait être à la lettre de mon nom de famille, mais je vais regarder à Dibs.

Il le fit. Son nom, pourtant, ne se trouvait pas dans le fichier.

— Vérifie, lui dis-je.

— Il n'y en a pas, dit-il.
— Veux-tu qu'il y en ait une ?
— Oui.
— Eh bien, alors, pourquoi ne l'y mets-tu pas ?

Il prit une fiche blanche et écrivit soigneusement ses noms, adresse et numéro de téléphone en capitales. Il la classa ensuite correctement à la lettre initiale de son nom de famille. Il prit une seconde fiche blanche, écrivit mon nom, indiqua comme adresse, « La Salle de Jeu », me demanda le numéro de téléphone du Centre, le nota sur la carte et classa celle-ci à la lettre A.

Le carillon de l'église sonna une nouvelle fois.

— C'est presque l'heure du dîner, dit-il.

Il alla à la fenêtre et regarda à l'extérieur. Il pouvait apercevoir la foule toujours plus dense des gens qui se précipitaient vers l'entrée du métro. Il les observa un moment.

— Des gens qui rentrent chez eux après le travail, chez eux après le travail, chez eux après le travail, dit-il. Ils s'en vont vers l'est, quand ils rentrent chez eux après le travail. Ils vont dîner. Et puis, demain, ils reviendront. Ils partiront vers l'ouest, le matin, et reviendront travailler.

— Oui.

— Tous les gens rentrent chez eux, dit-il. Tous les gens qui travaillent rentrent chez eux. Ils rentrent chez eux pour dîner. Ils rentrent chez eux pour la nuit. Tous les gens s'en vont vers l'est. Puis, pour revenir travailler demain, il leur faudra venir vers l'ouest.

— Oui, c'est vrai. S'ils prennent le métro ou l'autobus, dis-je. Ils s'en retournent chez eux, maintenant. Demain matin, ils reviendront probablement travailler.

— Oui, reprit Dibs. Aller et retour. Jour après jour. Jour après jour. Ça devient monotone.

Il demeura là très longtemps à regarder en silence par la fenêtre. Puis il se retourna et me regarda.

— Où est Maman ?
— Elle n'est pas encore arrivée. On sonnera pour nous faire savoir quand elle sera là.
— Sûr ?
— Oui.
— Vous *savez* que ça va arriver ? demanda-t-il.
— Oui, je le sais.
— Quelqu'un, là-bas, vous a dit qu'on sonnerait quand elle arrivera ?

— Oui. Qu'en penses-tu ?

— Ils ne font pas toujours ce qu'ils disent, répliqua-t-il.

— Tu penses qu'il t'est arrivé quelquefois d'attendre qu'il se passe quelque chose et que tu as été déçu ? lui demandai-je.

— Oui, me répondit-il, ça arrive. Mais si vous dites que vous le croyez, alors il y a encore quelque chose que je dois faire.

— Que dois-tu faire ? lui demandai-je.

Il attira l'agenda à lui et le feuilleta à nouveau. Il s'arrêta à la page du jour.

— Ça, c'est aujourd'hui, dit-il. Je vais mettre un grand X sur cette page.

— Un X pour aujourd'hui ? dis-je. Et pourquoi ?

— Parce que c'est mon jour le plus important, dit-il.

— Pourquoi aujourd'hui est-il un jour important pour toi ? lui demandai-je.

— C'est mon jour le plus important, dit-il, le plus sérieusement du monde. Je le *sais.*

Il continua à tourner les pages pour passer le temps.

— Voilà Pâques, dit-il, en indiquant la date exacte.

— Oui, c'est vrai.

— Ce sera une belle journée.

— Ah, oui ?

— Oui. Pâques. Des masses de fleurs et l'église. N'est-ce pas ? demanda-t-il.

— Oui, répondis-je.

La sonnerie retentit.

— Comme vous l'aviez dit, remarqua Dibs, en indiquant la porte.

— Oui. C'est ta maman qui arrive.

— Je sais, dit Dibs. Au revoir.

Il s'approcha de moi et me toucha timidement la main.

— Au revoir, Miss A, dit-il.

Nous nous rendîmes ensemble dans la salle d'attente. Sa mère me salua de façon aimable et détendue. Dibs s'était mis à côté d'elle et demeurait silencieux. Comme ils s'apprêtaient à sortir de la pièce, sa mère lui dit :

— Dis au revoir à...

— Au revoir, l'interrompit Dibs d'une voix morne.

— Il m'avait dit au revoir avant que nous ne quittions mon bureau, dis-je à sa mère.

Le visage de Dibs s'éclaira.

— Au revoir encore, Miss A, dit-il. Heureux au revoir.

CHAPITRE XIV

Je me trouvais dans la salle d'attente lorsque Dibs et sa mère arrivèrent, le jeudi suivant. Je portais une robe de soie imprimée.

— Oh, regarde, Maman, s'écria Dibs. La jolie robe. Est-ce que ces couleurs ne sont pas jolies ? Est-ce que la robe n'est pas jolie ?

— Si, lui répondit sa mère. C'est une très jolie robe.

— Les couleurs, dit Dibs. Les belles couleurs.

Voilà qui était bien différent de son entrée habituelle, toujours silencieuse. Sa mère sourit.

— Dibs a absolument tenu à apporter l'un de ses cadeaux d'anniversaire pour vous le montrer, dit-elle. Vous n'y voyez pas d'inconvénient ?

— Bien sûr que non, dis-je. S'il a voulu l'apporter, eh bien, c'est parfait.

— Il y tenait, dit sa mère.

Dibs était impatient de se retrouver dans la salle de jeu. Il portait une grande boîte, qui, apparemment, contenait le cadeau.

— Il vous expliquera, reprit sa mère. En fait, je commence à croire qu'il connaît les réponses à tout.

Il y avait nettement une note d'orgueil dans sa voix.

Dibs était déjà parti pour la salle de jeu. Je l'y suivis. Il s'assit sur le bord de la caisse à sable et se mit à défaire le papier qui enveloppait son cadeau.

— Je suis là, m'annonça-t-il, je suis là.

— Je vois. Eh bien, fais comme chez toi, lui dis-je.

— Pas comme chez moi ! répliqua Dibs. Comme dans la salle de jeu !

— Très bien, dis-je. Fais comme dans la salle de jeu !

Dibs se promena dans la pièce, un sourire heureux aux lèvres.

— Quel anniversaire j'ai eu ! dit-il.

— C'était un joyeux anniversaire ? lui demandai-je.

— Oui, répondit-il.

Il retourna à son paquet.

— Vous voyez ça ? C'est un jeu de code international avec des piles et tout. Vous voyez ? Ça, ce sont des points, et ça, ce sont des tirets, et on peut envoyer comme ça des messages en code. On épelle avec des points et des tirets et cela fait des messages en code. Pas en lettres, juste en code.

Comme il déplaçait le jeu, les piles sortirent de la boîte. Il les remit en place vivement.

— Il se démonte, m'expliqua-t-il. Ces piles-là ne sont pas bien ajustées. Vous entendez les petits bruits que ça fait quand j'appuie sur le bouton ? C'est ça, le message. Est-ce que ce n'est pas joli ?

— Si, Dibs. C'est très joli.

— C'est très, très intéressant.

Il appuya sur le bouton et expédia un message.

— Vous voyez comme ça marche ? C'est un système de code international et n'importe qui peut le lire, s'il connaît le code.

— Je vois.

Un camion vint se ranger devant la fenêtre.

— Tu regardes camion, Dibs, dit-il, en retombant dans son ancienne façon de parler. Tu ouvres fenêtre, Dibs

Il ouvrit la fenêtre et se pencha.

— Oh, camion parti, dit-il.

— Il est parti ?

— Oui. Voilà un autre camion.

Un second camion entra dans le parking et s'arrêta Dibs me regarda et se mit à sourire. Peut-être ce retour au langage de bébé était-il un moyen de se soustraire à la tension qu'avaient fait naître en lui les espoirs contenus dans ce cadeau d'anniversaire ?

— Voilà camion, dit Dibs. Il s'arrête. Il bouge. Maintenant, il recule. Le monsieur sort. Il porte quelque chose. Quatre boîtes d'un seul coup. Il emporte quelque chose à l'intérieur. Il sort. Il reprend quatre grandes boîtes. Il entre.

Les coudes sur l'appui de la fenêtre, il examinait le camion. Il me jeta un coup d'œil par-dessus son épaule.

— C'est un grand camion. Il est d'un rouge sale. Il est

plein de boîtes. Je ne sais pas ce qu'il a dans les boîtes, mais il en a plein le camion. Le monsieur entre dans le camion et il en sort. Il les porte dans l'immeuble. Aller et retour. Dedans, dehors. Il porte des choses.

Deux jeunes lycéennes passèrent devant la fenêtre, des livres plein les bras. Elles levèrent les yeux vers Dibs, toujours penché à la fenêtre.

— Bonjour, lui dit l'une des jeunes filles.

Il fit comme s'il ne l'avait pas entendue.

— Je t'ai dit bonjour, s'écria la jeune fille.

Dibs continua à l'ignorer.

— Tu n'peux pas dire bonjour ? demanda la jeune fille. Tu ne sais pas parler ? Ça va pas ? T'as avalé ta langue ?

Dibs ne dit pas un mot. Il continua à regarder par la fenêtre, les observant en silence. Quand elles furent hors de vue, il parla.

— Je les ai regardées. Je ne leur parle pas. Je ne leur réponds pas. Voilà l'homme au camion qui s'en va. Je ne lui ai pas adressé la parole. Voilà une femme qui passe dans la rue. Je ne lui parle pas. Je ne dis pas un mot à aucun d'entre eux. Voilà le camion qui s'en va. *Au revoir, camion !*

Le camion démarra dans un grondement de moteur.

— « Tu n' peux pas dire bonjour ? Tu ne sais pas parler ? », dit-il, en imitant la voix de la jeune fille.

Il ferma la fenêtre d'un coup sec et se retourna pour me faire face, les yeux brillants de colère.

— J'veux pas leur dire bonjour ! J'veux pas leur parler ! cria-t-il. J'veux pas dire un mot !

— Tu les regardes et tu les entends te parler, mais elles t'ennuient, alors tu ne veux pas leur parler, dis-je.

— C'est ça, dit-il. Les gens sont si méchants que je ne leur parle pas. Mais je parle au camion. Je dis au revoir au camion.

— Un camion ne peut rien dire qui t'ennuie, n'est-ce pas ? lui dis-je.

— Ce camion est gentil.

Dibs se dirigea vers la caisse à sable, s'assit sur le bord et ratissa le sable de ses doigts. Il sortit un petit soldat, le prit dans sa main et l'examina longuement. Puis se tourna vers le sable, creusa un trou et enterra le soldat. Au sommet du monticule de sable, il déposa un petit camion. Sans dire mot, il avait choisi cette façon expressive de donner corps à ses sentiments.

Il rassembla ensuite un petit seau à sable, un bol en plastique, une cuiller, quelques moules à gâteaux et un tamis. Il déposa tout cela sur le sable.

— Maintenant, m'annonça-t-il, je vais faire des petits gâteaux. Aujourd'hui, la cuisinière a congé et je vais faire des petits gâteaux. Cela me fera oublier un peu mes soucis, dit-il.

Il commença par mesurer la quantité de sable qu'il voulait mettre dans son bol, puis il le remua.

— Je vais prendre de la farine, du sucre et un corps gras, dit-il. Je vais aller chercher le tamis et je passerai la farine. Je la passerai trois fois. Je la passe de cette façon, Dibs, pour rendre la pâte plus légère. Ainsi, les petits gâteaux auront meilleur goût. Et puis, j'ajoute le corps gras. On qualifie parfois le beurre de corps gras. Mais il y a aussi d'autres corps gras. Le lard, la margarine, les huiles végétales.

Il était absorbé par le rôle qu'il jouait.

— Maintenant, j'ajoute le lait, dit-il. As-tu remarqué que j'ai déjà allumé le four pour qu'il chauffe à l'avance ? Maintenant, je vais prendre les moules. Il y a différentes formes. Il y a des lapins. Il y a des étoiles. Il y a des citrouilles. As-tu une préférence ? Si oui, tends-moi ce moule-là. Ou pousse-le de ce côté-ci de la table. J'aimerais vraiment savoir si tu comprends ce que je te dis. Tu as compris ce que j'ai dit à propos des moules, n'est-ce pas ? Tu veux que je fasse des sablés en forme de petits lapins. Maintenant, je vais étendre la pâte avec ce petit rouleau et je la découperai avec le moule que tu as choisi.

Sa « pâte » n'avait pas une consistance suffisante. Il me jeta un coup d'œil.

— Les vrais sablés tiennent mieux que ça, me dit-il. Mais je vais faire semblant de croire que ceux-là tiennent et je vais les découper en forme de lapin. Il va falloir que je les mette sur la plaque et que je leur donne leur forme, mais pour les vrais sablés, on les découpe avant.

— C'est vrai, dis-je.

— Maintenant, je les glisse dans le four qui a été chauffé à l'avance, dit-il.

Il glissa sa plaque de gâteaux de sable dans le petit four.

— A présent, je vais m'asseoir pour attendre que les sablés soient cuits.

Il s'assit sur le bord de la caisse à sable et enleva les lacets de ses chaussures. Il ôta ensuite ses chaussures, rampa dans la caisse à sable et se mit à chanter :

Oh, ils cuisent les sablés.
Pendant qu'ici je m'assieds.
Oh, ils cuisent les sablés.
Pendant ce temps, j'enlève mes chaussettes.
Pendant ce temps, je verse du sable sur mes pieds
Pendant ce temps, je compte mes doigts de pieds.
Un, deux, trois, quatre, cinq.
Cinq doigts à un pied.
Oh, qu'est-ce qui vient après le un ?
Mais que t'ai-je dit ?
Réfléchis. Réfléchis. Réfléchis.
Je vais tout recommencer.
Regarde et écoute bien.
Un, deux, trois, quatre, cinq.
Mais que t'ai-je dit ?
Maintenant, toi, tu répètes.
Un. Un. Un.
Mais que t'ai-je dit ?
Ecoute encore.
Un, deux, trois, quatre.
Un. Un. Un.
Ecoute-moi.
Petit sot.
Un. Deux. Deux. Deux.
Maintenant, répète.
Un, deux, trois, quatre, cinq.
C'est bien. C'est bien. C'est bien.
Ce petit sablé tout chaud, c'est l'tien !

Il se mit à rire.

— Ainsi, cinq doigts à un pied, plus cinq doigts à l'autre pied, ça fait dix doigts aux deux pieds, dit-il. Est-ce que tu ne peux rien retenir ? Ou bien est-ce que tu sais et que tu refuses tout simplement de me répondre ?

— Quelquefois, tu connaissais la réponse, mais tu ne voulais pas le dire ? C'était comme ça que ça se passait ? lui demandai-je.

— Je ne sais pas quand je savais et quand je ne savais pas, répondit Dibs, exprimant la confusion dans laquelle il avait souvent dû être plongé.

Il s'allongea sur le dos, dans le sable, et se tortilla jusqu'à ce qu'il pût toucher ses doigts de pied de ses lèvres.

— Vous voyez ce que je sais faire ? dit-il. Je peux me plier en deux et personne ne m'a jamais appris à le faire.

Il roula sur lui-même: Il se releva et se mit à sauter dans le sable. Il courut à la table, prit le biberon et retourna dans la caisse à sable. Il s'allongea et se mit à prendre le biberon comme un petit bébé. Il ferma les yeux.

— Quand j'étais un bébé, dit-il.

J'attendis, mais il ne poursuivit pas.

— Quand tu étais un bébé, eh bien quoi ? lui demandai-je, enfin.

— Quand j'étais un bébé, répéta-t-il.

Brusquement, il se redressa.

— Non. Non. Non, fit-il.

Il sortit précipitamment de la caisse à sable.

— Je ne suis pas un bébé. Je n'ai jamais été un bébé !

— Tu n'es plus un bébé maintenant et tu ne veux pas penser que tu en as été un ? lui dis-je.

Il alla jusqu'au chevalet.

— Il y a onze sortes de couleurs différentes sur ce chevalet, dit-il. Les couleurs qui sont différentes sont faites de substances différentes. Vous le saviez, ça ?

— C'est vrai ? dis-je.

— Oui.

Il se mit à arpenter la pièce.

— Si tu ne restes pas dans le sable, peut-être vaudrait-il mieux que tu remettes tes socquettes et tes chaussures, lui dis-je.

— Oui. J'ai froid aux pieds. Le sol est froid aujourd'hui, me répondit-il.

Il remit ses socquettes et me tendit ses chaussures et ses lacets.

— Si j'ai besoin de votre aide, vous m'aiderez, dit-il. Si je n'en ai pas besoin mais seulement envie, vous me la donnerez.

— Ah bon ? dis-je.

— Oui, répliqua Dibs, en hochant la tête. Moi, je le sais.

Je passai les lacets dans les trous de ses chaussures et les lui tendis.

— Merci, dit Dibs.

— C'était de bon cœur, répliquai-je.

Dibs sourit.

— Vous m'avez dit : « C'est de bon cœur », s'écria-t-il.

Il battit des bras et imita le chant du coq. Il se mit à rire.

— Heureux Dibs ! cria-t-il. Allez, va, Dibs. A l'eau. Au lavabo.

Il mit ses chaussures, noua soigneusement ses lacets, sautilla jusqu'au lavabo, ouvrit les portes et tourna le robinet à fond. Il prit le biberon, l'emporta jusqu'au lavabo, vida l'eau qui s'y trouvait encore, le remplit à nouveau. L'eau éclaboussait la pièce. Il ouvrit le robinet d'eau potable, le ferma en partie du bout de son doigt et dirigea le jet d'eau vers le centre de la pièce.

— Je vais tout éclabousser avec un flot d'eau ! cria-t-il.

Il releva les manches de sa chemise. Il remplit son biberon, essaya de remettre la tétine, mais c'était trop glissant.

— Miss A va faire ça pour toi, Dibs, dit-il. Miss A ne te repoussera pas.

— Tu crois que je vais arranger ça pour toi ?

— C'est ça, fit Dibs. Je sais bien que vous le ferez.

Il me tendit le biberon et la tétine. Je posai la tétine et lui rendis le biberon.

Il se planta devant moi en tirant sur son biberon. Il me dévisageait attentivement.

— Vous ne dites pas que je suis stupide, dit-il. Je dis, aidez-moi, et vous m'aidez. Je dis, je ne sais pas, et vous savez. Je dis, je ne peux pas, et vous pouvez.

— Et qu'est-ce que cela fait ? lui demandai-je.

— Comme ça, répondit-il. Cela me fait.

Il me regardait fixement, gravement. Il retourna au lavabo, remplit le biberon, le vida, ouvrit à nouveau le robinet, éclaboussa tout et se mit à rire tout en versant de l'eau sur l'égouttoir et le plancher.

— Je vais tout tremper ! s'écria-t-il. Faire un vrai désastre !

Il aperçut une boîte de poudre à récurer sur l'étagère, au-dessus du lavabo. Il se pencha et l'attrapa.

— Qu'y a-t-il dans cette boîte ? me demanda-t-il.

— De la poudre à récurer.

Il la renifla, en versa un peu dans le creux de sa main, l'examina, puis, soudain, la porta à sa bouche pour la goûter.

— Oh, non, Dibs ! m'écriai-je. C'est de la poudre à récurer. Ça n'a pas bon goût !

Il se retourna et me dévisagea froidement. Cette brusque réaction de ma part était illogique.

— Comment puis-je savoir le goût que ça a, si je ne l'ai pas goûté ? me demanda-t-il, avec dignité.

— Je ne connais pas d'autre moyen, en effet, lui dis-je. Mais je ne crois pas que tu devrais l'avaler. Ce n'est pas bon à manger.

Il la cracha dans le lavabo.

— Pourquoi ne te rinces-tu pas la bouche avec un peu d'eau ? lui suggérai-je.

Il le fit. Mais ma réaction l'avait troublé. Il reposa la poudre à récurer sur l'étagère et me jeta un regard noir.

— Je m'excuse, Dibs, lui dis-je. Je n'ai pas pris le temps de réfléchir. Mais je n'aimais pas te voir prendre une telle quantité de poudre à récurer dans la bouche.

Il se mordit la lèvre et alla à la fenêtre. Sensible comme il l'était, il était prêt à se cuirasser rapidement lorsqu'il était blessé. Au bout d'un moment, il revint au lavabo. Il emplit le pot d'eau et le versa sur l'égouttoir. Il mit les biberons dans l'eau, emplit le lavabo et les entrechoqua. Le robinet était ouvert en grand. Il riait tout en agitant ses biberons dans l'eau. L'un d'eux lui échappa et alla frapper le robinet.

— Ils pourraient se casser et me couper ! s'écria-t-il. Avez-vous peur pour moi ?

— Je crois que tu sais te débrouiller, lui répondis-je, ayant appris ma leçon.

Il enleva les biberons de verre et jeta la dînette de plastique dans l'eau.

— Les voilà qui coulent au fond et qui tourbillonnent, hurla-t-il. Les petites tasses. Les petites soucoupes. Les petites assiettes. Allez-y, giclez ! Allez-y, aspergez tout.

Il se mit à arroser la pièce avec les tasses en hurlant de joie.

— Reculez-vous. Reculez-vous, me cria-t-il. Pensez à votre robe. Ne vous approchez pas et faites bien attention, sinon vous allez être trempée.

Je battis en retraite jusqu'à un coin de la pièce où

je me sentais en sécurité et Dibs recommença à faire jaillir l'eau.

— Je n'ai jamais pu faire un gâchis aussi formidable de toute ma vie ! me cria-t-il.

Le lavabo se remplissait toujours. Il était sur le point de déborder.

— Regardez-moi cette eau, s'exclama-t-il. Ça va faire comme une cascade. Ça va déborder.

Il se tenait devant le lavabo et l'observait, sautillant sur place. Il plongea ses mains et ses bras dans l'eau, passa ses mains mouillées sur son visage et s'aspergea un peu la figure.

— Oh, toi, qui es mouillée, eau mouillée, toi si fraîche et si vive, dit-il.

Il se pencha en avant jusqu'à ce que son visage touche l'eau. Au moment où l'eau commençait à déborder, il ferma rapidement le robinet.

— Je vais laisser partir un peu d'eau, m'annonça-t-il. Il agita vigoureusement les tasses et les assiettes et les fit tournoyer dans l'eau. Il y jeta alors les petits couteaux de plastique, les fourchettes et les cuillers.

— Ces petites choses-là pourraient bien partir dans le tuyau, dit-il.

Il les repêcha, puis les déposa sur l'égouttoir.

— Ça suffit comme ça, dit-il, en enlevant le bouchon qui fermait le lavabo.

L'eau se précipita en gargouillant dans le tuyau. Il tendait la main vers le robinet d'eau chaude.

— Cette eau-là est trop chaude, Dibs, lui dis-je. Ouvre d'abord l'eau froide.

Dibs remit de l'ordre dans les fourchettes. Il les compta. Puis, il étendit rapidement la main, ouvrit l'eau chaude, glissa un doigt dessous et le retira vivement.

— C'est chaud ! s'exclama-t-il.

— Tu as voulu vérifier. Eh bien, maintenant, tu le sais, lui dis-je.

— Oui, fit Dibs. C'est trop chaud.

Il prit le biberon qui était sur la table, se mit la tétine dans la bouche et la suça. Il s'assit sur la petite chaise qui se trouvait près de la table. Il était tout à fait calme, maintenant, tandis qu'il prenait son biberon.

— Je ne suis pas très vieux, dit-il.

— Non ?

— Non. Je n'ai que six ans.

— Et pour l'instant, tu ne te trouves pas très vieux, c'est ça ?

— Oui.

Il continua à tirer sur sa tétine, tout en me regardant. Au bout d'un long moment, il reposa le biberon.

—Miss A vit dans ce grand immeuble en brique, dit-il. Elle vit dans la pièce 17. C'est sa pièce. Elle habite quelque part. Et la pièce qui porte le numéro 17 est sa pièce. C'est ma pièce, aussi.

— Elle nous appartient à tous les deux, n'est-ce pas ?

Dibs hocha la tête.

— C'est un endroit très agréable, dit-il. Et votre bureau aussi. Allons dans votre bureau. J'emporterai mon jeu de messages.

Nous nous rendîmes dans mon bureau. Dibs prit à nouveau place dans le fauteuil, derrière la table de travail. Il examina la nouvelle lampe de bureau et l'alluma, puis il ouvrit la boîte qui contenait son jeu de code.

— Cela envoie des messages, me dit-il.

— Quelle sorte de messages ?

— Simplement des messages, dit Dibs. Ça, c'est la lettre « a » en code. Ça, c'est la lettre « b ». Je vais vous montrer l'équivalent en code de toutes les lettres de l'alphabet.

Il appuya sur le bouton pour me donner chaque lettre du code.

— J'ai les bras gercés, me dit-il. C'est pourquoi la peau en est rugueuse. Je vais être obligé de les frotter avec de la crème. Oh, regardez ce joli petit livre.

Il s'empara du livre en question.

— Je vois que vous avez un *Petit dictionnaire d'Oxford.* Je vais y chercher un mot. Voyons. L-e-v-a-i-n. C'est comme ça qu'on écrit « levain ». Je vais chercher et je vous lirai la définition.

Il chercha le mot, lut la définition.

— On s'en sert pour faire le pain, me dit-il. J'aime bien chercher des mots dans un dictionnaire. Est-ce que vous comprenez le code ? me demanda-t-il.

— Quand je pourrai jeter un coup d'œil sur le couvercle de la boîte, lui dis-je.

Ayant établi que je pourrais comprendre ses messages codés, il se pencha sur son papier et écrivit quelque chose en code. Il tira ensuite le télégraphe à lui et tapa rapidement son message.

— Ecoutez ça. Ecoutez ça, dit-il. Avez-vous compris le message ?

— Il faudra que je jette un coup d'œil sur le papier et sur le couvercle de la boîte, lui dis-je.

— D'accord. Regardez, dit-il. C'est un message important.

— Je crois que je l'ai compris, lui dis-je, après l'avoir décodé.

— Et qu'est-ce qu'il dit ? demanda-t-il.

— Il dit : « Je suis Dibs. Je suis Dibs. Je suis Dibs. »

— C'est ça, cria-t-il. Maintenant, écoutez-ça.

Il actionna à nouveau le télégraphe en minature.

— « J'aime bien Dibs. Vous aimez bien Dibs. Nous aimons bien Dibs tous les deux. »

Je venais de lui relire son message. Il applaudit.

— C'est ça, cria-t-il. Et c'est vrai !

Il sourit, tout heureux.

— Maintenant, vous, vous écrivez quelque chose et moi je le transmettrai, me dit-il. Demandez-moi quelque chose.

J'écrivis en code : « Quel âge as-tu ? »

— « J'ai six ans », me donna-t-il comme réponse. « Je viens juste d'avoir mon anniversaire. Je m'aime bien. Vous m'aimez bien. Je garderai ces messages-là. »

Il plia le papier sur lequel nous avions écrit en code et le classa derrière sa fiche dans le classeur.

— Tout ce qui se trouve à la lettre A vous appartient. Tout ce qui est avec ma carte m'appartient. Je vais enlever tout le reste. Une carte pour vous. Une carte pour moi. Juste nos deux cartes dans cette boîte. Pas d'autres.

— Tu veux qu'il n'y ait que ta carte et la mienne dans cette boîte ? lui demandai-je.

— Oui. Rien que nous deux. Personne d'autre.

Il remit le couvercle sur son jeu.

— C'est un joli jeu, dit-il. C'était un cadeau d'anniversaire. C'est maman qui me l'a donné. Papa m'a donné une panoplie de chimiste. Dorothy m'a donné un livre. Et grand-mère m'a envoyé une très grande et très belle toupie musicale. Elle me l'a envoyée par la poste. Avec des bonbons et quelques ballons dans une boîte.

Il rit.

— L'an dernier, elle m'a envoyé un ours. C'est mon chéri.

— Tu l'aimes bien, ton ours, n'est-ce pas ? On dirait

que tu aimes bien tous les cadeaux que l'on t'a faits pour ton anniversaire, dis-je.

— C'est vrai, dit-il. Et la carte d'anniversaire aussi. J'ai bien aimé la carte que vous m'avez envoyée. J'ai bien aimé mon anniversaire, cette année.

— J'en suis bien contente, lui dis-je.

— Il est presque l'heure de partir, n'est-ce pas ? dit-il, en tournant la pendulette de bureau de son côté.

— Oui.

— Eh bien, je vais avoir trois minutes simplement comme ça, dit-il, en croisant les mains sur la table devant lui et en observant les aiguilles de la pendulette. Je suis heureux, ajouta-t-il.

Lorsque l'heure fut terminée, il prit son jeu de code et se dirigea vers la porte.

— Au revoir, Miss A, me dit-il.

— Au revoir, Dibs.

— Restez ici, dit-il. Je reviendrai la semaine prochaine.

CHAPITRE XV

— Bonjour, me cria Dibs, dès qu'il fut entré dans la salle de jeu. Voilà encore un jour qui me ramène dans la pièce magique où je fais tout ce que j'ai à faire. Aujourd'hui, j'ai pensé aux choses que je dois faire.

— Tu as des projets pour aujourd'hui ? Eh bien, quoi que tu décides, tu es libre de le faire.

Il fit le tour de la pièce, jeta un coup d'œil sur la caisse à sable et alla examiner la maison de poupée. Il prit dans ses mains tous les membres de la famille des poupées.

— Je vois que Papa est là, dit-il. Et Maman. Et voici la sœur et le garçon. Ils sont tous là dans la maison.

Il les reposa, alla à la fenêtre et, pendant très longtemps, regarda en silence ce qui se passait dehors.

— La famille est là, dans sa maison, observai-je.

Puis, moi aussi, je gardai le silence.

Au bout d'un moment, il poussa un profond soupir. Il se tourna à demi et me jeta un coup d'œil.

— Il y a tant de choses dans ce monde, dit-il. Rien qu'à regarder par cette fenêtre, je peux voir tant de choses merveilleuses. Des arbres qui poussent et qui sont grands et forts. Une église qui monte jusqu'au ciel. Je vois des gens qui passent. Il y a toutes sortes de gens. Je vois des voitures et des camions. Et puis, ces gens. Il y a toutes sortes de gens. Quelquefois, j'ai peur des gens.

—Quelquefois, tu as peur des gens ? repris-je, espérant que cela l'encouragerait à poursuivre.

— Mais quelquefois, je n'ai pas peur des gens, ajouta-t-il. Je n'ai pas peur de vous.

— Tu n'as pas peur quand tu te trouves avec moi ? dis-je.

— Non, dit-il.

Il soupira.

— Je n'ai pas peur, maintenant, quand je me trouve avec vous.

Il alla à la caisse à sable et laissa couler le sable entre ses doigts.

— Le sable peut servir à faire tant de choses, dit-il.

Il prit la pelle et se mit à creuser un trou profond.

— Quelqu'un pourrait très bien être enterré dans ce trou, dit-il. Ça pourrait arriver.

— Oh. Quelqu'un pourrait être enterré là ?

— Et puis, d'un autre côté, ça pourrait très bien ne pas arriver, ajouta-t-il, reculant devant l'idée.

— Tu n'es pas encore fixé, n'est-ce pas ? lui dis-je.

Il s'éloigna de la caisse à sable, traversa la pièce pour gagner la table et toucha négligemment les crayons qu'on y avait posés.

— Je suis un garçon, dit-il lentement. J'ai un père, une mère, une sœur. Mais j'ai aussi une grand-mère et elle, elle m'aime. Grand-mère m'a toujours aimé. Mais pas Papa. Papa ne m'a pas toujours aimé.

— Tu es sûr de l'amour de grand-mère, mais tu n'es pas aussi certain que Papa t'ait toujours aimé ? remarquai-je.

Dibs se tordit les mains.

— Papa m'aime un peu mieux, maintenant, dit-il. Papa me parle.

— Tu as l'impression que Papa t'aime mieux maintenant ? remarquai-je.

Je sentais bien que la situation était très délicate. Si je le pressais trop, Dibs courrait chercher refuge dans le sous-bois de sa défense, faite d'impassibilité et de silence.

— Un tout petit peu mieux, dit Dibs.

Il se tordait les mains, comme s'il était ému.

— J'ai un microscope, dit-il. J'ai pu examiner beaucoup de choses intéressantes, avec ce microscope. Comme ça, je les vois beaucoup plus grandes qu'elles ne sont et je peux mieux les connaître. Il y a des choses que l'on peut voir avec un microscope qui n'existent pas sans lui.

Dibs s'était à nouveau réfugié dans le monde sûr de son intellect. Le microscope était un objet. Il n'y avait rien à craindre de cet objet. Aucun sentiment ne s'y rattachait.

— Il y a des fois où tu trouves le microscope intéressant, dis-je.

Puis, j'attendis.

Dibs prit un crayon. Sans y prêter vraiment attention, il griffonna quelque chose sur un papier.

— Ici, dans cette pièce, je suis en sécurité, dit-il. Vous ne permettrez pas que quelque chose me fasse du mal.

— Tu te sens en sécurité, ici, avec moi, remarquai-je.

Il était sur le point de découvrir quelque chose d'important pour lui. Il me fallait avancer avec la plus grande précaution, si je ne voulais pas lui barrer la route ou le pousser à aller trop loin avant qu'il ne fût prêt.

Il se dirigea vers la maison de poupée et en sortit les poupées. Il remit de l'ordre dans le mobilier.

— La maman va se promener dans le parc, dit-il. Elle désire être seule, aussi elle va se promener dans le parc où elle pourra voir des arbres, des fleurs et des oiseaux. Elle s'en va même jusqu'au lac et elle regarde l'eau.

Il fit avancer la petite poupée qui figurait la maman, à travers son parc imaginaire.

— Elle trouve un banc et elle s'assied pour mieux sentir le soleil, parce qu'elle aime le soleil.

Il assit la maman sur un cube et revint à la maison. Il s'empara de la poupée qui représentait la sœur.

— La sœur va partir pour aller à l'école. Ils ont fait ses valises et elle quitte la maison et elle s'en va très loin toute seule.

Il emporta la petite sœur jusqu'à l'angle opposé de la pièce. Puis il revint à la maison de poupée et prit la petite poupée qui représentait le père.

— Il est tout seul dans la maison. Il lit et il travaille et il ne faut pas le déranger. Il est tout seul. Il ne veut pas être ennuyé. Il allume sa pipe et il se met à fumer, parce qu'il n'arrive pas à décider ce qu'il va faire. Et puis il s'en va et il ouvre la porte de la chambre du petit garçon.

Il reposa vivement le père et prit le petit garçon.

— Le garçon ouvre sa porte et il sort en courant de la maison, parce qu'il n'aime pas les portes fermées.

Il déplaça le petit garçon, mais ne l'éloigna pas trop de la maison.

Dibs se cacha la tête dans les mains et demeura immobile, tandis que les minutes s'écoulaient. Il poussa un soupir profond et reprit la poupée qui figurait le père.

— Alors Papa va se promener, lui aussi, parce qu'il ne sait pas quoi faire. Il se promène dans la rue et là, il y a des tas de voitures et d'autobus et la circulation fait beaucoup de bruit et Papa n'aime pas le bruit. Mais il suit la rue jusqu'au magasin de jouets et il va acheter quelques nouveaux jouets merveilleux pour son garçon. Il se dit que peut-être son garçon aimerait bien avoir un microscope. Alors, il en achète un et il revient à la maison.

Dibs se leva et se mit à arpenter la pièce, en me jetant un coup d'œil de temps à autre. Puis il s'agenouilla à nouveau à côté de la maison et reprit en main le personnage du père.

— Il a appelé et appelé le garçon et voilà le garçon qui rentre dans la maison en courant.

Dibs reprit le petit garçon et le transporta jusqu'aux côtés de son père.

— Mais le garçon a couru si vite qu'il a buté dans la table et qu'il a renversé la lampe. Le père a crié que le garçon est stupide. Un garçon stupide, sot et étourdi ! « Pourquoi as-tu fait une chose pareille ? », lui demanda-t-il, mais le garçon ne veut pas lui répondre. Le père est très en colère et il dit au garçon de retourner dans sa chambre. Il lui dit qu'il n'est qu'un enfant stupide et sot, et qu'il a honte de lui.

Dibs était tendu, totalement absorbé par la scène qu'il jouait. Il leva les yeux vers moi et dut sentir que j'étais tout aussi profondément captivée par cette expérience qu'il l'était lui-même.

— Le garçon s'est glissé hors de la maison et il s'est caché, murmura Dibs. Son père ne s'en est pas aperçu. Alors...

Il se leva et traversa rapidement la pièce pour aller chercher la poupée qui jouait le rôle de la mère et la ramena à la maison.

— La maman a terminé sa promenade dans le parc, et elle revient à la maison. Le papa est toujours très en colère et il raconte à la maman ce qu'a fait le stupide petit garçon. Et la maman dit : « Oh, mon Dieu ! Mon Dieu ! Mais qu'est-ce qu'il a ? » Et puis, d'un seul coup, voilà un garçon géant qui arrive. Il est si grand que personne ne pourra jamais lui faire du mal.

Dibs se leva.

— Le garçon géant voit la maman et le papa dans la

maison et il entend toutes les méchantes choses qu'ils disent. Alors, il décide de leur donner une leçon. Il fait le tour de la maison et il ferme toutes les fenêtres et toutes les portes, pour qu'ils ne puissent pas sortir. Ils sont enfermés tous les deux.

Il me regarda. Son visage était pâle et sévère.

— Vous voyez ce qui arrive ? dit-il.

— Oui. Je vois très bien ce qui arrive. Le papa et la maman ont été enfermés dans la maison par le garçon géant.

— Alors, le papa dit qu'il va fumer sa pipe. Il la sort et il prend quelques allumettes, il allume une allumette, il la laisse tomber sur le plancher et la pièce prend feu. La maison est en feu ! La maison est en feu ! Et ils ne peuvent pas sortir. Ils sont enfermés dans la maison et le feu brûle de plus en plus vite. Le petit garçon les voit dans la maison où ils sont enfermés, la maison qui brûle, et il dit : « Qu'ils brûlent ! Qu'ils brûlent ! »

Dibs fit quelques mouvements rapides et se pencha en avant pour saisir les poupées qui représentaient le père et la mère, comme s'il avait voulu les sauver, mais il recula et se protégea le visage, comme si le feu qu'il avait imaginé était très réel et le brûlait chaque fois qu'il essayait d'en arracher la mère et le père.

— Ils crient et ils pleurent et ils frappent la porte de leurs poings. Ils veulent sortir. Mais la maison brûle et ils sont enfermés et ils ne peuvent pas sortir. Ils crient, ils pleurent et ils appellent à l'aide.

Dibs joignit les mains et les larmes coulèrent sur ses joues.

— Je pleure ! Je pleure ! me cria-t-il. C'est à cause de ça que je pleure !

— Pleures-tu parce que la maman et le papa sont enfermés dans la maison, qu'ils ne peuvent pas sortir et que la maison brûle ? lui demandai-je.

— Oh, non ! me répondit Dibs.

Sa voix se brisa dans un sanglot. Il traversa la pièce en trébuchant pour venir vers moi et jeta ses bras autour de mon cou, tout en pleurant à chaudes larmes.

— Je pleure parce que je souffre de nouveau des portes fermées et verrouillées contre moi, sanglota-t-il.

Je le pris dans mes bras.

— Tu sens à nouveau ce que tu sentais quand tu étais tellement seul ? lui dis-je.

Dibs jeta un coup d'œil par-dessus son épaule vers la

maison de poupée. Il essuya ses larmes d'un revers de la main et se redressa. Il respirait difficilement.

— Le garçon va les sauver, dit-il.

Il alla chercher la poupée qui jouait le rôle du petit garçon et l'apporta devant la maison.

— Je vais vous sauver ! Je vais vous sauver ! cria-t-il. Je vais déverrouiller les portes et je vais vous faire sortir. Et ainsi, le garçon a déverrouillé les portes, il a éteint le feu et son papa et sa maman ont été sauvés.

Il revint vers moi et me toucha la main. Il eut un pâle sourire.

— Je les ai sauvés, dit-il. Je ne les ai pas laissés brûler et souffrir.

— Tu les as aidés. Tu les as sauvés, dis-je.

Dibs s'assit à la table et regarda droit devant lui.

— Ils avaient l'habitude de m'enfermer à clef dans ma chambre, dit-il. Ils ne le font plus maintenant, mais avant, ils le faisaient.

— Vraiment ? Mais ils ne le font plus ?

— Non, reprit Dibs, d'une voix tremblante.

Un soupir lui échappa.

— Papa m'a vraiment offert un microscope et je m'amuse beaucoup avec, dit-il.

Il se releva, traversa la pièce et se rendit à l'endroit où il avait laissé la petite sœur. Il la rapporta jusqu'à la maison de poupée et installa les quatre petits personnages sur des chaises, dans le salon.

Il revint ensuite à la table, s'empara d'un crayon noir et couvrit de noir une feuille de papier à dessin à l'exception d'un minuscule rond, qu'il laissa en blanc au milieu de son papier. Il colora ensuite ce rond en jaune. Il ne fit aucun commentaire à propos de ce dessin. Quand il l'eut terminé, il remit les crayons dans leur boîte. Puis il se dirigea vers la caisse à sable, s'empara de la pelle et reboucha lentement le trou qu'il avait creusé un peu plus tôt.

Cette heure-là avait été particulièrement pénible pour Dibs. Ses sentiments l'avaient déchiré sans pitié. Les portes qu'on avait fermées au cours de la jeune vie de Dibs, l'avaient fait intensément souffrir. Non seulement la porte verrouillée de sa chambre, mais aussi toutes les portes qui auraient dû s'ouvrir devant lui s'il avait été accepté et qui s'étaient au contraire fermées et verrouillées, le privant de l'amour, du respect et de la compréhension dont il avait si désespérément besoin.

Dibs attrapa le biberon et but un peu d'eau. Puis il le reposa et me dévisagea.

— Je ne suis plus un bébé, me dit-il. Je suis un grand garçon, maintenant. Je n'ai pas besoin du biberon.

— Tu n'as plus besoin du biberon ? dis-je.

Dibs me sourit.

— Sauf si j'ai quelquefois envie d'être à nouveau un bébé, dit-il. Ça dépend comme je me sens. Je serai comme je me sens.

Il ouvrit tout grand les bras.

— Cocorico ! Cocorico ! chanta-t-il.

A présent, il était détendu et heureux. Quand il quitta la salle de jeu, il semblait laisser derrière lui tous les chagrins qu'il y avait arrachés.

CHAPITRE XVI

Quand Dibs entra à nouveau dans la salle de jeu, il sourit, tout joyeux, en regardant autour de lui. Il aperçut une section de barrière qu'un autre enfant avait posée au milieu de la caisse à sable.

— Il y a là une barrière, dit-il. Et vous savez que je n'aime pas les barrières. Je vais l'enlever.

Il retira rapidement la barrière de la caisse à sable. Il s'empara ensuite du fusil et le porta jusqu'à la table où il le mit dans un tiroir. Sur une étagère, il découvrit une petite maison de poupée cassée. Il alla la chercher et l'examina

— Je vais réparer ça, dit-il. Où est-ce que je peux trouver un peu de Scotch ?

Je sortis un rouleau de Scotch.

— Combien crois-tu qu'il t'en faudra ? lui demandai-je.

— Vingt-cinq centimètres, me répondit-il sans hésiter.

C'était en effet à peu près ce dont il avait besoin.

Je coupai environ vingt-cinq centimètres de Scotch et les lui tendis.

— C'est parfait, me dit Dibs. Merci.

— C'est de bon cœur, lui répondis-je.

— Eh bien ! Pour moi aussi, c'est de bon cœur ; s'exclama Dibs. Et maintenant, je vais ouvrir la fenêtre pour que l'air frais puisse entrer ici.

Il ouvrit la fenêtre.

— Entre donc air, s'écria-t-il. Entre donc et viens nous voir.

Il me fit un petit sourire.

— Papa n'aime pas que je parle à l'air, mais ici, je le ferai si j'en ai envie.

— Ici, si tu en as envie, rien ne t'empêche, remarquai-je.

— Papa dit que les gens parlent simplement aux gens, reprit Dibs.

Il y eut un éclair de malice dans son regard.

— Papa dit que je devrais lui parler, mais moi, je ne le fais pas. Je l'écoute, mais je ne lui parle pas. Souvent même je ne lui réponds pas. Ça l'ennuie beaucoup.

Parler ou ne pas parler était donc devenu un conflit entre eux. Or, Dibs était un expert lorsqu'il s'agissait de se taire afin de se venger de ce père qui avait la critique si facile.

— « Bonjour », dit-il, poursuivit Dibs. Moi, je ne le regarde pas. Je ne lui réponds pas. « Eh bien, qu'est-ce que tu as ? » dit-il. « Je sais bien que tu sais parler. » Mais moi, je ne dis rien. Je ne le regarde pas. Je ne réponds pas.

Dibs éclata de rire.

— Ça l'ennuie à un point !

Il retourna à la table, ouvrit le tiroir et en sortit le fusil. Puis il traversa la pièce pour aller à la fenêtre ouverte et se pencha dehors. Il observa un grand camion qui passait.

Il se retourna et me regarda.

— Je le jette dehors, ce fusil ? me demanda-t-il.

— Nous ne pourrions pas le récupérer, lui dis-je.

— Il serait juste là sous la fenêtre, me dit-il.

— Je le sais bien. Mais nous ne pourrions pas sortir tout de suite pour aller le chercher.

— Et plus tard, il n'y serait peut-être plus, dit Dibs. Quelqu'un pourrait le trouver et l'emporter.

— Oui. C'est possible.

— Eh bien, alors, je ne le jetterai pas dehors, déclara Dibs.

Il fit le tour de la maison de poupée et examina la famille de poupées. Il mit le père debout et pointa le fusil sur lui.

— Ne dis pas un mot ou je te tire dessus, dit-il à la poupée. N'ouvre plus la bouche.

Il arma le fusil.

— Je me prépare. Si tu ne fais pas bien attention, je te tire dessus.

Il ouvrit la partie inférieure de la maison.

— Je vais cacher ce fusil ici, à la cave, dit-il .Ainsi il n'arrivera rien à personne.

Il déposa le fusil dans la partie basse de la maison et referma la porte.

Puis il vint se planter devant moi. Un petit sourire éclairait son visage.

— Il y a des enfants dans ma classe à l'école, dit-il, après un long silence. Il y a Jack et John et David et Carl et Bobby et Jeffrey et Jane et Carol. Il y a des tas d'enfants dans ma classe à l'école.

— Des tas d'enfants à l'école avec toi ? Tu connais les noms de certains d'entre eux, pas vrai ?

— Je connais les noms de tous les enfants, me reprit Dibs. Il y a des garçons et des filles. Ils sont très intéressants.

C'était la première fois qu'il mentionnait de manière précise des garçons et des filles qui allaient en classe avec lui. C'était aussi la première fois qu'il manifestait de l'intérêt à leur égard.

J'avais pensé qu'à un certain point du développement, nous pourrions organiser quelques séances de thérapie en groupe, pour que Dibs ait l'occasion de faire partie d'un petit groupe où les membres s'influenceraient mutuellement. Je n'avais reçu aucune nouvelle de l'école et n'avais aucun moyen de savoir quels progrès il y faisait — s'il en faisait. Je décidai de demander à Dibs ce qu'il pensait de l'idée d'inviter un autre enfant à venir dans la salle de jeu.

— Dibs, aimerais-tu qu'un autre petit garçon ou qu'une petite fille vienne ici pour jouer avec toi, jeudi ? lui dis-je.

Dibs bondit. Il me regarda bien en face, les yeux brillants de colère.

— Non ! Non ! s'écria-t-il. Je ne veux voir personne d'autre ici !

— Tu ne veux pas qu'un autre enfant vienne ici jouer avec toi ? lui demandai-je.

Dibs donna l'impression de se tasser sur lui-même.

— Personne d'autre ne voudrait venir, dit-il tristement.

— Tu ne crois pas que quelqu'un d'autre voudrait venir ? Est-ce pour cela que tu as dit non ?

— Non, murmura Dibs. Personne ne m'aime. Personne ne voudrait venir.

— Mais si un autre enfant venait, s'il voulait venir et se retrouver ici avec toi, est-ce que ce serait différent ? lui demandai-je, à titre de suggestion.

— Non, hurla Dibs. Ça, c'est à moi ! Je veux que ce ne soit rien qu'à moi ! Je ne veux jamais voir personne d'autre ici. Je veux que ce soit juste pour moi et pour vous.

Il semblait être proche des larmes. Il me tourna le dos.

— Je comprends, Dibs, lui dis-je. Si tu tiens à ce que ce soit simplement pour toi et pour moi, eh bien, ce sera comme cela.

— Bon, ce sera comme ça, dit Dibs. Je veux que ce soit seulement pour moi et que personne d'autre ne vienne ici.

— Ce sera comme tu voudras, lui dis-je.

Dibs alla à la fenêtre et regarda ce qui se passait au-dehors. Le silence tomba entre nous.

— Il y a des enfants dans ma classe à l'école, dit-il, après un long silence. Je...

Il hésita et me regarda.

— Je... les... aime... bien, dit-il, en bégayant un peu. Je voudrais qu'ils m'aiment bien. Mais je ne veux pas qu'ils viennent ici avec nous. Vous êtes seulement pour moi. Quelque chose de spécial juste pour moi. Juste nous deux.

— Oui. C'est ça.

Le carillon résonna.

— Quatre heures, dit-il. Les coups de quatre heures et les fleurs de quatre heures, les belles-de-nuit. Et le soleil dans le ciel. Il y a aussi des soleils-fleurs. Les tournesols. Il y a tant de choses différentes.

— Oui, dis-je.

Il se dirigea vers le lavabo et ouvrit à fond un robinet. Puis il le referma jusqu'à ce que l'eau ne coule plus qu'en mince filet. Il me regarda et me dit sur un ton sérieux :

— Je peux faire couler l'eau goutte à goutte ou bien la faire couler à flots. C'est comme *je veux*.

— Oui. Ici, tu peux régler l'eau comme tu veux.

— Je peux l'arrêter. Je peux la faire couler, dit-il.

— Tu peux en être le maître, lui dis-je.

— Oui, dit-il, lentement et délibérément. Je peux. Je. Je. Je...

Il fit le tour de la pièce en se frappant la poitrine et en répétant :

— Je. Je. Je. Je.

Il s'arrêta devant moi.

— Je suis Dibs, me dit-il. Je peux faire des choses. J'aime bien Dibs. Je m'aime bien.

Il eut un sourire tout joyeux, puis il se mit à jouer dans l'eau.

Il déposa le biberon dans le lavabo et ouvrit l'eau en grand. Elle gicla dans la pièce. Il sauta en arrière et se prit à rire de bon cœur.

— Elle ne m'éclabousse pas ! cria-t-il. Je peux faire un saut en arrière et l'éviter. Je peux l'éviter.

Il mit l'eau d'un petit biberon dans un grand. Il leva très haut ce grand biberon et versa l'eau qu'il contenait dans le biberon plus petit.

— Oh, je peux en faire des choses ! s'exclama-t-il. Je peux faire ceci et cela et encore autre chose. Je peux faire des expériences.

Il poursuivit ses essais avec l'eau et les différents récipients.

— Ça, c'est très amusant, s'écria-t-il. Les choses que l'on met ensemble, font des drôles de choses. Ici, je peux être aussi important que le monde entier. Je peux faire tout ce que j'ai envie de faire. Je suis grand et puissant. Je peux faire arriver l'eau et je peux la faire partir. Tout ce que j'ai envie de faire, je peux le faire. Bonjour, toi, petit biberon. Comment vas tu ? Est-ce que tu t'amuses ? Ne parle pas au petit biberon. Le petit biberon n'est qu'une chose. Parle aux gens. Parle aux gens, te dis-je. Bonjour, John. Bonjour, Bobby. Bonjour, Carl. Parle aux gens. Mais moi, je veux dire bonjour au petit biberon et si j'en ai envie, ici, je peux.

Il sortit vivement de l'eau le biberon et la tétine.

— Mettez-moi cela, me demanda-t-il.

Je le fis, tandis qu'il tenait le biberon.

Il but un peu d'eau, tout en me faisant face.

— Quand j'ai envie d'être un bébé, je peux être un bébé. Quand j'ai envie d'être une grande personne, je peux être une grande personne. Quand j'ai envie de parler, je parle. Quand j'ai envie de me taire, je me tais. N'est-ce pas ?

— Oui. C'est bien ça, lui dis-je.

Il ôta la tétine et but à même le biberon.

— Laissez-moi vous montrer quelque chose d'intéressant, me dit-il.

Il sortit quelques verres, les aligna et versa alors des quantités d'eau différentes dans chacun des verres. Il prit une cuiller et en frappa les verres l'un après l'autre.

— Vous entendez les sons différents ? me cria-t-il. Je peux faire sonner chaque verre de manière différente. C'est la quantité d'eau que j'ai mise dans les verres qui fait la différence. Ecoutez quand je cogne le tuyau. Et cette boîte en fer-blanc. Chaque son est différent. Et il y a des sons que je ne produis pas, mais qui existent tout de même. Le tonnerre, c'est un son. Et quand on laisse tomber des choses par terre, ça fait du bruit. Le biberon fait du bruit. Oui. Je peux produire toutes sortes de sons. Et je peux être si silencieux. Je peux ne faire aucun bruit. Je peux faire le silence.

— Tu peux produire des bruits et faire le silence, dis-je.

Il avait gardé les mains dans l'eau depuis longtemps. Il me les tendit.

— Regardez. Mes mains sont toutes ridées.

— Je vois.

— Et maintenant, j'ai quelque chose de très important à faire, m'annonça-t-il.

Il posa les pots de peinture sur la tablette du chevalet tout à fait au hasard.

— Regardez-moi ça, me dit-il. Rouge, bleu, jaune, gris, orange, violet, vert, blanc. Tout est mélangé. Et j'ai justement mis le mauvais pinceau dans chaque couleur.

Il le fit au moment même où il le disait. Il fit un pas en arrière, examina le chevalet et se mit à rire.

— N'importe comment, dit-il. C'est comme ça qu'elles sont. Et le mauvais pinceau dans le mauvais pot. C'est comme ça que j'ai fait. J'ai tout fait de travers.

Il rit.

— Ainsi, tu as tout mélangé — les peintures et les pinceaux, dis-je.

— Oui, dit-il. Un grand, un immense désordre. Un drôle de mélange. C'est probablement le premier vrai désordre que j'aie jamais fait. Mais à présent, je vais les mettre dans l'ordre, enlever les pinceaux et faire tout comme il faut.

Il commença à remettre les peintures en place et à rétablir l'ordre.

— Tu crois que tu dois les placer dans un certain ordre ? lui demandai-je.

— Oh, oui, dit-il. Il y a douze pinceaux et douze couleurs.

Il se remit à rire.

— Oh, vas-y, Dibs, replace-les bien, se dit-il, d'un ton enjoué. Il y a une bonne façon de faire quelque chose et tu vas les remettre dans le bon ordre.

— Tu estimes qu'elles devraient toujours être placées dans un certain ordre ?

— Oh, oui, dit-il, avec un sourire. C'est-à-dire, oui, à moins qu'elles ne soient toutes mélangées.

— Alors, d'une façon ou d'une autre, ça va bien ?

— Ici, me dit-il. N'oubliez pas qu'ici, ça va bien puisqu'ici, il suffit d'être.

Il s'approcha de moi et me tapota la main.

— Vous m'avez compris ? me dit-il, avec un sourire. Allons dans votre bureau. Allons vous rendre visite dans votre bureau.

— Nous pouvons aller y passer la fin de l'heure, si tu veux, lui dis-je.

C'est plein d'enthousiasme qu'il se dirigea vers mon bureau. Il y avait un paquet d'ex-libris sur ma table. Il s'en empara.

— Est-ce que je peux l'ouvrir et me servir de ces papiers ? me dit-il.

— Si tu veux.

Il se dirigea vers les étagères et examina soigneusement les livres. Il en choisit un et en lut le titre.

— « Votre enfant rencontre le monde extérieur. »

Il alla à la fenêtre et regarda dehors.

— Bonjour, monde, dit-il. Eh bien, c'est une belle journée pour le monde extérieur. Ça sent bon, aussi, dans le monde extérieur. Ah, voilà mon gentil camion.

Il l'observa longuement, en silence.

— Bonjour, camion, dit-il à voix basse. Bonjour, monsieur. Bonjour, monde.

Il sourit, tout heureux.

Il revint à ma table de travail et prit le *Petit Dictionnaire d'Oxford*.

— Cher petit livre plein de mots, dit-il. Je vais en mettre deux là-dedans. Mon cher petit dictionnaire. Petit livre plein de mots à la couverture bleue.

Il colla deux vignettes dans le dictionnaire.

Il se cala dans sa chaise et me regarda. Il avait un grand sourire sur les lèvres.

— Il sera bientôt l'heure de retourner à la maison, me dit-il. Et quand je partirai, je serai tout heureux au fond de moi. Et puis, je reviendrai jeudi prochain. Et souvenez-vous, moi tout seul. Personne d'autre que moi. Et vous.

— Je m'en souviendrai, lui dis-je. Si tu veux que cette heure te soit réservée, je n'y vois aucun inconvénient.

— Je veux qu'elle soit pour nous, murmura Dibs. Pour personne d'autre, pas encore.

— Eh bien, c'est ainsi que ce sera, lui dis-je. Pour personne d'autre, pas encore.

Je me demandais si je n'avais pas semé une graine et s'il n'en arriverait pas à dire qu'il aimerait bien amener un ami. Ou, sinon ici, peut-être se ferait-il un ami à l'école.

La sonnette annonça l'arrivée de sa mère.

— Au revoir, me dit-il. Je serai de retour jeudi prochain et je referai le plein de bonheur.

Quand il fut sorti du bureau et en présence de sa mère, il leva les yeux vers moi.

— Au revoir, encore une fois, me dit-il.

Puis il se détourna et courut tout le long du grand couloir aussi vite qu'il le put. Il fit un demi-tour, revint en courant et jeta les bras autour de sa mère.

— Oh, maman, je t'aime tant ! s'écria-t-il, en l'embrassant.

Nous fûmes toutes deux surprises par cette expression spontanée de la part de Dibs. Les yeux de sa mère s'emplirent brusquement de larmes. Elle me fit un signe de tête pour me dire au revoir et sortit, tenant sa main étroitement serrée dans la sienne.

CHAPITRE XVII

Le lendemain, la mère de Dibs m'appela pour me demander un rendez-vous. Je fus contente de la recevoir le jour même. Elle entra dans mon bureau avec une joie contenue. La spontanéité avec laquelle Dibs lui avait témoigné de l'affection, la veille, avait eu raison de la réserve farouche dans laquelle elle s'était enfermée jusque-là.

— Je voulais que vous sachiez combien nous vous sommes reconnaissants, me dit-elle. Dibs a beaucoup changé. Ce n'est plus le même enfant. Jamais encore je ne l'ai vu exprimer un sentiment aussi librement que hier, quand nous partions. J'en — j'en ai été très touchée.

— Je le sais, lui dis-je.

— Il va tellement mieux, me dit-elle.

Il y avait un éclat de bonheur dans ses yeux, un petit sourire sur ses lèvres.

— Il est plus calme et plus heureux. Il n'a plus d'accès de colère. Il ne suce pratiquement plus son pouce. Il nous regarde bien en face. Il nous répond presque toujours, quand nous nous adressons à lui. Il montre de l'intérêt pour ce qui se passe dans la famille. Il joue quelquefois avec sa sœur, lorsqu'elle est à la maison. Pas toujours, mais tout de même quelquefois. Il commence à me montrer un peu d'affection. Il vient me trouver, parfois, et pour émettre spontanément une opinion. L'autre jour, il est entré dans la cuisine, alors que je faisais quelques petits sablés et il m'a dit « Je vois que tu es occupée à faire des sablés. Tes sablés sont très bons. Tu fais des sablés pour nous. » *Nous*. Je crois qu'il commence à sentir qu'il fait partie de la famille. Et je crois... eh bien, je crois que je commence à sentir qu'il est des nôtres.

Je ne sais pas ce qui a mal tourné, entre nous. Dès le commencement, j'étais si désemparée devant lui. Je me sentais si totalement battue, si menacée. Dibs avait tout gâché pour moi. Il était une menace pour mon mariage. Il avait mis fin à ma carrière. Maintenant, je me demande ce que j'ai fait pour créer ce problème entre nous. Pourquoi tout cela est-il arrivé ? Que puis-je faire, à présent, pour aider à rétablir les choses ? Je me suis constamment demandé pourquoi ? Pourquoi ? Pourquoi ? Pourquoi nous sommes-nous tant combattus ? A tel point que cela a failli être la perte de Dibs. Je me souviens que lorsque je vous ai parlé la première fois, j'ai beaucoup insisté sur le fait que Dibs était un retardé mental. Mais je savais qu'il n'était pas réellement retardé. Je lui avais enseigné mille choses et je l'avais mis à l'épreuve et j'avais essayé de le contraindre à se comporter de façon normale depuis l'âge de deux ans, sans qu'il y ait jamais eu de contact réel entre nous. Nous passions toujours par les *objets*. J'ignore ce qu'il fait ici, dans la salle de jeu. Je ne sais pas si vous vous êtes aperçue de toutes les choses qu'il connaît et qu'il sait faire. Il sait lire à peu près n'importe quel livre. Il sait écrire et épeler — et il sait ce que cela veut dire. Il écrit ses observations au sujet des choses qui l'intéressent. Il a plusieurs herbiers dans lesquels il conserve toutes sortes d'écorces et de feuilles. Il a également séché des fleurs. Il a une chambre pleine de livres, de tableaux, de choses qui peuvent servir à son instruction : des jeux éducatifs, des jouets, du matériel scientifique. Un électrophone. Une grande collection de disques. Il adore la musique — les classiques, surtout. Il peut identifier à peu près n'importe quel extrait musical. Je le sais, parce que maintenant il me dit les titres lorsque je lui joue quelque chose et que je lui demande ce que c'est. Je mets un disque sur l'électrophone, je l'arrête après un court instant, je lui demande ce que c'est et à présent, il me répond. J'ai passé bien des heures à mettre ainsi des disques pour lui, en lui disant ce que c'était — et sans jamais savoir si je parvenais à l'atteindre. Je lui ai lu des centaines de livres — tandis qu'il demeurait caché sous une table. Je lui parlais constamment et lui expliquais tout ce qui l'entourait. Encore et encore, encouragée seulement par le fait qu'il demeurait assez près de moi pour m'entendre et qu'il regardait les choses que je lui montrais.

Elle poussa un soupir et hocha la tête en signe de désespoir.

— Il fallait que je me prouve quelque chose à moi-même, dit-elle. Il fallait que je me prouve qu'il pouvait apprendre. Il fallait que je prouve que *moi,* je pouvais lui enseigner quelque chose. Et pourtant son comportement était tel que je ne savais jamais dans quelles proportions tout ceci l'atteignait, ni à quel point cela avait un sens. Je le voyais se pencher sur les objets que je lui avais donnés, quand il était seul dans sa chambre, et je me disais, « Il ne ferait pas cela si cela n'avait aucun sens pour lui ». Et pourtant, je n'en étais jamais certaine.

— Vous deviez être extrêmement troublée et déchirée dans vos sentiments à son sujet, remarquai-je. Le mettant sans cesse à l'épreuve, l'observant et doutant de vous-même et de lui. Vous espériez et désespériez tour à tour, ayant conscience de votre échec et désirant lui apporter une compensation, d'une façon ou d'une autre.

— Oui, dit-elle. Je ne cessais de le mettre à l'épreuve. Je doutais toujours de ses capacités. J'essayais de me rapprocher de lui et j'élevais constamment un mur entre nous. Et il en faisait toujours tout juste assez pour que je persévère. Je ne crois pas qu'il y ait jamais eu d'enfant que l'on ait ainsi torturé en exigeant constamment de lui qu'il passe telle ou telle épreuve — toujours, toujours, il fallait qu'il fasse la preuve qu'il était capable. Il ne connaissait pas de paix. Sauf lorsque sa grand-mère venait passer quelque temps chez nous. Les rapports entre eux étaient très bons. Il se détendait lorsqu'il était avec elle. Il ne lui parlait pas beaucoup. Mais elle l'acceptait comme il était et elle n'a jamais cessé de croire en lui. Elle me disait souvent que si je me détendais et le laissais tranquille, il s'en sortirait très bien. Mais je ne pouvais pas le croire... J'avais l'impression qu'il fallait que je lui offre des compensations pour tout ce que je ne lui avais pas donné. Je me sentais responsable du fait qu'il était ce qu'il était. Je me sentais coupable.

Brusquement, elle se mit à pleurer.

— Je ne sais pas comment j'ai pu lui faire une chose pareille, dit-elle. Toute intelligence devait m'avoir quittée. Je n'étais pas maîtresse de mon comportement et il était totalement déraisonnable. Je voyais bien la preuve que je cherchais, à savoir qu'il avait des capacités réelles, masquées par cette conduite si particulière. Mais je ne voulais pas reconnaître avoir fait quoi que ce soit qui ait pu causer ses problèmes. Je ne pouvais pas admettre que je le rejetais. Je ne peux d'ailleurs le reconnaître à présent que parce que je ne le rejette plus. Dibs est mon enfant et je suis fière de lui.

Elle me jeta un regard interrogateur.

— Il a été très difficile pour vous d'admettre vos sentiments à l'égard de Dibs, lui dis-je. Mais maintenant, vos sentiments ont changé, vous l'acceptez, vous avez foi en lui et vous en êtes fière ?

Elle hocha la tête vigoureusement.

—Laissez-moi vous montrer de quoi il est encore capable. Il sait lire, écrire, épeler et observer. Et ses dessins sont tout à fait extraordinaires. Permettez-moi de vous en montrer quelques-uns.

Brusquement, elle sortit un rouleau de papiers qu'elle avait apporté. Elle ôta l'élastique qui les entourait, les déroula et me les tendit.

— Regardez ça, me dit-elle. Notez les détails et la perspective.

J'examinai les dessins. Ils étaient en effet tout à fait inhabituels pour un enfant de six ans. Il avait dessiné les objets avec une extrême précision jusque dans le moindre détail. L'un de ces dessins représentait un parc avec des marches creusées dans le rocher au flanc d'une colline. La perspective en était tout à fait remarquable.

— Oui. Ils sont extraordinaires, lui dis-je.

Elle les étala devant elle et les examina à son tour. Puis elle leva vers moi des yeux troublés.

— Trop extraordinaires, dit-elle doucement. Cette étrange facilité était bien ce qui me préoccupait. Je me torturais à la pensée qu'il pourrait être schizophrène. Et si cela avait été vrai, quelle aurait été la valeur de ces capacités supérieures et peu naturelles ? Mais à présent, je me sens libérée de cette crainte. Il commence à se conduire de façon plus normale.

La mère de Dibs avait fait des études de médecine et savait que son diagnostic aurait pu être juste. Le comportement anormal qu'elle lui avait imposé, l'avait tenu à l'écart de sa famille, comme des enfants et des adultes qu'il rencontrait à l'école. Lorsqu'un enfant est contraint de prouver qu'il est capable, les résultats sont souvent désastreux. Un enfant a besoin d'amour, il a besoin d'être accepté et compris. Il est funeste pour lui de se sentir rejeté et de se trouver confronté avec des doutes et des mises à l'épreuve incessantes.

— Il y a encore tellement de choses qui me troublent, dit-elle. Si Dibs possède des dons exceptionnels il ne faudrait pas qu'ils soient gaspillés. On peut être fier de ses talents.

— Tous ces talents ont beaucoup d'importance pour vous, n'est-ce pas, même si vous êtes encore troublée au sujet de son développement total tout entier ? lui dis-je.

— Oui, me répondit-elle. Ce qu'il sait faire est extrêmement important. Pour lui, tout autant que pour moi. Je me souviens de l'époque où il avait deux ans. C'est là qu'il a appris à lire. Son père m'a dit que j'étais folle, lorsque je lui ai annoncé que Dibs savait lire. Il m'a dit qu'aucun enfant de deux ans n'était capable d'apprendre à lire, mais moi, j'étais sûre qu'il savait. Je lui avais appris.

— De quelle manière ?

— Je me suis procuré deux alphabets. De ces lettres découpées, vous savez ? Et puis, je lui ai montré chaque lettre. Je lui ai dit ce que c'était et quel en était le son. Ensuite, je les ai alignées et il est demeuré assis à les examiner. Alors, j'ai tout enlevé et je lui ai dit de recommencer ce que je venais de faire. Mais il est sorti en courant de sa chambre. J'ai remis l'un des alphabets en ordre et j'ai posé la seconde boîte de lettres à côté de celles qui étaient étalées. Puis je suis sortie et il est revenu et il les a regardées. Alors j'ai pris le second jeu de lettres et je l'ai disposé sous le premier, en lui montrant quel était le haut de chaque lettre et en lui répétant son nom. Puis j'ai enlevé le second jeu et je lui ai demandé de le poser à son tour sous le premier. Il s'est à nouveau enfui et moi, je me suis éloignée, sachant bien qu'il reviendrait et qu'il examinerait le tout si je le laissais faire. Et puis j'ai recommencé. La troisième fois, lorsque je l'ai laissé seul, il a assorti les lettres. Et très vite, il a su arranger lui-même les lettres dans l'ordre.

Ensuite, j'ai rassemblé des images représentant toutes sortes de choses et je lui ai dit ce que représentait chacune de ces images. Puis j'ai écrit le mot et le lui ai expliqué. Enfin, j'ai composé le mot à l'aide des lettres découpées. Bientôt, Dibs faisait tout cela. Il composait un mot à l'aide des lettres et plaçait au-dessus l'image correspondante. Eh bien, la lecture, c'est ça. Je lui ai ensuite apporté de nombreux livres faits d'images et de mots. Puis je lui ai apporté de petites histoires et je les lui ai lues et relues. Je lui ai acheté des disques de comptines, d'histoires pour enfants et de poèmes. J'essayais toujours de nouvelles choses. Il a appris à se servir de son électrophone. Puis il a appris à lire les titres de ses disques. Je lui disais, par exemple, « Va me chercher le disque du petit train ». Il cherchait parmi ses disques et me rapportait celui que j'avais demandé et le posait sur une petite table devant moi. Et il ne se trompait jamais. Je lui disais encore, « Apporte-moi le mot arbre ». Et il me l'apportait. N'importe quel mot que je lui réclamais. Au bout d'un certain temps, son père a convenu qu'il avait l'air de savoir lire. Il passait des heures penché sur ses livres. Alors, parfois, son père lui lisait des histoires. Il rapportait des objets à la maison et expliquait en détail à l'enfant ce que c'était. Puis il les laissait pour que Dibs puisse les examiner, quand il venait les chercher pour les emporter dans sa chambre. Et puis, j'ai commencé à lui enseigner les chiffres et il s'y est mis très rapidement. Il marmottait beaucoup et je sentais qu'il devait se parler à lui-même. Mais il n'y a jamais eu de contact réel entre nous. Voilà pourquoi je me tourmentais tant à son sujet.

Sa voix se perdit. Elle regarda par la fenêtre pendant un long moment. Je ne fis aucun commentaire. Il y avait quelque chose de glacé dans la peinture qu'elle avait faite de sa vie avec Dibs. C'était en effet un miracle que l'enfant soit parvenu à maintenir son intégrité et sa réceptivité. La pression à laquelle il avait été soumis, était suffisante pour pousser n'importe quel enfant à se réfugier dans un retranchement défensif. Elle s'était prouvé à elle-même que Dibs pouvait accomplir des tâches qu'elle lui avait fixées. Mais elle avait senti l'absence de tout contact avec son fils. Cette façon d'exploiter l'intelligence de l'enfant, sans lui offrir en contrepartie une vie affective équilibrée, aurait fort bien pu le détruire.

— Nous avons envoyé sa sœur dans une autre école — l'école de ma tante — afin que je puisse me consacrer entièrement à Dibs, me dit-elle à voix basse. Je me demande pourquoi, même à présent, je trouve si important tout ce qu'il sait faire. Il n'était encore qu'un bébé quand j'ai commencé à le pousser pour qu'il fasse la preuve de ce dont il était capable. Pourquoi ne puis-je laisser Dibs n'être qu'un enfant ? *Mon* enfant ! Et être heureuse de le voir heureux. Je me souviens vous avoir dit qu'il m'avait rejetée. Pourquoi ? Pourquoi est-ce que je rejette mes propres sentiments ? Pourquoi ai-je peur d'être un être sensible ? Pourquoi me suis-je vengée sur Dibs des rapports tendus qui s'étaient établis entre mon mari et moi ? Parce que c'est bien cela qui s'est passé. J'ai pensé que le rôle de mère n'intéresserait, ni ne retiendrait un homme d'une telle intelligence. Et il n'avait jamais désiré avoir d'enfants. Nous avons repoussé tout ce qui paraissait indiquer que nous étions dans l'erreur. Culpabilité, défaite, frustration, échec. Tels étaient nos sentiments et nous ne pouvions les supporter. Nous en voulions à Dibs. Pauvre petit Dibs. Tout ce qui n'allait pas entre nous deux, était de sa faute. Je me demande si nous pourrons jamais lui offrir une compensation pour tout cela.

— Il y a eu bien des sentiments violents, des sentiments troubles, qui se sont enchevêtrés dans ces rapports, lui dis-je. Vous en avez nommé quelques-uns. Vous avez parlé de vos sentiments, tels qu'ils étaient dans le passé. Quels sont-ils, à présent ?

— Mes sentiments ont changé, dit-elle, lentement. Mes sentiments sont en train de changer. Je suis fière de Dibs. Je l'aime. Il n'a plus besoin, maintenant, de faire ses preuves à chaque instant. Parce qu'il a changé. Il fallait que ce soit lui qui change le premier. Il fallait qu'il soit plus grand que moi. Et les sentiments, tout comme les attitudes de son père, ont également changé. Nous avions dressé de si hautes murailles autour de nous — de nous tous. Pas seulement Dibs. Moi aussi. Et mon mari également. Et si ces murailles tombent — mais elles sont déjà en train de tomber —, nous serons tous beaucoup plus heureux et plus proches les uns des autres.

— Les attitudes et les sentiments se modifient, c'est vrai, lui dis-je. Je crois que vous en avez fait l'expérience.

— Oui. Dieu merci, me répondit-elle.

C'est vraisemblablement parce qu'elle avait été acceptée telle qu'elle était et qu'elle ne s'était pas sentie menacée en tant que mère, qu'elle avait été capable de partir à la recherche de ses sentiments les plus profonds et qu'elle était sortie de cette exploration avec une meilleure compréhension et des révélations extrêmement importantes.

Il arrive très souvent qu'un enfant ne soit pas admis

aux séances de thérapie par le jeu, parce que ses parents refusent de participer à l'expérience ou de se faire aider eux-mêmes. Nul ne sait combien d'enfants ont été refusés parce que l'on a dû tenir compte de ce facteur. Bien des fois, il se révèle extrêmement utile que les parents participent à ces séances et s'efforcent de résoudre la part de problèmes qui leur revient dans les relations qu'ils ont établies avec leurs enfants. Mais il est vrai, également, que des parents peuvent consentir à des séances de thérapie tout en montrant ensuite tant de résistance que les thérapeutes n'obtiennent que des résultats minimes. S'ils ne sont pas prêts eux-mêmes à une telle expérience, ils n'en tirent que très rarement profit. La tendance qu'a une personne menacée à rester sur la défensive, peut se révéler insurmontable. Fort heureusement pour Dibs, ses parents étaient suffisamment sensibilisés à leur enfant pour qu'eux aussi aient pu augmenter leur compréhension et mieux apprécier son évolution. Ce n'était pas seulement Dibs qui était en train de se trouver, c'étaient également ses parents.

CHAPITRE XVIII

Quand Mlle Jane m'appela, le lundi suivant, je me sentis un peu fébrile, car je brûlais de savoir ce qu'elle avait à me dire au sujet du comportement de Dibs, à l'école. La conduite que j'avais pu observer dans la salle de jeu n'avait certainement pas manqué de se manifester un peu en classe. Elle ne me laissa pas longtemps en suspens.

— Je suis heureuse de pouvoir vous annoncer que nous avons constaté de grands changements chez Dibs, me dit-elle. Ces changements se sont manifestés peu à peu, mais nous sommes très contentes de lui. Il nous répond, maintenant. Il lui arrive même parfois de prendre l'initiative d'une conversation. Il est heureux, calme et il s'intéresse aux autres enfants. La plupart du temps, il parle très bien, mais quand quelque chose le tracasse, il retombe dans son langage abrégé de bébé. Le plus souvent, il parle de lui-même en disant « Je ». Hedda en est folle de joie. Nous sommes toutes très heureuses de cette transformation. Nous avons pensé que vous aimeriez le savoir.

— Je suis assurément bien contente d'apprendre cela, lui dis-je. Pourrions-nous organiser une sorte de rencontre, afin que je puisse savoir plus de détails sur les changements survenus dans son comportement ? Pourrions-nous, par exemple, vous, Hedda et moi nous retrouver pour déjeuner l'un de ces jours ?

— Cela nous ferait infiniment plaisir, me dit Mlle Jane. Et je sais que cela plairait beaucoup à Hedda. Elle a pris en charge son groupe, parce que nous pensions qu'elle réussirait mieux auprès de Dibs. Elle avait vraiment très envie de se retrouver avec lui. Et elle l'a beaucoup aidé.

Nous déjeunâmes ensemble le lendemain et notre discussion au sujet de Dibs fut extrêmement révélatrice.

Il s'était risqué lentement, prudemment, à sortir de l'isolement qu'il s'était imposé à lui-même. Aucune d'entre nous n'avait douté que Dibs fût conscient de tout ce qui se passait autour de lui. Nous avions vu juste — il avait écouté et appris, tandis qu'il se cachait sous une table à deux pas du groupe ou qu'il s'asseyait en tournant le dos aux enfants en feignant le détachement. Peu à peu, il s'était approché plus directement du groupe. Au début, il donnait de brèves réponses aux questions qui lui étaient posées. Puis il se mit à faire ce que faisaient les autres enfants. Quand il entrait dans sa classe, le matin, il répondait à leurs bonjours. Il enlevait soigneusement son manteau et sa casquette et allait les accrocher à la patère qui lui était réservée au vestiaire. Il s'était peu à peu rapproché des autres enfants en tirant sa chaise de plus en plus près, au moment des histoires, de la musique, de la conversation. De temps à autre, il répondait à une question. Les maîtresses avaient habilement dirigé le groupe de telle façon que l'attention ne se fixât pas brutalement sur Dibs lorsqu'il acceptait de participer ou de parler. Mais il avait toujours la possibilité de prendre part aux activités.

— Il n'a pas eu de crise de colère depuis si longtemps que nous avons oublié qu'il en ait jamais eu, me dit Hedda. Il sourit aux autres enfants et à nous-mêmes. Au début, quand il est devenu membre de notre groupe, il se rapprochait de moi, me prenait la main et m'adressait très brièvement la parole. Je faisais très attention de n'accepter que ce qu'il consentait à m'offrir ; je ne l'ai jamais poussé. J'ai tenu à lui faire comprendre de manière amicale que je me rendais compte de tout ce qu'il faisait et disait et je l'ai encouragé à en faire davantage. Et puis, bien entendu, les autres enfants étaient tellement pris par leurs activités qu'ils ont accepté sans discussion tout ce qu'il faisait. Peu à peu, Dibs s'est mis à suivre nos indications et il s'est montré capable d'accomplir parfaitement tout ce qu'on lui demandait. Et puis il allait au chevalet et se mettait à peindre. C'est la première chose qu'il ait faite. Il se concentrait sur son travail comme s'il allait produire un chef-d'œuvre.

Hedda se mit à rire et sortit quelques-unes des peintures de l'enfant.

— Ce n'est pas un artiste, dit-elle. Mais au moins, il fait quelque chose.

Je regardai ce qu'il avait peint. C'étaient là les dessins très simples, typiques d'un enfant de six ans. La maison primitive. Les arbres. Les fleurs. Les couleurs étaient claires et vives. Mais pourquoi Dibs choisissait-il de peindre de telles choses, alors qu'il était capable d'un art beaucoup plus évolué ? Ces dessins auraient pu être l'œuvre de n'importe quel enfant de son âge — mais c'était là une production curieuse de la part d'un enfant dont les dessins et les peintures exécutés à la maison étaient bien supérieurs à ce que l'on pouvait attendre de son âge.

— J'ai apporté quelques autres exemples de son travail, me dit Hedda. Voilà quelques petites histoires qu'il a écrites. Il connaît l'alphabet, sait écrire en lettres d'imprimerie et épeler quelques mots.

Elle me passa ces papiers. Dibs avait écrit laborieusement :

Je vois un chat.
Je vois un chien.
Je vous vois.

— Nous avons accroché des images tout autour de la pièce où les mots sont écrits sous les objets et les enfants se reportent à ces tableaux quand ils ne savent pas comment épeler. Et quand un enfant veut écrire une histoire, nous l'aidons. Quelques-uns de nos enfants commencent à savoir lire. Certains lisent même assez bien. Et Dibs commence maintenant à participer à la lecture.

Je contemplai les mots que Dibs avait écrits si maladroitement. Des sentiments divers luttaient en moi. Ces simples petits dessins. Ces simples petites phrases. Pourquoi Dibs se mettait-il en dessous de son savoir-faire ? Ou bien étaient-ce là des signes de son adaptation à un groupe d'enfants de son âge ?

— Et il sait lire, aussi ! dit Hedda, pleine d'enthousiasme. Il s'est joint à un groupe de lecture. Il vient s'asseoir avec les autres enfants et ils trébuchent ensemble sur les mots. Et lorsque vient son tour, il lit les mots lentement, de façon mal assurée, mais d'habitude correctement. Je pensais vraiment qu'il était capable de lire mieux qu'il ne le fait, mais il lit aussi bien que n'importe quel enfant de son groupe ; de plus, il se donne du mal.

J'étais déconcertée par ce rapport. Il pouvait signifier plusieurs choses. L'enthousiasme des maîtresses avait assurément beaucoup d'importance pour Dibs. Si je leur disais qu'il pouvait faire infiniment mieux, elles seraient peut-être découragées et peu satisfaites de ses progrès. Dibs avait vécu trop longtemps dans deux mondes différents pour qu'aucun d'entre nous puisse espérer une intégration immédiate et complète.

Les progrès dans ses contacts avec autrui étaient le facteur le plus important de son développement actuel. Il n'y avait aucun doute quant à son intelligence — à moins que l'on ait voulu soulever la question du gaspillage de ses dons. Mais à ce stade de son évolution, une adaptation au monde n'était-elle pas plus importante pour Dibs qu'un étalage de sa capacité de lire, d'écrire et de dessiner d'une façon qui surpassait n'importe quel enfant de son groupe ? Quel est l'avantage d'un grand accomplissement intellectuel si celui-ci ne peut être utilisé de manière constructive pour le bien de l'individu, comme pour le bien des autres ?

— Ainsi vous pensez que Dibs fait des progrès dans son groupe ? dis-je — et cette remarque paraissait bien faible et bien peu satisfaisante à mon oreille.

— Il adore la musique, dit Mlle Jane. Il est toujours le premier à se lever dans son groupe. Il connaît toutes les chansons. Il fait partie de l'orchestre.

— Vous devriez le voir danser, reprit Hedda. Il propose de jouer le rôle d'un éléphant, ou d'un singe, ou du vent. Tout seul. Il est maladroit au début, mais une fois qu'il est pris par le jeu, ses mouvements sont pleins de grâce et de rythme. Nous ne le poussons pas à faire quoi que ce soit. Nous sommes heureuses de chaque petit pas qu'il fait et nous sentons qu'il prend plaisir à faire partie du groupe. Et je crois que l'attitude de sa mère à son égard a changé énormément. Quand elle amène Dibs ou qu'elle vient le chercher, elle se comporte d'une manière beaucoup plus agréable, plus plaisante et plus heureuse avec lui. Il lui prend la main et la suit très volontiers. C'est un enfant vraiment très intéressant.

— Oui. C'est un enfant très intéressant, remarquai-je.

Il semble faire tous les efforts dont il est capable pour être un individu et un membre de son groupe.

— Le changement le plus notable s'est produit à l'occasion de son anniversaire. Nous célébrons toujours l'anniversaire de chaque enfant. Il y a un gâteau d'anniversaire. Nous nous rassemblons en cercle, racontons une histoire, et puis, on apporte le gâteau avec les bougies allumées. Les enfants chantent *Bon Anniversaire* et l'enfant dont c'est l'anniversaire, vient se mettre près de moi et du gâteau. Puis il souffle les bougies. Nous coupons le gâteau et en offrons les parts à tous les enfants.

Eh bien, le jour où nous avons annoncé que c'était l'anniversaire de Dibs, nous ignorions ce qu'il allait faire. Autrefois, il ne participait jamais, bien que nous ayons toujours célébré son anniversaire comme celui de tous les enfants. Quand vint le moment d'entrer dans le cercle, Dibs était là, à mes côtés. Et quand nous chantâmes *Bon Anniversaire,* Dibs chanta plus fort que n'importe lequel des enfants. Il chantait : « Bon anniversaire, cher Dibs, bon anniversaire pour moi ! » Et quand le gâteau fut coupé, c'est lui qui l'offrit, part après part, avec un grand sourire aux lèvres. Il répétait sans cesse : « C'est mon anniversaire. Aujourd'hui, j'ai six ans. »

Les maîtresses étaient contentes de Dibs. Moi aussi. Mais il nous fallait aller plus loin. Dibs devait apprendre à s'accepter tel qu'il était et à utiliser ses dons, non à les nier. Mais sur le plan social comme sur le plan affectif, Dibs s'ouvrait de nouveaux horizons qui étaient d'une importance fondamentale pour son développement total. J'étais sûre que l'intelligence, dont Dibs faisait montre dans la salle de jeu et chez lui, allait se révéler également au cours de ses autres expériences. Ses facultés intellectuelles avaient été utilisées pour le mettre à l'épreuve. Elles étaient tout à la fois devenues une barrière et un refuge contre le monde qu'il redoutait. Elles lui avaient inspiré un comportement défensif pour se protéger. Elles avaient créé son isolement. Et si Dibs commençait à parler, lire, écrire et dessiner d'une façon bien supérieure à celle des autres enfants, ceux-ci l'éviteraient et il se retrouverait isolé à cause de ses différences.

Il y a beaucoup trop d'enfants doués qui se développent sur un seul plan et qui dépérissent dans leur monde solitaire. Une telle intelligence supérieure crée de sérieux problèmes d'adaptation personnelle et sociale. Il est nécessaire de répondre à *tous* les besoins essentiels de l'enfant, et lui donner un terrain où son intelligence puisse s'exercer d'une manière appropriée et équilibrée. Il existe des classes pour enfants doués, mais le comportement de Dibs n'était pas encore assez mûr pour lui permettre d'y entrer — et il était même douteux qu'une telle expérience fût déjà particulièrement bénéfique pour lui.

Dibs était profondément engagé dans la recherche de son moi. Qu'il fasse une chose à la fois et que l'on ait confiance dans les ressources profondes de cet enfant étaient deux conditions indispensables. Il fallait que l'atmosphère autour de lui fût détendue, optimiste, sensible.

— Nous avons eu une petite fête, à l'école, l'autre jour, dit Hedda, avec un sourire. Cela se passait dans la salle de réunion devant les autres enfants des petites classes. Nous n'étions pas certaines que Dibs fût mûr pour ce genre d'expérience, aussi avions-nous résolu de le laisser décider tout seul. En fait, nous avions convenu de laisser chaque enfant du groupe choisir s'il voulait participer activement à la fête ou non. Il s'agissait d'une histoire que le groupe avait inventée et jouée, avec des paroles et de la musique improvisées au fur et à mesure. Ce n'était jamais deux fois la même chose. Chaque jour, nous jouions notre histoire différemment. Qui veut être l'arbre ? Qui veut être le vent ? Qui veut être le soleil ? Vous savez comment ces pièces sont composées. Et puis, nous allions laisser le groupe décider qui devrait jouer tel rôle le jour où nous donnerions une représentation devant un public.

Nous ne savions pas quels étaient les sentiments de Dibs, ni ce qu'il allait faire. Nous faisons souvent ce genre de choses et, jusque-là, Dibs nous avait toujours ignorés. Mais cette fois, il se joignit au cercle et, un jour, proposa même d'exécuter une danse. Il voulait être le vent. Il soufflait et tournoyait et les enfants décidèrent tous qu'il devait faire le vent le jour de la fête. Dibs accepta. Il joua très bien son rôle. Brusquement, au beau milieu de la danse, il décida de chanter. Il inventa les paroles et la mélodie. C'était quelque chose comme cela : « Je suis le vent. Je souffle. Je souffle. Je monte. Je monte. Je monte au sommet des collines et je déplace les nuages. Je courbe les arbres et j'agite l'herbe. Nul ne peut arrêter le vent. Je suis le vent, un vent gentil, un vent que vous ne pouvez pas voir. Mais je suis le vent. » Il paraissait avoir oublié le public. Les enfants étaient surpris et ravis. Inutile de dire que nous l'étions aussi. Nous avons pensé alors que Dibs s'était trouvé et qu'il faisait maintenant partie de notre groupe.

Dibs était certainement sur la bonne voie, mais je n'aurais pas osé dire qu'il s'était déjà trouvé. Il avait encore beaucoup de chemin à parcourir. Sa recherche d'un moi était une expérience difficile et troublante. Elle l'amenait à être de plus en plus conscient de ses sentiments, de ses attitudes et de ses rapports avec ceux qui l'entouraient. Il y avait sans doute bien des sentiments que Dibs n'avait pas encore extirpés de son passé et projetés dans son jeu afin de se connaître mieux, de se comprendre et de se dominer. J'espérais qu'il ferait dans la salle de jeu de nouvelles expériences qui l'aideraient à connaître et à sentir les émotions qui existaient en lui, de sorte que toute haine et toute peur qui pourraient être encore emprisonnées en lui, seraient amenées au grand jour et vaincues.

CHAPITRE XIX

Lorsque Dibs arriva à notre rendez-vous suivant, il me demanda s'il pouvait passer cette heure-là dans mon bureau.

— J'ai remarqué que vous aviez un magnétophone, me dit-il. Est-ce que ça vous ennuierait si je faisais un enregistrement ?

Comme cela ne m'ennuyait pas le moins du monde, nous allâmes dans mon bureau. Je mis une bande, branchai l'appareil et expliquai à Dibs comment s'en servir. Il se saisit du micro avec impatience et mit le magnétophone en marche.

— Ici, Dibs, dit-il. Ecoute-moi bien, magnétophone. Tu vas attraper et garder ma voix. Ici Dibs, qui parle. Je suis Dibs. C'est moi.

Il arrêta l'enregistrement, rebobina la bande et s'écouta. Ensuite, il l'arrêta et me sourit.

— Ça, c'était ma voix, dit-il. J'ai parlé et il m'a enregistré. Je vais faire un long enregistrement et nous le garderons pour toujours et pour toujours. Ce sera juste pour nous deux.

Il mit à nouveau l'appareil en marche et recommença à parler dans le micro. Il déclina ses nom et prénom, donna son adresse et son numéro de téléphone. Puis il indiqua les noms et prénoms de tous les membres de sa famille, y compris sa grand-mère.

— Je suis Dibs et je veux parler, ajouta-t-il. Je suis dans un bureau avec Miss A et il y a un magnétophone, ici, et je suis en train de parler dedans. Je vais à l'école.

Il donna le nom et l'adresse de l'école.

— Il y a des maîtresses dans mon école.

Le nom de chacune des maîtresses fut enregistré en entier.

— Il y a des enfants dans ma classe et je vais vous dire le nom de tous les enfants.

Il récita les noms de tous les enfants.

— Guimauve, c'est notre lapin et c'est un gentil lapin, mais on le garde dans une cage. Pas de chance pour ce pauvre Guimauve. Quand je suis à l'école, je lis, j'écris et je compte. Maintenant, comment est-ce que je compte, déjà ? Un, deux, trois, quatre.

Il avait compté lentement et d'une voix hésitante.

— Qu'est-ce qui vient après quatre ? Oui, je vais t'aider, Dibs. C'est cinq, qui vient après quatre. C'est un, deux, trois, quatre, cinq. Eh bien, comme tu es gentil d'avoir appris à si bien compter !

Dibs applaudit.

— J'entends quelqu'un venir par la porte, poursuivit-il. Cela fait trop de bruit. Sois silencieux, lorsque tu es à la maison. Oh, c'est Papa. Qu'est-ce que ça veut dire, Papa, cette façon de claquer les portes ? Tu es stupide et tu ne fais pas attention. Je ne te veux pas avec moi quand tu te conduis comme cela. Je me moque de ce que tu veux. Je vais t'envoyer dans ta chambre et je t'y enfermerai à clef, pour que nous n'ayons pas à écouter quelqu'un d'aussi stupide et qui crie !

Dibs arrêta le magnétophone et alla à la fenêtre.

— Il fait une belle journée, dehors, dit-il. Miss A, pourquoi est-ce qu'il fait toujours une belle journée, quand je suis ici ?

— Est-ce qu'il te semble toujours qu'il fait beau, quand tu viens ici ?

— Oui, me répondit-il. Même s'il fait froid ou s'il pleut, c'est toujours une belle journée quand on est ici. Laissez-moi vous faire entendre l'enregistrement.

Il rebobina la bande et l'écouta depuis le début, le visage grave. Il fit passer les cris du père plusieurs fois, puis il laissa l'enregistrement se dérouler jusqu'à la fin.

— Papa n'aime pas être envoyé dans sa chambre, dit-il. Il n'aime pas qu'on dise qu'il est stupide.

Il retourna à la fenêtre.

— De cette fenêtre, je peux apercevoir quelques arbres, dit-il. Je compte huit arbres, dont je vois au moins une partie. C'est une bonne chose que d'avoir des arbres autour d'une maison. Ils sont si grands et si gentils.

Il revint au magnétophone et le remit en marche.

— Il était une fois un garçon qui vivait dans une grande maison avec sa mère, son père et sa sœur. Et un jour, le père rentra à la maison et alla dans son bureau et le garçon entra dans son bureau sans frapper. « Tu es méchant », lui cria le garçon. « Je te hais ! Je te hais ! Est-ce que tu m'entends ? Je te hais ! » Et le père se mit à pleurer : « S'il te plaît, dit-il. Je regrette. Je regrette tout ce que j'ai fait. S'il te plaît, ne me hais pas ! » Mais le garçon lui répondit : « Je vais te punir, homme stupide, si stupide. Je ne veux plus de toi ici. Je vais me débarrasser de toi. »

Il arrêta la bande et s'approcha de moi.

— C'est pour faire semblant, dit-il. J'invente une histoire au sujet de Papa. Je lui ai fait un tampon-buvard, à l'école. Et j'y ai mis un ruban rouge. Et puis, je lui ai fait un cendrier en terre et je l'ai fait cuire et je l'ai peint et je l'ai donné à Papa.

— Tu as fait quelques cadeaux pour Papa ? Et maintenant c'est pour faire semblant ?

— Oui. Mais écoutons.

Il écouta à nouveau son histoire. Puis il poursuivit l'enregistrement.

— Ici, Dibs, qui parle. Je déteste mon père. Il est méchant avec moi. Il ne m'aime pas. Il ne veut pas de moi à la maison. Je vais vous dire qui il est et vous vous méfierez de lui. C'est un homme méchant, très, très méchant.

Il indiqua une nouvelle fois les nom et prénom de son père et son adresse.

— C'est un savant, reprit-il. C'est un homme très occupé. Il veut que tout soit silencieux. Il n'aime pas le garçon. Le garçon ne l'aime pas.

Il arrêta la bande et vint me retrouver.

— Il n'est plus méchant avec moi, maintenant, me dit-il. Mais avant, il était méchant avec moi. Peut-être même qu'il m'aime bien, maintenant.

Il retourna à son enregistrement.

— Je te hais, Papa ! cria-t-il. Je te hais ! Ne m'enferme jamais plus à clef ou je te tuerai. Je te tuerai de toutes façons ! Pour toutes les méchantes choses que tu m'as faites !

Il rebobina la bande, l'enleva de l'appareil et me la tendit.

— Rangez ça, me dit-il. Mettez-la dans la boîte et rangez-la, et gardez-la juste pour nous deux.

— Très bien. Je vais la ranger et la garder juste pour nous deux, lui dis-je.

— Je veux aller dans la salle de jeu, me dit-il. Nous allons en finir une bonne fois pour toutes .

Nous allâmes dans la salle de jeu. Dibs sauta dans la caisse à sable et se mit à creuser un grand trou. Ensuite, il alla jusqu'à la maison de poupée et y prit la poupée qui tenait lieu de père.

— As-tu quelque chose à dire ? demanda-t-il à la poupée. Regrettes-tu toutes les choses méchantes que tu m'as dites quand tu étais en colère ?

Il secoua la poupée et la jeta à plusieurs reprises dans la caisse à sable. Enfin, il la frappa avec sa pelle.

— Je vais construire une prison pour toi et je mettrai un gros verrou sur la porte, dit-il. Tu regretteras toutes les méchantes choses que tu as faites.

Il alla chercher les cubes et les rangea dans le trou, construisant ainsi une prison pour le père. Il travaillait rapidement, adroitement.

— S'il te plaît, ne me fais pas cela, cria-t-il, en jouant le rôle du père. Je regrette de t'avoir fait du mal. S'il te plaît, donne-moi encore une chance.

— Je vais te punir pour tout ce que tu as fait, s'écria Dibs.

Il posa la poupée dans le sable et revint me voir.

— Avant, j'avais peur de Papa, me dit-il. Il était très méchant avec moi.

— Tu avais peur de lui, avant ?

— Il n'est plus méchant avec moi, maintenant, dit Dibs. Mais je vais le punir quand même !

— Même s'il n'est plus méchant avec toi, tu veux tout de même le punir ?

— Oui, répondit Dibs. Je vais le punir.

Il retourna dans la caisse à sable et se remit à construire sa prison. Il déposa le père dans la prison, mit une petite planche en guise de toit et la recouvrit de sable.

— Et qui va s'occuper de toi ? cria-t-il.

Dibs me regarda.

— C'est le père qui parle, me dit-il. Il dit qu'il regrette. Qui t'achètera des choses et prendra soin de toi ? Je suis ton père ! S'il te plaît, ne me fais pas de mal. Je regrette tout ce que je t'ai fait ! Oh, je regrette tellement. S'il te plaît, Dibs, s'il te plaît, pardonne-moi ! Je regrette tant.

Il continua à pelleter du sable, et la poupée qui représentait le père se trouva bientôt enterrée dans sa prison.

Dibs vint à moi et mit mon bras autour de sa taille.

— C'est mon père, me dit-il. Il prend soin de moi. Mais je le punis pour toutes les choses qu'il m'a faites et qui me rendaient triste et malheureux.

— Tu le punis pour toutes les choses qu'il te faisait avant et qui te rendaient si malheureux ?

Dibs alla jusqu'à la maison de poupée et prit le petit garçon entre ses mains.

— Le garçon entend son père qui appelle au secours et il court l'aider, dit-il.

Dibs sauta à nouveau dans la caisse à sable avec la poupée qui représentait le petit garçon.

— Vous voyez. C'est Dibs, me dit-il, en élevant la poupée pour que je la voie. Et il s'en va dans ce grand désert et il cherche la montagne qui a enterré son père dans cette prison et le petit garçon se met à creuser. Il creuse et il creuse.

Dibs prit la pelle et déterra la prison. Il souleva la planche et jeta un coup d'œil dans le trou.

— Ouais. Il est là ! annonça Dibs. Et il regrette tout ce qu'il a fait. Il dit : « Je t'aime, Dibs. S'il te plaît, aide-moi. J'ai besoin de toi. » Alors, le petit garçon déverrouille la prison et fait sortir son père.

Dibs prit le père avec délicatesse. Il tint la poupée qui figurait le père et celle qui figurait le petit garçon dans ses deux mains et les examina en silence. Il les porta jusqu'à la maison de poupée et les déposa côte à côte sur un banc.

Dibs essuya le sable de ses mains et se rendit à nouveau près de la fenêtre. Il demeura silencieux, tandis qu'il regardait au-dehors.

— Le garçon a sauvé son père et le père regrettait tout ce qu'il avait fait et qui avait blessé le garçon, dis-je. Il a dit qu'il aimait Dibs et qu'il avait besoin de lui.

Dibs se tourna vers moi, un petit sourire au coin des lèvres.

— J'ai parlé à Papa, aujourd'hui, me dit-il, d'une voix tranquille.

— Vraiment ? Et de quoi lui as-tu parlé ? lui demandai-je.

— Eh bien, il se trouvait dans la pièce où l'on prend le petit déjeuner et il finissait son café, tout en lisant le journal du matin. Je me suis avancé tout droit vers lui et je lui ai dit : « Bonjour Papa. Amuse-toi bien, aujourd'hui. » Et il a posé son journal et il m'a dit : « Bonjour, Dibs. Amuse-toi bien, toi aussi. » Et c'est vrai. Je me suis vraiment bien amusé, aujourd'hui.

Il fit le tour de la pièce en souriant, tout heureux.

— Dimanche, Papa nous a emmenés au bord de la mer, dans sa voiture. Nous sommes allés à Long Island et j'ai vu l'Océan. Papa et moi, nous sommes allés jusqu'au bord de l'eau et il m'a tout raconté au sujet des océans et des marées et des différences qu'il y a entre les océans, les lacs, les rivières, les ruisseaux et les étangs. Et puis, j'ai commencé à construire un château de sable et il m'a demandé s'il pouvait m'aider et je lui ai donné ma pelle et nous avons travaillé à tour de rôle. J'ai marché un peu dans l'eau, mais il faisait froid, alors je ne suis pas resté longtemps. Nous avons fait un pique-nique dans la voiture. Nous nous sommes bien amusés et maman souriait et souriait tout le temps.

— Tu t'es bien amusé avec ton papa et ta maman, dis-je.

— Oui, fit Dibs. C'était bien. Une promenade très agréable jusqu'à la plage et retour. Et il n'y a pas eu de paroles méchantes. Pas une seule.

— Et pas de paroles méchantes.

Il retourna à la caisse à sable et s'assit sur le bord.

— C'est là que j'ai fait une prison pour lui, où je l'ai enfermé à clef et où je l'ai enterré sous le sable. Je me suis demandé pourquoi je le ferais sortir de sa prison pour le libérer. Et puis je me suis dit que j'allais simplement le laisser tranquille. Que j'allais simplement le laisser être libre.

— Alors tu as décidé qu'il devrait être libéré ?

— Oui. Je ne voulais pas le garder enfermé à clef et enterré. Je voulais juste lui donner une leçon.

— Je comprends. Tu voulais simplement lui donner une leçon, dis-je.

Dibs sourit.

— Aujourd'hui, j'ai parlé à Papa, dit-il, avec un beau sourire de soulagement.

Il est intéressant de souligner que Dibs exprimait ses sentiments de vengeance et de haine plus ouvertement, plus directement et plus pleinement depuis qu'il se sentait plus en sécurité dans ses relations avec son père. Cela faisait plaisir d'apprendre qu'il avait désormais des expériences plus satisfaisantes avec son père, que ce dernier ne se contentait pas de donner tout un flot d'informations à propos des océans, des rivières et des fleuves, mais qu'il prenait la pelle à son tour et qu'il aidait son fils à construire un château de sable.

CHAPITRE XX

— Me revoilà ! s'écria Dibs, lorsqu'il entra dans la salle d'attente, le jeudi suivant. Il n'y aura plus beaucoup de fois où je pourrai venir, avant que nous partions pour l'été.

— C'est vrai. Environ trois fois, en comptant aujourd'hui, lui dis-je. Et puis nous partirons en vacances tous les deux.

— Nous irons dans l'île, me dit Dibs. Je pense que je vais aimer mes vacances, cette année. Et grand-mère a l'intention de passer l'été avec nous cette année, au lieu de venir à l'époque où elle prend ses vacances d'habitude. J'aime bien cette idée-là.

Il fit le tour de la salle de jeu. Puis il prit une poupée.

— Eh bien, voilà la sœur, s'exclama-t-il, comme s'il n'avait jamais vu la poupée auparavant. Quel mioche ! Je vais me débarrasser d'elle. Je vais lui faire manger un bon gâteau de riz. Seulement, j'aurai mis du poison dedans et je l'empoisonnerai et elle s'en ira loin et elle y restera pour toujours et pour toujours.

— Tu veux te débarrasser de la sœur ?

— Quelquefois, elle crie et elle griffe et elle me fait mal et j'ai peur d'elle. Quelquefois je la bats et je la griffe. Mais elle n'est pas souvent à la maison. Bientôt, pourtant, elle sera à la maison et elle passera l'été avec nous. Elle a cinq ans, maintenant.

— Quelquefois, vous vous battez tous les deux et vous vous griffez, hein ?

— Oui, dit Dibs. Mais elle n'est pas souvent à la maison. Elle était avec nous. pendant le dernier week-end.

— Et comment ça s'est passé ? lui demandai-je.

— Oh, fit Dibs, en haussant les épaules. Cela ne m'a rien fait. Quelquefois, j'ai joué avec elle. Mais je ne la laisse pas entrer dans ma chambre. J'ai trop de trésors chez moi. Et elle, elle essaie de les voler, de les attraper et de les déchirer. Alors, on se bat. Mais pas trop, maintenant. Elle va venir vivre à la maison, l'année prochaine. Elle ira dans la même école que moi, l'année prochaine.

— Et qu'en penses-tu ?

— Eh bien, cela m'est égal, déclara Dibs. Je crois que je suis content qu'elle vienne à la maison pour de bon. Elle a dû être très seule, là-bas, à l'école. Elle était à l'école de ma grand-tante. Mais tout le monde pense qu'elle devrait revenir à la maison.

— Et tu es content qu'elle vienne vivre à la maison ?

— Oui, vraiment, me répondit Dibs. Elle ne m'ennuie plus comme dans le temps. Quand je joue avec mes cubes et mes trains et mes voitures et mon jeu de construction, elle vient quelquefois dans ma chambre et elle joue avec moi. Elle me tend un cube ou une pièce du jeu de construction. Elle n'essaie plus de démolir tout ce que je construis. Et, quelquefois, moi, je joue avec elle. Dimanche, je lui ai lu une histoire. C'était un nouveau livre que Papa m'avait apporté. C'est l'histoire de l'électricité. Elle a dit qu'elle ne trouvait pas ça très intéressant, mais moi, j'ai trouvé que si. Je lui ai dit qu'il fallait qu'elle fasse attention et qu'elle apprenne tout ce qu'elle pouvait. J'ai trouvé que c'était une histoire passionnante. Papa a dit qu'il était dans une librairie et qu'il avait vu ce nouveau livre pour les enfants et qu'il avait pensé que cela me ferait plaisir. Et, en effet, il m'a fait plaisir.

Il alla jusqu'à la table et se mit à tripoter la pâte à modeler.

— Bientôt, ce sera l'été, dit-il. J'irai à la plage et je m'amuserai. Mais avant, je dois faire quelque chose

Il se dirigea vers le chevalet et prit un pot de peinture et un verre. Il versa un peu de peinture dans le verre, ajouta un petit peu d'eau et remua le tout lentement et soigneusement. Puis il ajouta d'autres couleurs à ce mélange et remua le tout.

— C'est le poison pour la sœur, dit-il. Elle croira que ce sont des *corn flakes* et elle les mangera et puis ça sera fini.

— Ainsi, c'est ça le poison pour la sœur. Et quand elle l'aura avalé, alors, ce sera fini ?

Dibs hocha la tête. Puis il me regarda.

— Je ne vais pas encore le lui donner tout de suite, dit-il. Je vais attendre et je vais y réfléchir.

Il alla jusqu'à la maison de poupée et en sortit la mère.

— Qu'as-tu fait au garçon, demanda-t-il à cette poupée. Que lui as-tu fait ? Tu es stupide et je t'ai dit et répété toujours la même chose. N'as-tu pas honte de toi ?

Il porta la mère jusqu'à la caisse à sable.

— Construis-moi une montagne ! lui ordonna-t-il. Tu vas rester là et tu vas la construire et bien ! Le garçon va monter la garde pour voir si tu fais ça comme il faut. Fais bien attention, parce que je vais te surveiller tout le temps. Oh, mon Dieu ! Oh, mon Dieu ! Pourquoi est-il comme cela ? Qu'ai-je fait pour mériter une chose pareille ? Tu vas construire cette montagne et ne viens pas me dire que tu ne sais pas faire. Je vais te montrer comment il faut s'y prendre. Je te le montrerai encore et encore et encore. Et tu dois le faire !

Il laissa tomber la mère dans le sable et alla se mettre à la fenêtre.

— C'est trop difficile à faire, dit-il. Personne ne peut construire une montagne. Mais je l'obligerai à le faire. Il faudra qu'elle construise cette montagne et qu'elle le fasse bien. Il y a la bonne façon et la mauvaise façon de faire les choses. Et tu le feras de la bonne façon !

Il s'avança jusqu'à la table et prit le biberon. Il tira sur la tétine un long moment, en me regardant d'un air solennel.

— Je ne suis qu'un bébé, dit-il. Je ne peux rien faire du tout. Quelqu'un doit prendre soin de moi et je serai un bébé. Bébé n'a pas besoin d'avoir peur. Grand-mère s'occupe du bébé.

Il sortit la tétine de sa bouche et plaça le biberon sur la table devant lui.

— Maman ne peut pas construire cette montagne, dit-il, doucement. Et les bébés ne peuvent pas construire de montagnes non plus. Personne ne peut construire une montagne.

— Maman ne peut pas ? Les bébés ne peuvent pas ? Est-ce que cela a l'air vraiment trop difficile ? lui demandai-je.

— Une grande tempête pourrait arriver et emporter tout le monde, dit-il.

— Ah oui ?

— Seulement je ne veux pas qu'elle le fasse, dit Dibs, tout bas. Personne ne doit être emporté par la tempête.

— Je comprends.

— Pourquoi ne construis-tu pas cette montagne ? hurla-t-il de nouveau. Pourquoi ne fais-tu pas ce que l'on te dit ? Si tu cries et si tu pleures, je vais t'enfermer à clef dans ta chambre.

Il leva les yeux vers moi.

— Elle essaie et elle essaie et elle essaie. Elle a peur, parce qu'elle n'aime pas être enfermée à clef dans sa chambre. Elle m'appelle pour que je vienne à son secours.

Il s'était planté au-dessus de la caisse à sable et regardait la mère qui se trouvait à ses pieds.

— Elle essaie de construire la montagne et elle a peur parce qu'elle n'aime pas être enfermée à clef dans sa chambre ? Elle te demande de venir à son secours ? dis-je.

— Oui, dit Dibs doucement.

Il retourna auprès de la poupée à laquelle il avait donné l'identité de la sœur. Il la prit dans ses bras.

— As-tu peur, pauvre petite sœur ? dit-il gentiment. Je vais m'occuper de toi. Je vais te donner le biberon et cela te consolera.

Il approcha la tétine des lèvres de la poupée qu'il berça avec tendresse.

— Pauvre petite sœur. Je vais m'occuper de toi. Je vais te laisser venir à mon goûter. Personne ne te fera du mal.

Il emporta la poupée jusqu'à un lit de poupée, la coucha délicatement et la couvrit soigneusement, mais il rapporta le biberon jusqu'à la table et se remit à sucer la tétine.

— Tu vas aider la petite sœur, remarquai-je.

— Oui, me répondit-il. Je vais m'occuper d'elle.

Il demeura silencieux un long moment.

— Aujourd'hui, à l'école, deux de nos poissons sont morts, dit-il. Nous ne savons pas ce qui leur est arrivé. Hedda a dit qu'ils étaient déjà morts ce matin.

— C'est vrai ? dis-je.

— Aujourd'hui, à l'école, j'ai fait un livre pour maman, dit-il. Elle aime bien les fleurs, aussi j'ai découpé des images de fleurs dans un catalogue de pépiniériste. Je les ai collées sur du papier de couleur et j'ai écrit le nom de la fleur sous chaque image. Et puis, j'ai cousu toutes les pages ensemble avec du coton vert.

— Ça, c'est intéressant. Et qu'as-tu fait du cahier ?

— Il est encore à l'école, dit Dibs. Je vais faire quelque chose pour Papa. Et j'essaie de trouver quelque chose que je pourrais faire pour Dorothy. Quand j'aurai quelque chose pour chacun d'eux, j'emporterai tout à la maison.

— Alors tu as l'intention de faire un cadeau à chacun d'eux ?

— C'est bien mon intention, dit Dibs. Seulement, je n'arrive pas à savoir ce que je vais faire pour ma sœur. Je fais un presse-papier pour Papa.

— Tu veux faire quelque chose pour chaque membre de ta famille ?

— Oui. Je ne veux pas qu'il y ait quelqu'un d'oublié, dit-il. Je vais donner à grand-mère un petit morceau du bout de la branche de mon vieil arbre favori.

— Grand-mère aimera sûrement cela.

— Sûrement. C'est l'un de mes trésors, dit Dibs.

Il retourna à la caisse à sable.

— Comment, maman ! s'écria-t-il. Qu'est-ce que tu fais là toute seule ? Tu n'as pas besoin de construire une montagne. Viens ici, je vais t'aider.

Il berça doucement la mère entre ses mains. Il vint vers moi.

— Quelquefois, elle pleurait, dit-il, à voix très basse. Il y avait des larmes dans ses yeux et elles coulaient sur ses joues et elle pleurait. Je pense que peut-être elle était triste.

— Peut-être qu'elle était triste, dis-je.

— Je vais la remettre dans la maison avec la famille, m'annonça-t-il. Je vais tous les installer autour de la table de la salle à manger, où ils peuvent être ensemble.

Je l'observai, tandis qu'il plaçait soigneusement la famille de poupées autour de la table de la maison. Il s'agenouilla auprès de la maison et leur chanta doucement quelque chose.

— « Nous nous rassemblons pour demander la bénédiction du Seigneur. »

Il s'interrompit brusquement.

— Non. Je ne peux pas chanter cette chanson-là, dit-il. Celle-là, elle n'est que pour grand-mère. Ces gens-là ne vont pas à l'église.

Il traversa la pièce et s'arrêta devant le chevalet. Il peignit des taches de couleurs vives.

— Ça, ça veut dire le bonheur, me dit-il.

Il passait à grands coups de pinceau les couleurs sur son papier.

— Les couleurs sont toutes heureuses et elles sont toutes ensemble. Elles sont douces et gentilles. Il n'y aura plus que deux jeudis après celui-ci.

— Oui. Encore deux jeudis et ce seront les vacances d'été. Peut-être pourrais-tu revenir encore une fois à l'automne, si tu veux, lui dis-je.

— Vous allez me manquer, me dit-il. Ça va me manquer de ne plus venir. Est-ce que je vais vous manquer ?

— Oui. Tu me manqueras, Dibs.

Il vint me tapoter la main et me sourit.

— Nous serons tous les deux loin d'ici pendant l'été, me dit-il.

— Oui, nous serons loin.

— C'est une merveilleuse salle de jeu, dit-il. C'est une pièce heureuse.

Cette pièce avait été heureuse quelquefois, pour Dibs, mais il y avait également vécu des moments tristes, alors qu'il mettait au jour ses sentiments et revivait des expériences passées qui l'avaient blessé profondément.

A présent, Dibs se tenait devant moi la tête haute. Il possédait un sentiment de sécurité profondément enraciné en lui. Il était en train de devenir responsable de ses sentiments. Ses sentiments de haine et de vengeance étaient tempérés par de la pitié. Dibs était en train de développer un concept du moi, tout en errant encore dans le taillis de ses sentiments mal démêlés. Il savait haïr et il savait aimer. Il savait condamner et il savait pardonner. Il apprenait par l'expérience que les sentiments peuvent être tournés et retournés et perdre leurs angles aigus. Il apprenait aussi bien à dominer qu'à exprimer ses sentiments. Cette connaissance de soi qui ne cessait de croître, allait lui permettre d'utiliser ses capacités et ses émotions de manière plus constructive.

CHAPITRE XXI

J'avais emprunté une série de tests ayant trait au monde et elle était dans la salle de jeu lorsque Dibs y entra la semaine suivante. Ce matériel comprend de nombreuses figurines très détaillées : des personnages, des animaux, des bâtiments, des arbres, des haies, des voitures, des avions, etc. Il a été conçu avant tout pour tester la personanlité, mais je n'avais pas l'intention de l'utiliser dans ce sens-là avec Dibs. J'avais pensé que ces petites figurines lui plairaient et que s'il avait envie de jouer avec, son jeu pourrait se révéler intéressant. Je n'avais pas l'intention de lui proposer d'en faire usage — ou, même, d'intervenir le moins du monde pour diriger ses activités en utilisant un matériel donné. Je l'avais simplement apporté pour qu'il le prenne s'il en avait envie.

Il aperçut immédiatement le coffret qui contenait le matériel et l'ouvrit sans plus tarder.

— Nous avons là quelque chose de nouveau ! s'écria-t-il. Oh, regardez toutes ces petites choses.

Il tria rapidement les objets.

— Il y a des petits personnages et des bâtiments et des animaux. Qu'est-ce que c'est ?

— Tu peux construire un monde avec tout cela, si tu veux, lui dis-je. Il y a là une feuille que l'on peut poser sur le sol et ces rayures bleues représentent l'eau.

— Oh, bon ! Mais c'est intéressant, ça ! s'exclama-t-il. Ça peut faire une ville pour des poupées. Et je peux construire cette ville exactement comme j'en ai envie.

— Oui, c'est ça.

Dibs étendit la feuille de papier, puis il s'assit par

terre à côté des différents éléments. Il sélectionna les objets avec le plus grand soin. Il choisit une église, une maison et un camion.

— Je vais construire un monde à moi, me dit-il, d'un ton joyeux. J'aime bien ces petites maisons et ces petits personnages et toutes ces choses-là. Je vais vous raconter l'histoire de ce que je suis en train de construire pendant que vous regarderez la ville se monter.

Il prit tout d'abord une petite église blanche.

— Voilà l'église. C'est une grande église toute blanche. Une église pour Dieu et pour les petits personnages. Et voilà les choses de la ville.

Il choisit des maisons, des camions, des voitures.

— Ce sont des choses que l'on trouve dans la ville. Les maisons et les camions sont pleins de bruits. C'est le bruit de la ville.

Il commença à mettre en place les rues.

— Les maisons se suivent l'une derrière l'autre. C'est toute une ville. Et voilà une petite rue bien tranquille qui se trouve à l'écart. Ici il y a une route qui va à l'aéroport et l'aéroport se trouve près de l'eau. Je mettrai les avions là, sur l'aéroport. Ici, sur l'eau, je mettrai ces petits bateaux. Oh ! Regardez ! Il y a des panneaux qui portent le nom des rues. Voilà la Deuxième Avenue et il y a une Deuxième Avenue ici, à New York. Et voilà un feu rouge.

Dibs était absorbé dans la construction de son monde.

— Voilà le rouge et voilà le vert. Et voilà une barrière et puis voilà une haie. Et cet avion-là vole au-dessus de tout ça.

Il fit voler l'avion avec un grand geste au-dessus de sa ville.

— Le bateau est là, sur la rivière, il monte et il descend la rivière. Maintenant, il y a trois avions à l'aéroport. Et là, il y a un hôtel. Où est-ce que je vais pouvoir mettre cet hôtel ? Je vais le mettre ici, et devant sa porte, je vais mettre un kiosque à journaux. Puis je vais mettre encore des maisons de ce côté-là. Maintenant, quelques magasins. Parce qu'il faut bien qu'il y ait des magasins pour les gens. Où sont-ils ? Les voilà. Et voici un hôpital et un garage. Là-dedans, il y a tout ce qu'il me faut pour construire mon monde, dit Dibs.

— Oui, cela m'en a l'air, répondis-je.

— Cet hôpital est un grand bâtiment. Je vais le mettre sur la Première Avenue. C'est ce qu'indique cette plaquelà. Oui. Ce sera l'hôpital. Pour les gens malades. Et l'on y sent une odeur de maladie et de médicaments et c'est un triste endroit pour ceux qui y sont. Maintenant, voilà une jolie maison et elle se trouve du côté ensoleillé de la rue. Tout ça, c'est une grande ville très bruyante et elle a besoin d'un parc. C'est là que je vais faire un parc. J'y mettrai ces arbres-là et ces buissons. Voilà l'école. Non.

Il remit l'école dans la boîte.

— Voilà une autre maison. Toutes ces maisons se touchent et les gens vivent dedans. Ils sont voisins et ils sont gentils les uns envers les autres. Maintenant, je vais mettre une barrière autour de l'aéroport. Je vais mettre une barrière à cause de la sécurité. Et maintenant, les haies.

Il s'empara des haies en caoutchouc-mousse vert.

— Ce sont toutes des plantes qui grandissent. Les haies et les arbres. Beaucoup d'arbres. Tous alignés le long de l'avenue. Tous ces arbres portent des feuilles. C'est une ville en été.

Il s'assit sur ses talons et leva les yeux vers moi. Il s'étira et sourit.

— Le bel été plein de verdure ! A la limite de la ville, il y a une ferme. Je vais y mettre quelques vaches, là.

Il aligna les vaches.

— Elles s'en vont toutes à l'étable. Elles se sont toutes mises sur un rang parce qu'elles attendent qu'on les traie.

Il se pencha à nouveau sur la boîte et choisit quelques autres éléments.

— Et maintenant, c'est le tour des gens ! s'écria-t-il. Dans une ville, il faut qu'il y ait des gens. Et voilà le facteur.

Il éleva le petit personnage pour que je le voie.

— Le facteur a une sacoche pleine de lettres et vous voyez, il fait sa tournée et il s'arrête devant chaque maison. Chacun reçoit une lettre pour lui tout seul. Et Dibs — même Dibs reçoit une lettre pour lui tout seul. Puis le facteur s'en va là, à l'hôpital pour que les gens malades ou blessés reçoivent du courrier, eux aussi. Et quand ils en reçoivent, ils sourient au fond d'eux-mêmes. Le camion s'en va à l'aéroport. Cette barrière retient les avions, comme ça ils ne peuvent pas rouler en dehors et faire du mal aux gens. Et cet avion-là s'envole dans le ciel.

Il fit voler un avion au-dessus de la ville.

— Regardez ! s'écria-t-il. Au-dessus de la ville, il s'envole au-dessus de la ville. Ce gros avion écrit « Pepsi-Cola » dans le ciel bleu et cela fait des ronds dans le ciel et l'on aperçoit un peu de blanc du fond du ciel au travers de ces ronds-là. Et puis voilà que le fermier s'en va voir...

Dibs interrompit son jeu et demeura assis là, en silence, contemplant le monde qu'il était en train de construire. Il poussa un soupir. Il sortit d'autres personnages du fond de la malle.

— Voilà les enfants et leur mère, dit-il. Ils vivent ensemble dans une gentille maison, une ferme. Voilà quelques petits agneaux et des poulets. Et puis voilà la mère qui s'en va sur la route, et qui suit une rue et qui entre dans la ville. Je me demande où elle va. Peut-être qu'elle va chez le boucher pour acheter de la viande ? Non. Elle continue à suivre la rue, longtemps, longtemps, jusqu'à ce qu'elle arrive tout près de l'hôpital. Je me demande pourquoi elle reste là près de l'hôpital.

— Je me le demande, moi aussi, dis-je.

Dibs demeura immobile un long moment. Il ne quittait pas des yeux le personnage de la mère.

— Eh bien, dit-il finalement. Elle est là et elle se trouve tout à côté de l'hôpital. Il y a beaucoup de voitures qui roulent dans cette rue et puis il y a une voiture de pompiers.

Il fit monter et descendre les voitures et l'autopompe tout au long de la rue, en imitant le bruit des moteurs.

— Bon. Où sont les enfants ? Oh, voilà l'un des enfants. Il s'en va tout seul vers la rivière. Pauvre petit enfant, il est tellement seul. Et le crocodile nage dans cette rivière. Et voici un gros serpent. Quelquefois, les serpents vivent dans l'eau. Le garçon se rapproche de plus en plus de la rivière. Il se rapproche du danger.

Une fois de plus, Dibs interrompit son activité pour examiner le monde qu'il avait construit. Brusquement, il sourit.

— Je suis un bâtisseur de villes, dit-il. Voilà la cuisinière qui s'en va vider les ordures. Et cette femme-là s'en va dans les magasins. Mais cette femme-ci, elle va à l'église pour chanter une chanson, parce qu'elle est bonne.

Il plaça un autre enfant auprès de celui qui se trouvait déjà au bord de la rivière.

— Cet enfant est parti à la recherche du garçon, expliqua-t-il. Le garçon s'avance dans la rivière, maintenant, et il ne sait pas qu'il y a un crocodile et un serpent. Mais l'autre garçon est son ami et il lui crie de faire attention et il lui dit de monter dans un bateau. Le garçon est monté dans le bateau. Vous voyez ? Il est en sécurité dans le bateau. Les deux garçons montent tous les deux dans le bateau et ils sont amis.

Il déposa les deux petits garçons dans un bateau.

— Voilà un agent qui dirige la circulation. Il le fait pour le bien de tout le monde.

Il plaça quelques nouvelles plaques au coin des rues de sa ville.

— Dans certaines de ces rues, on peut circuler dans les deux sens, mais dans d'autres, on ne peut avancer que dans un seul sens et cette rue-là, c'est une rue à sens unique.

Dibs sortit l'école de la malle.

— Il est écrit là-dessus « école n° 1 ». Il nous faut une école. Les enfants doivent avoir une école où aller.

Il rit.

— Une école pour qu'ils puissent recevoir une éducation. Cet enfant-là — une petite fille —, elle reste chez elle. Elle va rester chez elle avec sa mère, son père et son frère. Ils veulent qu'elle reste à la maison pour qu'elle ne se sente pas seule.

Il prit tous les petits personnages et les plaça dans le monde qu'il avait construit. Il avait créé un monde peuplé d'hommes.

— Voilà notre maison, dit-il, en m'indiquant l'une des maisons. Il y a un grand arbre dans la cour, derrière cette maison. C'est un arbre très spécial. Et cet homme-là arrive dans la rue. Il rentre à la maison. C'est le père.

Dibs se releva et traversa la pièce pour aller jusqu'à un jeu de chevilles en bois. Il tapa énergiquement sur les chevilles.

— J'ai de nouveaux jouets avec lesquels je peux jouer, dit-il. J'ai une ville à bâtir avec des maisons et des gens et des animaux. J'ai bâti une ville — une grande ville très peuplée, toute tassée sur elle-même, comme New York. Il y a quelqu'un qui tape beaucoup à la machine dans ce bureau.

Il revint à sa ville et se laissa tomber par terre auprès d'elle.

— Cette éboueuse arrive dans la rue et le feu est

rouge, mais quand l'agent voit l'éboueuse, il met le feu vert et le camion continue gaiement sa route. Un chien arrive dans cette rue et l'agent fait passer le feu du rouge au vert pour que le chien n'ait pas à attendre et comme ça le chien poursuit gaiement son chemin. Attendez. Attendez. Passez. Passez. Je vous dis qu'il y a plein de vie dans cette ville-là. Les choses bougent. Les gens vont et viennent. Des maisons et des églises et des voitures et des gens et des animaux et des magasins. Et puis loin, très loin, là-bas, des animaux dans une ferme avec des prés verts et frais.

Soudain, il s'empara de l'autopompe et la fit descendre la rue à toute vitesse.

— On a appelé la voiture des pompiers parce que la maison brûle et que les gens sont prisonniers du feu, à l'étage — des grandes personnes. Ils crient, ils hurlent, parce qu'ils ne peuvent pas sortir. Mais la voiture des pompiers arrive et verse de l'eau. Ils ont tous affreusement peur, mais ils vont être sauvés.

Dibs rit doucement en lui-même.

— Dis donc, Dibs, mais c'était ton père. Et c'était ta maman.

Il revint vers la table et s'y assit. Il me regarda.

— Mon père est toujours très, très occupé, dit-il. Le docteur Bill est venu voir maman l'autre jour. Dans le temps, ils étaient de très bons amis. Il est resté longtemps et il a parlé à maman. Docteur Bill aime beaucoup maman. Docteur Bill a dit que j'allais très bien.

— Il a dit ça ?

— Ouais. « Sorti de l'auberge », il a dit. Je ne sais pas très bien ce qu'il veut dire par là. Lorsque je partirai, aujourd'hui, j'irai chez le coiffeur pour me faire couper les cheveux. Avant, je hurlais et je faisais toute une comédie, mais plus maintenant. Une fois, j'ai même mordu le coiffeur.

— Tu as fait ça ?

— Ouais. J'avais peur, mais maintenant, je n'ai plus peur.

— Alors tu n'as plus peur, maintenant ? fis-je.

— Je suppose que c'est parce que je grandis, répondit Dibs. Mais il faut que je termine ma ville. Je vais y mettre tous les arbres et tous les buissons et tous les arbustes pour que ma ville soit belle. Cette rue-là est très commerçante. Je vais mettre des gens partout dans la ville. Voilà un taxi qui va à la gare pour attendre l'arrivée d'un train. Les gens viennent en voir d'autres et tout le monde est heureux de voir ceux qui arrivent. Maintenant, voilà le facteur. Vous avez vu, il a suivi toutes les rues et il a apporté le courrier — des lettres — à tous les gens. Mais voilà Papa qui essaie de rentrer à la maison et il faut qu'il s'arrête devant ce feu qui est au rouge. Papa attend et il ne peut pas bouger avant que le feu change et que l'écriteau « passez » s'allume, mais l'écriteau dit toujours « attendez » et Papa ne peut pas bouger. Il y a beaucoup d'arbres partout. Les villes ont besoin des arbres parce qu'ils donnent une si bonne ombre. Regardez ma ville. Mon monde à moi. J'ai bâti un monde et c'est un monde plein de gens gentils.

Quand ce fut l'heure de partir, Dibs jeta un regard en arrière sur le monde qu'il avait construit — un monde plein de gens gentils. Mais « Papa » avait été arrêté net dans sa promenade par un feu de signalisation qui ne voulait pas le laisser rentrer chez lui. Et lorsque Dibs quitta la salle de jeu, il eut un petit sourire sur les lèvres, tandis qu'il laissait « Papa » immobilisé dans son monde plein de gens gentils.

Dibs avait construit un monde bien organisé, plein d'hommes et d'action. Son plan prouvait qu'il avait une grande intelligence et qu'il saisissait aussi bien le tout que les détails. Il y avait de l'intention, une intégration et un sens créateur dans son projet. Les jolis petits personnages l'avaient intéressé. Il avait construit un monde hautement développé, un monde chargé de sens. Il y avait eu des sentiments hostiles à l'égard des concepts de la mère et du père exprimés directement. La conscience de la responsabilité avait également trouvé son expression. Dibs était en train de grandir.

CHAPITRE XXII

Lorsque Dibs entra pour sa dernière séance avant les vacances d'été, il me demanda s'il pouvait passer une partie de son heure dans mon bureau. Il s'assit derrière ma table et me fixa, l'air grave.

— Aujourd'hui, c'est mon dernier jeudi, dit-il.

— Oui, c'est vrai.

— Je vais m'en aller pour l'été. Nous irons à la plage. Il y aura des tas d'arbres dans la campagne, mais pas d'arbres sur la plage. L'eau est si bleue. J'aime bien être là-bas. Mais ça me manquera de ne plus venir ici. Vous me manquerez, dit-il.

— Tu me manqueras aussi, Dibs. J'ai été très heureuse de te rencontrer.

— Je voudrais voir si mon nom est sur une carte dans votre fichier.

— Eh bien, regarde.

Il le fit. Son nom s'y trouvait.

— Est-ce que vous le garderez toujours, demanda-t-il. Vous souviendrez-vous toujours de moi ?

— Oui, Dibs. Je me souviendrai toujours de toi.

— Avez-vous la bande que j'avais enregistrée ?

— Oui. J'ai cette bande.

— Laissez-moi la voir encore une fois.

Je sortis la bande du classeur et je lui tendis la boîte. Son nom était inscrit sur le couvercle.

— Tu as été enregistré, Dibs, dit-il. Tu as fait parler cette bande. Cette bande a attrapé ma voix et elle l'a gardée. C'est ma voix sur une bande.

— Oui. C'est l'enregistrement que tu as fait.

— Est-ce que je peux ajouter encore quelques mots sur cette bande ? demanda-t-il.

— Si tu veux.

— Oui, je veux. Je vais attraper et garder ma voix sur cette bande. J'aime bien le magnétophone.

Nous posâmes la bande sur le magnétophone et écoutâmes le fragment qu'il avait enregistré. Puis il appuya sur une touche pour poursuivre.

— C'est la dernière fois que je viens dans cette salle de jeu, dit-il dans le microphone. C'est Dibs qui parle. C'est ma voix. Je suis venu dans la salle de jeu. J'ai fait tant de choses dans cette salle de jeu. Je suis Dibs.

Suivit un long silence.

— Je suis Dibs, répéta-t-il lentement. Peut-être qu'à l'automne je reviendrai ici encore une fois. Peut-être que je reviendrai une dernière fois à la fin de l'été. Je m'en vais pour tout l'été et je serai au bord de l'Océan. J'écouterai les vagues. Je jouerai dans le sable.

Il y eut une autre longue pause. Puis il arrêta l'enregistrement.

— Retournons dans la salle de jeu, dit-il. Je voudrais jouer encore avec le jeu du monde.

Nous retournâmes dans la salle de jeu. Dibs sortit les éléments du test et recommença à construire sa ville. Rapidement, il disposa les bâtiments et les arbres. Il mit les figurines un peu partout dans la ville. Puis il choisit quatre bâtiments et les plaça soigneusement.

— Vous voyez ces deux maisons ? me dit-il. Celle-ci est une maison. Et celle-là est une maison. Ce bâtiment-là est une prison et cet autre un hôpital.

Il mit les deux maisons côte à côte.

— Celle-ci, c'est votre maison, et celle-là, c'est ma maison à moi, dit-il, en indiquant les deux maisons qu'il venait de poser. La mienne est toute blanche et toute verte. Il y a des arbres et des fleurs et des oiseaux qui chantent tout autour. Toutes les portes et toutes les fenêtres sont grandes ouvertes. Vous vivez dans la maison tout à côté de la mienne. Vous avez une très belle maison, vous aussi. Et tout autour de votre maison, il y a des fleurs et des arbres et des oiseaux qui chantent. Il n'y a pas de barrière et il n'y a pas de haie entre votre maison et la mienne.

Il chercha parmi les bâtiments qu'il n'avait pas encore utilisés et en sortit la petite église. Il la plaça derrière sa maison.

— Voilà l'église, dit-il. Elle est derrière ma maison.
Il la déplaça un tout petit peu afin qu'elle soit à mi-chemin entre les deux maisons.

— Elle est entre et derrière nos deux maisons, dit-il. Nous partageons l'église. Nous partageons le carillon. Et nous écoutons tous les deux la musique qui sort de l'église. Maintenant, voici la prison. Elle est en face de ma maison. Et puis, voilà l'école. Vous voyez, nous partageons l'église et nous partageons l'école, mais la prison est toute à moi. Vous n'avez rien à faire avec les prisons. Vous n'aimez pas les prisons. Vous ne sauriez pas qu'en faire. Mais moi, si. Et puis, il y a un grand marronnier dans ma cour, derrière chez moi. Nous sommes en été et il y a beaucoup d'arbres — des arbres frais, des arbres verts, des arbres feuillus, pour que le vent puisse souffler dans leurs branches.

Il étendit les bras pour imiter les branches et se balança doucement dans le vent qu'il imaginait.

Brusquement, il se leva et se mit à arpenter la pièce. Il alla à la fenêtre.

— Il y a des voitures qui sont parquées, là, dehors, dit-il. Je n'aperçois personne pour le moment.

Il parut un peu inquiet, mais il retourna à sa ville, se laissa tomber par terre et commença à déplacer quelques-uns des personnages.

— Ici, c'est la rue de la prison, dit-il. Il n'y a pas d'arbres autour de la prison. Elle se trouve là. en bas, loin des autres gentilles maisons et loin de l'église. Elle est solitaire et froide. Mais cette église est toute proche de nos maisons, m'annonça-t-il, en touchant le clocher de l'église. Il y a une croix, au sommet de l'église, pour indiquer les points cardinaux. Mais ce bâtiment-là, c'est la prison. Et Papa va aller dans cette prison. Mon Papa. Son bureau se trouve au premier étage de la prison.

Dibs éclata de rire. Il fit rouler quelques-unes des petites voitures le long des rues, dans un sens et puis dans l'autre. Il fredonna une petite chanson. Il prit les petits personnages de la mère, du père, de la fillette et du garçon et les garda dans ses mains.

— Ça, ce sont les gens, dit-il. C'est le père, la mère, la sœur et le garçon. Maintenant, le père se trouve près de votre maison. Il ne sait pas quoi faire. Et ça, c'est la mère. Et ce garçon, c'est Dibs. Cette petite fille est près de son père. Elle s'en va en prison. La sœur et la mère vont en prison — parce que je n'ai pas besoin d'une sœur.

Il rejeta la petite poupée qui figurait la sœur, dans le coffret.

Il se leva et se promena à grands pas dans la pièce, en poussant de profonds soupirs.

— Le dimanche, dit-il, je reste généralement à la maison toute la journée. Le dimanche, c'est un jour de rien du tout. Jake disait que le dimanche était un jour sacré. Mais vous voyez cette prison ?

Il la prit et la tendit vers moi.

— Oui. Je vois la prison.

— C'est une prison à sens unique, déclara Dibs. C'est une prison à sens unique dans une rue à sens unique. Et l'on ne peut pas revenir en arrière une fois qu'on a été mis en prison. La sœur est partie, maintenant.

— Oui. Je m'en aperçois. La sœur est partie.

— Il y a trop de monde dans cette ville, annonça Dibs. Allez, les gens s'en vont dehors. Ils se répandent dans la campagne. Et toutes ces maisons et tous ces gens se mettent à bouger, et ils passent devant la maison de Dibs, devant votre maison, et ils s'en vont vers la campagne.

Il mit en place une autre maison.

— Ça, c'est la maison de grand-mère, annonça-t-il. Il n'y a pas d'arbres autour de sa maison. Elle adore les arbres, ainsi elle sera obligée de venir près de ma maison pour avoir le plaisir de voir les arbres.

Il chercha parmi les personnages et choisit un homme. Il l'examina soigneusement.

— Ça, c'est un grand garçon, dit-il. Je crois que c'est Dibs. Je vais sortir ce petit enfant et je mettrai à la place le Dibs qui a grandi.

Il fit l'échange des personnages. Il déposa un personnage féminin dans la rue.

— C'est grand-mère, me dit-il. Ma bonne grand-mère. Ma gentille grand-mère. Et le facteur apporte une lettre à Dibs. Dibs est grand maintenant. Je crois que Dibs est devenu aussi grand que Papa.

Il mit les deux personnages côte à côte et les mesura soigneusement.

— Oui, Dibs est aussi grand que le père et plus grand que la mère. Il y a des haies et des plantes partout. Elles poussent pour rendre la ville plus belle. Chaque petite plante verte aide la ville. Je vais mettre des barrières autour de l'aéroport à cause de la sécurité. La voiture des pompiers arrive dans la rue et elle se cogne aux voitures, parce que c'est une rue où il y a beaucoup de circulation. Mais il n'y a plus d'incendies. Tout le monde est en sécurité et tout le monde est heureux.

Il vint vers moi.

— Je vais m'en aller la semaine prochaine, me dit-il. Je serai parti tout l'été. Grand-mère va passer l'été avec nous. Mais lorsque je reviendrai, au mois de septembre, je voudrais revenir ici pour vous rendre visite.

— Je crois que nous pourrons arranger cela, lui dis-je. Et j'espère que tu auras un été très heureux.

Dibs me fit un grand sourire.

— J'ai reçu mon livre-souvenir de l'école, aujourd'hui, me dit-il. Ma photo est dedans. Je suis au premier rang, entre Sammy et Freddy. Et il y a aussi une histoire que j'ai écrite. J'ai écrit une histoire sur ma maison et sur le grand arbre si gentil qui se trouve devant ma fenêtre. Ils l'ont imprimée dans le livre de l'école. Vous souvenez-vous de ce que je vous avais dit au sujet de ce grand arbre si gentil ?

— Oui, je m'en souviens.

— Les oiseaux viennent dans cet arbre et j'ouvre ma fenêtre et je leur parle. Je les envoie à travers le monde dans différents pays. Je leur dis d'aller en Californie ou à Londres ou à Rome et de chanter des chansons et de rendre les gens heureux. J'adore les oiseaux. Nous sommes amis. Mais à présent, il y a encore quelque chose que je dois faire. Je dois sortir ma sœur du coffret et décider ce que je vais faire d'elle. Il faut qu'elle reste à la maison. Et lorsque le père revient de son bureau, il la gronde. Alors, la sœur va vivre avec les petits cochons. Et la mère aussi.

Il rit.

— Ce n'est pas tout à fait ça, dit-il. Ils vivent tous ensemble dans une maison. La mère, le père, la sœur et le garçon.

Il s'empara du petit garçon qu'il avait appelé Dibs et du personnage adulte qui figurait Dibs grandi. Il les tint tous les deux dans ses mains.

— Voilà le petit Dibs et voilà le grand Dibs, déclara-t-il. Ça, c'est moi, et ça, c'est moi.

— Je vois, dis-je. Tu es le petit Dibs et le grand Dibs.

— Et voilà une femme qui marche dans la rue. Elle vient vers ma maison. Qui est-ce ? Mais c'est Miss A. Elle vit ici, avec Dibs. Et la sœur vit ici, avec son père.

Elle n'a pas de mère. Juste un père qui lui achète les choses dont elle a besoin, mais qui la laisse toute seule pendant qu'il va travailler. La mère est tombée dans la rivière. Mais elle s'en est sortie sans mal et elle a eu très peur. Cette femme-là marche dans la rue. Elle va à l'église. Elle fait très bien d'y aller.

Il plaça le personnage près de l'église.

— Et ces hommes-là vont à la guerre. Ils vont se battre. Il y aura toujours des guerres et des combats, je suppose. Mais ces quatre personnes-là forment une famille et elles ont décidé d'aller faire une promenade à la campagne et elles y vont. Elles vont à la plage et elles sont heureuses. Et puis, grand-mère arrive et tous les cinq sont heureux d'être ensemble.

Dibs se pencha sur la ville et déplaça la prison.

— La prison se trouve tout à côté de Miss A, maintenant, et elle dit qu'elle n'aime pas les prisons et elle l'emporte très loin et elle l'enterre dans le sable et il n'y a plus de prison pour personne.

Dibs enterra la prison dans la caisse à sable.

— Et puis, il y a ces deux maisons. Votre maison et ma maison et elles commencent lentement à s'éloigner l'une de l'autre.

Lentement, il éloigna les deux maisons l'une de l'autre.

— Ma maison et celle de Miss A s'éloignent de plus en plus l'une de l'autre — elles sont à deux kilomètres de distance environ. Et la sœur est maintenant la petite fille de Miss A. Elle se rend dans sa maison pour lui faire des visites.

Il plaça la petite sœur et Miss A près de la maison.

— C'est très tôt le matin et le grand Dibs va à l'école. Il a des amis à l'école. Mais ce petit garçon est le petit Dibs.

Il prit le petit personnage dans sa main et l'examina attentivement.

— Ce petit garçon est très malade. Il va à l'hôpital et il dépérit. Il devient de plus en plus petit, si petit, même, qu'il disparaît complètement.

Il fit quelques pas et enterra le personnage dans le sable.

— Ce petit garçon a disparu, maintenant, dit-il, mais le grand Dibs, lui, est grand, fort et courageux. Il n'a plus peur.

Il leva les yeux vers moi.

— Grand et fort et courageux et il n'a plus peur, répétai-je.

Il poussa un soupir.

— Nous allons nous dire au revoir, aujourd'hui, dit-il. Je ne reviendrai pas avant longtemps. Vous, vous partirez, et moi, je partirai aussi. Nous prendrons des vacances. Et je n'ai plus peur.

Dibs en était arrivé à s'accepter. Au cours de son jeu symbolique, il avait révélé ce qui l'avait blessé, tout ce qui lui avait fait de la peine. Il en était sorti avec la conscience de posséder force et sécurité. Il était parti à la recherche d'un moi qu'il puisse revendiquer avec fierté. A présent, il commençait à se construire un concept du moi qui était plus en harmonie avec ses capacités. Il était sur le point de parvenir à une intégration personnelle.

Les sentiments d'hostilité et de vengeance qu'il avait exprimés à l'égard de son père, de sa mère et de sa sœur réapparaissaient encore par instants, mais ils n'étaient plus empreints de haine ou de peur. Il avait échangé le petit Dibs effrayé, qui n'avait pas encore assez de maturité, contre une conception de soi que venaient renforcer des sentiments d'adaptation, de sécurité et de courage. Il avait appris à comprendre ses sentiments. Il avait appris à les reconnaître et à les dominer. Dibs n'était plus submergé par ses sentiments de peur et de colère, de haine et de culpabilité. Il était devenu une personne véritable. Il avait trouvé le sens de la dignité et du respect de soi. Grâce à cette nouvelle confiance en soi et à ce sentiment de sécurité, il allait pouvoir apprendre à accepter et à respecter d'autres personnes qui faisaient partie de son monde. Il ne craignait plus d'être lui-même.

CHAPITRE XXIII

Je ne rentrai de vacances que le 1er octobre. Divers messages m'attendaient. L'un d'eux venait de la mère de Dibs. Je l'appelai, curieuse de savoir quelles expériences l'été avait réservées à sa famille.

— Dibs voudrait vous voir encore une fois, me dit-elle. Le 1er septembre, il m'a déclaré qu'il voulait aller vous rendre visite une fois de plus, mais je lui ai expliqué que vous ne seriez pas de retour avant le mois d'octobre. Il ne m'en a plus reparlé jusqu'au 1er. Puis, il m'a dit : « Maman, c'est le 1er octobre, maintenant. Tu m'as dit que Miss A serait rentrée ce jour-là. Appelle-la et dis-lui que je voudrais aller la voir encore une fois et qu'après ce sera fini. » Voilà pourquoi je vous avais appelée.

Elle rit doucement.

— Il a été merveilleux, reprit-elle. Nous avons passé un été extraordinaire. Je ne saurais vous dire à quel point nous sommes heureux et combien nous vous sommes reconnaissants. Ce n'est plus le même enfant. Il est joyeux, détendu. Ses rapports avec nous tous sont excellents. Il parle tout le temps. Il n'a pas vraiment besoin de retourner vous voir, aussi, si vous êtes trop occupée, dites-le-moi simplement et je me chargerai de l'expliquer à Dibs.

Inutile de préciser que je n'étais pas trop occupée s'il s'agissait de revoir Dibs. Je fixai notre rendez-vous au jeudi suivant.

Dibs entra d'un pas alerte, un beau sourire aux lèvres, les yeux brillants. Il s'arrêta un instant auprès des secrétaires qui, installées dans le premier bureau, tapaient à la machine et transcrivaient des bandes magnétiques.

Il leur demanda ce qu'elles faisaient et si elles aimaient leur travail.

— Etes-vous heureuses ? s'enquit-il. Vous devriez être heureuses !

Il y avait un changement très net depuis da dernière visite au Centre. Il était très à l'aise et s'extériorisait facilement. On le sentait heureux. Il y avait de la grâce et de la spontanéité dans tous ses mouvements. Lorsque j'entrai dans la salle d'attente pour l'accueillir, il se précipita à ma rencontre et me tendit la main pour me dire bonjour.

— Je voulais vous voir encore une fois, me dit-il. Et me voici. Allons d'abord dans votre bureau.

Nous entrâmes dans mon bureau. Il se planta au milieu de la pièce et l'examina, le sourire aux lèvres. Il fit le tour de la pièce en courant et toucha le bureau, les classeurs, les chaises, les étagères. Il poussa un soupir.

— Quel endroit merveilleux, quel endroit heureux ! s'exclama-t-il.

— Tu as aimé venir ici, n'est-ce pas ? lui dis-je.

— Oh oui, répondit-il. J'ai tellement, tellement aimé venir ici. Il y a tant de choses merveilleuses, ici.

— Quelles choses merveilleuses ? demandai-je.

— Des livres ! Des livres et des livres et des livres.

Il laissa courir légèrement ses doigts sur le dos des livres.

— J'adore les livres, déclara-t-il. Vous ne trouvez pas ça drôle, vous, que les petites taches noires jetées sur du papier puissent faire tant plaisir ? Des morceaux de papier et des petites, des minuscules petites taches noires dessus et vous avez une histoire

— Oui, lui dis-je. C'est en effet très remarquable.

— C'est vrai.

Dibs se pencha par la fenêtre.

— Il fait beau. Et c'est une si jolie fenêtre pour s'y pencher.

Il s'assit à ma table de travail, se saisit du fichier, examina les cartes et eut un large sourire.

— Eh bien, mais vous n'avez laissé là-dedans que vous et Dibs ! s'écria-t-il. Il n'y a personne d'autre dans cette boîte-là que vous et moi. Nous deux, c'est tout.

— Est-ce que tu ne me l'avais pas demandé ?

— Si. J'avais demandé que ça reste comme ça. Avez-vous jeté les cartes de tous les autres gens ?

— Non. Je les ai mises dans une autre boîte, dans le classeur que tu vois là-bas.

— Et celle-ci, vous l'avez gardée rien que pour nous ?

— Comme tu as dit que tu le voulais.

Dibs s'appuya au dossier de la chaise et me regarda longuement. Un air de gravité s'était peint sur son visage.

— C'est comme ça que ça a toujours été, dit-il lentement. « Comme tu as dit que tu le voulais », répéta-t-il.

Il sourit, brusquement.

— Comme j'ai dit que je le voulais, s'écria-t-il.

Il tendit la main et prit une carte blanche. Il choisit un crayon et écrivit quelque chose sur la carte. Penché sur la carte, il écrivit soigneusement et délibérément quelque chose en lettres d'imprimerie. Puis il me la tendit.

— Lisez ça, me dit-il. Lisez-le-moi.

— Au revoir, chère pièce, avec tous tes beaux livres. Au revoir chère table. Au revoir, fenêtre qui s'ouvre sur le ciel. Au revoir, vous, les cartes. Au revoir, chère dame de la merveilleuse salle de jeu.

Je lui avais lu son message.

Il tendit la main pour reprendre la carte.

— Je voudrais ajouter quelque chose, dit-il.

Il écrivit quelque chose sur le dos de la carte et me la rendit. Il avait ajouté trois lignes : Comme tu as dit que tu le voulais. Comme j'ai dit que je le voulais. Comme nous avons dit que nous le voulions.

Quand j'eus fini de lire, il reprit la carte et la classa avec nos deux fiches.

— Retournons à la salle de jeu, dit-il. Allons-y ! Allons-y ! Oh, allons-y !

Il pénétra dans la salle de jeu en courant, étendit les bras, fit plusieurs pirouettes et éclata de rire.

— Oh, ce qu'on s'amuse ! Ce qu'on s'amuse ! Ce qu'on s'amuse, ici, s'écria-t-il. Quelle merveilleuse salle de jeu !

Il courut vers le lavabo, ouvrit le robinet à fond et fit un pas en arrière, riant, tout joyeux.

— Eau. Eau. Eau. Sors donc et jaillis. Eclabousse tout. Amuse-toi !

Puis il ferma le robinet, me sourit et se dirigea vers le chevalet.

— Bonjour, les peintures, dit-il. Est-ce que vous êtes

toutes mélangées ? Ouais. Je vois bien qu'on vous a toutes mélangées.

Il s'empara du pot de peinture jaune et se tourna vers moi.

— Vous voulez que je vous dise ?

— Quoi donc ?

— J'aimerais bien la renverser exprès sur le plancher.

— Vraiment ? Simplement la renverser exprès sur le plancher ?

— Oui, déclara Dibs. Et même je vais le faire.

— Non seulement tu as envie de le faire, mais tu vas le faire ?

Dibs dévissa le couvercle. Il inclina le pot et la peinture se mit à couler lentement, formant une flaque sur le sol.

— Ça fait une jolie tache de peinture, dit-il.

— Ça te plaît, n'est-ce pas ?

— J'aime bien la renverser comme ça. J'aime bien m'en débarrasser.

Lorsque le pot fut vide, il alla le mettre dans le lavabo.

— Maintenant, dites-moi, y a-t-il une raison pour laquelle on ne devrait employer la peinture que pour peindre ? Dans une salle de jeu ? Je n'ai jamais aimé cette peinture jaune et je me sens beaucoup mieux depuis que je l'ai renversée et que je m'en suis débarrassé. Maintenant, je vais aller chercher des chiffons et je vais tout essuyer.

Il sortit quelques chiffons et essuya la flaque de peinture du mieux qu'il put. Puis il vint vers moi.

— Je n'arrive pas à m'expliquer tout ça, me dit-il.

— Qu'est-ce que tu n'arrives pas à t'expliquer ? lui demandai-je.

— Tout ça. Et puis vous. Vous n'êtes pas une mère. Vous n'êtes pas une maîtresse d'école. Vous n'êtes pas un membre du club de bridge de maman. Qu'est-ce que vous êtes ?

— Tu n'arrives pas à comprendre quelle sorte de personne je suis, c'est ça ?

— Non, je n'y arrive pas, dit Dibs.

Il haussa les épaules.

— Mais ça n'a pas vraiment d'importance, déclara-t-il, en me regardant droit dans les yeux. Vous êtes la dame de cette merveilleuse salle de jeu.

Brusquement, il s'agenouilla et fit courir ses doigts le ong de mes jambes. en examinant de près mes bas à filet.

— Vous êtes la dame qui a des centaines de petits trous dans ses bas, dit-il, en éclatant de rire.

Il se releva d'un bond, courut à la table et s'empara du biberon.

— Biberon, lui dit-il, cher petit biberon réconfortant. Quand j'ai besoin de toi, tu me consoles.

Il tira sur la tétine pendant quelques minutes.

— J'étais à nouveau un bébé et j'aimais mon biberon. Mais Dibs qui a six ans n'a plus besoin de toi, maintenant. Au revoir, petit biberon, au revoir.

Il regarda tout autour de lui et ses yeux s'arrêtèrent sur le radiateur en fonte.

— Au revoir, petit biberon, au revoir. Je n'ai plus besoin de toi.

Il jeta le biberon sur le radiateur et le biberon se brisa en mille morceaux. L'eau qu'il contenait, se répandit sur le sol. Dibs s'approcha et regarda.

— J'en ai terminé avec lui, déclara-t-il.

— Tu n'as plus besoin du biberon, alors, maintenant, tu t'en es débarrassé ?

— Oui. C'est bien ça, fit Dibs.

Il se dirigea vers la caisse à sable et creusa vigoureusement.

— Enterre les choses. Enterre les choses. Enterre les choses. Et puis, déterre-les, si tu en as envie.

Il rit.

— Eh bien, vous savez, reprit-il, ce sable, c'est un bon matériau. On peut faire beaucoup de choses avec du sable. J'ai lu un livre là-dessus.

Il se dirigea ensuite vers la maison de poupée. Il rassembla les membres de la famille des poupées et les installa dans le salon.

— Braves petits personnages. Je vais vous dire adieu, maintenant. Et je vais vous installer là, dans le salon, et vous attendrez jusqu'à ce qu'un autre petit enfant vienne jouer avec vous.

Il se retourna et me regarda.

— Quand je serai parti, un autre enfant viendra ici et prendra ma place, non ?

— Oui. Un autre enfant viendra dans cette salle de jeu, lui dis-je.

— Vous voyez d'autres enfants, ici, à part moi, n'est-ce pas ? demanda Dibs.

— Oui. Je vois d'autres enfants.

— Cela rendra ces enfants-là heureux, déclara-t-il.

Il alla jusqu'à la fenêtre et l'ouvrit. Il se pencha et respira l'air.

— C'est par cette fenêtre que j'ai vu le monde, dit-il. J'ai vu les camions et les arbres et les avions et les gens et l'église qui sonne un, deux, trois, quatre, quand c'est l'heure de rentrer à la maison.

Il revint vers moi et me dit, presque dans un murmure :

— Même si je ne voulais pas rentrer chez moi, c'était tout de même mon chez-moi.

Il prit mes mains dans les siennes. Il me dévisagea un long moment.

— Je voudrais aller voir cette église, dit-il. Est-ce que nous pourrions aller jusque-là et marcher tout autour de l'église et puis entrer pour la visiter ?

— Je crois que nous pouvons faire cela, lui dis-je.

Faire une chose pareille était tout à fait hors de l'ordinaire, mais la demande, elle aussi, sortait de l'ordinaire. Il me parut important d'accéder à son désir au cours de cette ultime entrevue.

Nous sortîmes du Centre et fîmes le tour de l'église. Dibs levait les yeux vers elle, impressionné par ses proportions.

— Et maintenant, entrons. Voyons ce qu'il y a dedans, me dit-il.

Nous montâmes les marches du perron. J'ouvris les lourdes portes et nous pénétrâmes dans l'église. Dibs paraissait tout petit sous ces hautes voûtes. Il s'avança lentement le long de l'allée centrale, fit quelques pas en courant, s'arrêta, leva les yeux, puis regarda autour de lui. Une expression de crainte et d'émerveillement se peignait sur son visage. Il était impressionné par la magnificence de cette église.

— Je me sens tellement, tellement petit, me dit-il. J'ai l'impression d'avoir rétréci.

Il fit lentement un tour sur lui-même et admira ce qui se trouvait autour de lui.

— Ma grand-mère dit qu'une église est la maison de Dieu, dit-il. Eh bien, je n'ai jamais vu Dieu, mais il doit être énormément, énormément grand, s'il a besoin d'une grande, grande maison comme celle-là. Et Jake disait qu'une église, c'est un endroit tellement sacré.

Brusquement, il se mit à courir vers l'autel. Il rejeta sa tête en arrière, puis il tendit ses deux bras aussi haut qu'il le put vers les deux grands vitraux qui éclairaient le chœur. Il se retourna et me regarda, incapable de prononcer une parole.

C'est à ce moment précis que l'organiste commença à jouer. Dibs courut vers moi et se saisit de ma main.

— Allons-nous-en ! Allons-nous-en ! J'ai peur ! s'écria-t-il.

— C'est la musique qui t'a fait peur ? lui demandai-je comme nous nous en retournions vers la porte.

Dibs s'arrêta et jeta un regard en arrière.

— Ecoutez. Ne partons pas tout de suite.

Nous nous arrêtâmes.

— J'ai peur de la grandeur de cette église et j'ai peur du bruit, déclara Dibs. Mais c'est si beau que cela me remplit de lumière et de beauté.

— Tu as peur, mais cela te plaît quand même ? lui dis-je. C'est une belle église.

Dibs lâcha ma main et se remit à descendre l'allée centrale.

— Qu'est-ce qui peut faire ce drôle de bruit ? me demanda-t-il.

— C'est un homme qui joue de l'orgue et ce bruit est la musique qui sort des tuyaux de l'orgue.

— Oh, fit Dibs. Je n'ai encore jamais entendu une musique comme celle-là. Cela me fait froid dans le dos. Cela me donne la chair de poule.

Il reprit ma main et la serra fort.

— Je n'ai jamais rien vu d'aussi beau, murmura-t-il.

Le soleil brillait à travers le verre coloré des vitraux et les rayons de lumière descendaient jusqu'à nous.

— Sortons d'ici, me dit Dibs à voix basse.

Nous nous dirigeâmes une nouvelle fois vers la porte. Dibs ne cessait de regarder par-dessus son épaule. Parvenu à la porte, il s'arrêta encore.

— Attendez une minute, murmura-t-il.

Il agita timidement sa main en direction de l'autel et dit d'une petite voix :

— Au revoir, Dieu. Au revoir !

Nous sortîmes de l'église et retournâmes à la salle de jeu. Dibs ne dit pas un mot tout le long du chemin. Lorsque nous fûmes à nouveau dans la salle de jeu, il alla s'asseoir sur la chaise, près de la table. Il me sourit.

— C'était vraiment très joli, me dit-il. Aujourd'hui, je suis allé dans la maison de Dieu. Pour la première, la toute première fois, je suis entré dans la maison de Dieu.

Il demeura assis là un long moment, les yeux baissés sur ses mains croisées.

— Dites-moi, reprit-il tout à coup. Pourquoi y a-t-il des gens qui croient en Dieu et d'autres qui n'y croient pas ?

— Je ne crois pas que je sache répondre à cette questiontion, Dibs, lui dis-je.

— Mais est-il vrai qu'il y a des gens qui croient et d'autres qui ne croient pas ?

— Oui. Je pense que c'est vrai.

— Grand-mère croit. Papa et Maman ne sont pas croyants. Et Jake, lui, croyait. Il me l'a dit.

— Je crois que chacun prend une décision qui lui est propre. Chaque personne décide pour elle-même.

— Je me demande comment peut être Dieu, dit Dibs. Grand-mère m'a dit une fois que Dieu était notre Père qui est au ciel. Père, c'est une autre façon de dire Papa. Je ne voudrais pas que Dieu ressemble à mon Papa. Parce que, quelquefois, j'ai l'impression que Papa ne m'aime pas. Et si je croyais en Dieu, comme le fait grand-mère, je voudrais que Dieu, lui, m'aime. Mais grand-mère dit que Papa m'aime. Mais alors, s'il m'aime, comment se fait-il que je ne le sache pas ? Grand-mère, elle, m'aime et moi, je l'aime et je le sais, parce que je le sens tout au fond de moi.

Il serra fortement ses mains contre son cœur et plongea son regard troublé dans mes yeux. Il avait froncé les sourcils.

— C'est difficile de comprendre ces choses-là, conclut-il, après un long silence.

Il se dirigea vers la fenêtre et contempla l'église.

— Ça, c'est la maison de Dieu, dit-il doucement. Grand-mère dit que Dieu est amour. Et Jake disait qu'il croyait en Dieu. Il disait qu'il priait, ce qui veut dire qu'il parlait à Dieu. Mais, moi, je n'ai jamais prié. Mais pourtant j'aimerais bien parler à Dieu. J'aimerais entendre ce qu'il a à dire. Il y a un garçon dans ma classe, à l'école, qui croit en Dieu. Il est catholique et il croit en Dieu. Il y a un autre garçon qui est juif et qui va à la synagogue, et ça, c'est la maison que les juifs ont construite pour Dieu.

Il se retourna et me regarda. Il tendit les bras vers moi, les mains ouvertes.

— Mais Papa et Maman ne croient pas en Dieu, alors moi non plus. Je me sens très seul de ne pas connaître Dieu.

Il arpenta la pièce en tous sens.

— Ma grand-mère est bonne, dit-il. Elle va à l'église et elle chante des chansons qui parlent de Dieu. Elle est croyante.

Il revint vers moi, prit mes mains dans les siennes et me regarda d'un air interrogateur.

— Dites-moi, reprit-il. Pourquoi est-ce qu'il y a des gens qui croient en Dieu et d'autres qui n'y croient pas ?

C'était une question à laquelle il était difficile de répondre.

— Chacun prend une décision à ce sujet quand il est plus grand, lui dis-je. Chaque personne décide pour elle-même de ce qu'elle veut croire. Mais pour le moment, c'est une question qui te trouble, n'est-ce pas ?

— Oui, dit-il. Elle me trouble.

Il y eut un long silence.

— Savez-vous ce que je suis en train d'essayer d'apprendre ? me demanda-t-il.

— Non. Quoi ?

— Je suis en train d'essayer d'apprendre à jouer au base-ball. Papa essaie de m'apprendre. Nous allons tous les deux au parc. Mais Papa ne sait pas très bien jouer au base-ball, lui non plus. Il est difficile de frapper ces balles-là avec une batte. Et elles sont difficiles à lancer là où on veut qu'elles aillent. Mais j'apprendrai à le faire parce que tous les garçons à l'école jouent au base-ball et que je veux jouer avec eux. Alors, il faut bien que je sache. Alors, j'essaie très fort d'apprendre. Et j'apprendrai. Mais je n'aime pas beaucoup ça. Je sais mieux jouer aux gendarmes et aux voleurs et j'aime mieux aller courir dans la cour de la vieille Mme Henry. Elle crie pas mal après moi !

La sonnette retentit. La mère de Dibs était arrivée.

— Au revoir, Dibs, lui dis-je. J'ai été très heureuse de te rencontrer.

— Oui. Moi aussi, répondit Dibs. Au revoir.

Nous nous rendîmes ensemble à la salle d'attente. Il fit une glissade et prit la main de sa mère.

— Bonjour, maman, dit-il. Je ne reviendrai plus jamais ici. Aujourd'hui, c'était pour dire adieu.

Ils partirent ensemble — un petit garçon, à qui l'on

avait donné l'occasion de s'affirmer en jouant et qui était devenu un enfant heureux et capable, et une mère, qui en était venue à mieux comprendre et à estimer son enfant très doué.

CHAPITRE XXIV

Un jour, deux ans et demi plus tard, j'étais assise dans mon salon et je lisais. J'habitais un appartement au rez-de-chaussée d'une maison située à l'angle de deux rues. Les fenêtres étaient ouvertes et une voix — une voix forte et joyeuse —, une voix d'enfant qui m'était très familière, me parvint par la fenêtre.

— Eh, dis, Peter May, descends donc ici et viens voir dans ma cour. Il y a vingt-sept sortes différentes de plantes et d'arbustes dans ma cour. Viens les voir avec moi !

— Vingt-sept quoi ?

— Sortes différentes de plantes et d'arbustes.

— Oh !

— Viens donc les voir.

— Regarde ce que j'ai.

— Qu'est-ce que c'est ? Oh ! Des billes !

— Oui. Tu veux changer avec moi ?

— Oui. Qu'est-ce que tu veux que je te donne ?

— Qu'est-ce que tu as ? Qu'est-ce que tu as, Dibs ?

Oui. C'était bien Dibs et l'un de ses amis.

— Ecoute-moi ! Ecoute ! s'écria Dibs. tout excité. Tu me donnes cette bille bleue, là, avec un anneau, et moi je te donnerai l'un des premiers vers sortis ce printemps.

— Tu m'en donneras un ? Où sont-ils ?

— Ils sont là !

Dibs plongea dans sa poche et en sortit un petit pot de verre. Il en dévissa le couvercle percé de trous et avec précaution en tira un ver de terre. Il le déposa dans la main sale de Peter. Il souriait. Peter était visiblement impressionné.

— Dis-toi bien que c'est le premier ver de terre sorti ce printemps, répéta Dibs.

Dibs avait apparemment emménagé dans un grand immeuble entouré de jardins, qui se dressait un peu plus loin dans ma rue. Quelques jours plus tard, je le croisai sur le trottoir. Nous nous regardâmes. Dibs me fit un grand sourire, s'avança et me prit la main.

— Bonjour, me dit-il.

— Bonjour, Dibs.

— Je sais qui vous êtes, me dit-il.

— C'est vrai ?

— Oh, oui ! Vous êtes la dame de la merveilleuse salle de jeu, dit-il. Vous êtes Miss A.

Nous allâmes nous asseoir sur les marches du perron d'un grand immeuble, non loin de là, pour bavarder un peu.

— C'est bien ça, lui dis-je. Et toi, tu es Dibs.

— Je suis grand, maintenant, me dit-il. Mais je me souviens du temps où j'étais très, très petit et où je vous ai vue pour la première fois. Je me souviens des jouets, de la maison de poupée et du sable, des hommes et des femmes et des enfants dans le monde que j'avais construit. Je me souviens des cloches et de l'heure où il fallait s'en aller et du camion. Je me souviens de l'eau et de la peinture et des assiettes de la dînette. Je me souviens de notre bureau et de nos livres et de notre magnétophone. Je me souviens de tous les gens. Et je me souviens de la façon dont vous jouiez avec moi.

— A quoi jouions-nous, Dibs ?

Dibs se pencha vers moi. Il avait les yeux brillants.

— Tout ce que je faisais, vous le faisiez, murmura-t-il. Tout ce que je disais, vous le disiez.

— Alors, c'est comme ça que ça se passait !

— Oui. « Cette salle est ta salle de jeu, Dibs », m'aviez-vous dit. « Tout est pour toi. Amuse-toi, Dibs. Amuse-toi. Personne ne va te faire de mal. Amuse-toi. »

Dibs poussa un soupir.

— Et c'est vrai que je me suis amusé. Je ne me suis jamais tant amusé de ma vie. Dans cette salle de jeu, j'ai construit avec vous un monde à moi. Vous vous en souvenez ?

— Oui, Dibs. Je m'en souviens.

— Jeudi prochain, ça fera deux ans, six mois et quatre jours que je suis allé vous voir là-bas, dans la salle de jeu, pour la dernière fois. Je m'en souviens très bien.

J'avais arraché une feuille à mon calendrier ce dernier jour-là et avec mon crayon rouge, j'avais entouré la date avec un grand cercle rouge. Je l'ai encadrée, cette feuille, et elle est accrochée sur le mur de ma chambre. Justement, l'autre jour, je l'ai regardée par hasard et j'ai compté combien de temps s'était écoulé. Ça fera deux ans, six mois et quatre jours jeudi prochain.

— Ainsi ce jour-là t'avait paru très important, lui dis-je. Alors tu l'as entouré de rouge et tu l'as encadré. Pourquoi as-tu fait une chose pareille, Dibs ?

— Je ne sais pas, répondit Dibs. Je ne l'aurais jamais oublié. J'y ai repensé bien des fois.

Il y eut un long silence. Dibs me regarda fixement. Il poussa un profond soupir.

— Au début, reprit-il, cette salle de jeu me paraissait tellement, tellement grande. Et les jouets ne me plaisaient pas beaucoup. Et j'avais tellement peur.

— Tu avais peur, là-bas, Dibs ?

— Oui.

— Mais pourquoi avais-tu peur ?

— Je ne sais pas. J'étais effrayé au début parce que je ne savais pas ce que vous alliez faire et que je ne savais pas ce que j'allais faire. Mais vous m'avez simplement dit : « Tout ceci est pour toi, Dibs. Amuse-toi. Personne ne va te faire mal, ici. »

— J'ai dit ça, moi ?

— Oui, répondit Dibs avec fermeté. C'est ce que vous m'avez dit. Alors, peu à peu, j'en suis venu à vous croire. Et c'était vraiment comme ça. Vous m'avez dit qu'il fallait que je me batte contre mes ennemis jusqu'à ce qu'ils me demandent pardon et qu'ils me disent qu'ils regrettaient de m'avoir fait du mal.

— Et c'est ce que tu as fait ?

— Oui. J'ai découvert qui étaient mes ennemis et je me suis battu contre eux. Mais alors j'ai découvert que je n'avais plus peur. J'ai découvert que je ne suis pas malheureux quand je sens de l'amour. Maintenant, je suis grand et fort et je n'ai plus peur. Et je me souviens de cette église que nous avons visitée ce dernier jour où je suis revenu vous voir. Je me souviens avoir découvert combien Dieu était grand. La porte était si haute. Et le plafond était tout là-haut, là-haut, presque à toucher le ciel. Et quand tout à coup la musique a commencé à résonner, je me suis mis à trembler. Je voulais sortir et je voulais rester. Et je suis passé devant cette église l'autre jour. J'ai monté les marches et je suis allé jusqu'à la porte. Elle était fermée. J'ai frappé à la porte et j'ai appelé par le trou de la serrure. J'ai dit : « Y a-t-il quelqu'un aujourd'hui ? » Mais je suppose qu'il n'y avait personne, parce que personne n'est venu, alors, je suis reparti.

Je pouvais très bien imaginer Dibs grimpant les marches de cette église et frappant timidement à cette lourde porte sculptée.

Brusquement, il bondit.

— Venez voir ma cour, s'écria-t-il. C'est une très, très grande cour et il y a des tas et des tas de plantes et d'arbustes dedans. Devinez combien ?

— Oh, fis-je, peut-être vingt-sept sortes différentes ?

— Oui, cria Dibs. Mais comment le savez-vous ? J'ai dû les compter et les recompter pendant plus de quinze jours avant de le savoir. Vous êtes déjà allée dans ma cour ?

— Non. Je ne suis jamais allée dans ta cour, répliquai-je.

— Alors, comment le savez-vous ? Comment l'avez-vous su ? Dites-moi comment vous le savez !

— Tu ne crois pas que je pourrais le savoir à moins d'y aller et de les compter ?

— Mais, me dit Dibs, d'un ton exaspéré, il ne suffit pas de les compter ! Il faut examiner soigneusement toutes les plantes et tous les buissons et voir comment ils diffèrent les uns des autres. Alors, on les reconnaît. Et puis, ensuite, on compte les variétés. On écrit le nom de chaque plante et l'endroit où elle se trouve. Ce n'est pas une chose simple et vite faite. Ce n'est pas une chose que l'on peut se contenter de deviner. Et si vous n'êtes jamais entrée dans ma cour et si vous n'avez jamais fait tout ça, alors comment avez-vous bien pu savoir qu'il y a vingt-sept sortes différentes ?

— Bon, Dibs, je vais t'expliquer, lui dis-je. L'autre jour, j'étais assise chez moi et je lisais près de la fenêtre ouverte et je t'ai entendu dire à Peter : « Il y a vingt-sept différentes sortes de plantes et d'arbustes dans ma cour. » C'était le jour où tu lui as donné le premier ver de terre qui soit sorti ce printemps.

— Oh, s'exclama Dibs. Parce que vous habitez par ici Mais alors, Miss A, nous sommes voisins !

— Oui. Nous sommes voisins.

— Ça, c'est bien, fit Dibs. Bon, eh bien, alors venez maintenant voir mon jardin.

Nous allâmes jusqu'à la cour de Dibs et il me montra les vingt-sept différentes variétés de plantes qui y poussaient.

Quelques jours plus tard, je rencontrai sa mère et son père dans la rue. Nous nous dîmes bonjour et ils me remercièrent à nouveau tous les deux de l'aide que je leur avais apportée. Ils me dirent que Dibs avait continué à faire des progrès étonnants, que c'était désormais un enfant heureux et bien équilibré, qu'il s'entendait bien avec les autres enfants. Il allait maintenant dans une école réservée aux enfants doués et il y travaillait très bien.

A ce moment précis, Dibs tourna le coin de la rue sur sa bicyclette et vint vers nous en hurlant comme un Indien.

— Dibs, appela sa mère, viens donc voir qui est avec nous. Te souviens-tu de cette dame ?

Dibs se précipita vers nous en souriant.

— Bonjour, cria-t-il.

— Bonjour, Dibs, lui dis-je.

— Ta maman t'a posé une question, Dibs, dit Papa.

— Oui, papa, je l'ai entendue, fit Dibs. Elle m'a demandé si je connaissais cette dame. Bien sûr que je connais cette dame. Elle a été ma toute première amie.

Papa parut légèrement embarrassé.

— Eh bien, si tu avais entendu ta maman, pourquoi ne lui as-tu pas répondu ?

— Je m'excuse, papa, dit Dibs.

Il y avait une lueur de malice au fond de ses yeux.

— Je suis très content de vous avoir revue, me dit « Papa ». Je vous prie de m'excuser, mais il faut que je m'en aille.

Il se dirigea vers sa voiture.

Dibs cria derrière lui :

– M'man et toi, vous retardez, parce que j'ai déjà rencontré Miss A il y a cinq jours !

Papa rougit, s'engouffra dans sa voiture et démarra.

« M'man » eut l'air un peu ennuyée.

— Je ne veux pas de ça, Dibs, lui dit-elle. Et pourquoi ne lui donnes-tu pas son nom ? Pourquoi l'appelles-tu toujours Miss A ?

D'un bond, Dibs se remit en selle

— Miss A. Miss A. Un nom très spécial pour une amie très spéciale, s'écria-t-il.

Il se mit à pédaler furieusement, tout en imitant le klaxon d'une voiture de pompiers.

Oui, Dibs avait changé. Il avait appris à être lui-même, à croire en lui-même, à se libérer. A présent, il était détendu et heureux. Il était capable d'être un enfant.

EPILOGUE

Dibs avait connu bien des moments sombres et il avait vécu pendant un certain temps une vie pleine d'ombres. Mais on lui avait offert la possibilité de laisser derrière lui ces tristes périodes de tristesse et de découvrir qu'il pouvait tout à la fois faire face aux moments sombres et aux moments lumineux de son existence.

Il y a peut-être plus de compréhension et de beauté dans une vie, quand le soleil éblouissant est adouci par le jeu des ombres. Peut-être y a-t-il plus de profondeur dans des rapports humains qui ont surmonté quelques tempêtes. Une expérience qui ne désappointe, n'attriste ou ne bouleverse jamais, est une expérience terne, sans vrais défis, sans beaucoup de couleurs. Faire l'expérience de la confiance, de la foi et de l'espoir, les voir prendre corps devant nos yeux, fait peut-être naître en nous un sentiment de force intérieure, de courage et de sécurité.

Nous avons tous une responsabilité qui croît et se développe en fonction de toutes nos expériences, de nos rapports, de nos pensées et de nos émotions. Nous finissons par être la somme totale de tous les éléments qui entrent dans la composition d'une vie.

Comme je pensais que l'histoire de Dibs méritait d'être connue, j'avais présenté quelques extraits de ce récit aux étudiants de quelques universités où j'avais fait des cours, ainsi qu'à l'occasion de conférences destinées aux spécialistes.

Un jour, je reçus une lettre de l'un de ces anciens étudiants. « Je n'ai pu m'empêcher de prendre un peu de temps pour vous écrire ceci. J'étais un étudiant parmi les centaines d'autres qui se pressaient à votre cours — et je n'étais probablement même pas un visage connu de vous, mais, croyez-moi, j'étais une oreille attentive. Je suis loin d'ici en ce moment — en uniforme, de nouveau — et je m'attends à être envoyé bientôt au front. A la caserne, l'autre soir, j'ai surpris un fragment de conversation qui a fait revivre en moi toute l'Amérique et l'atmosphère de chez nous. Je n'ai pas oublié que vous disiez souvent que les choses importantes sont celles dont nous nous souvenons après avoir oublié tout le reste. Et certaines expériences peuvent assurément nous obliger à regarder les choses d'une autre manière. Nous étions là, l'autre soir — découragés, déprimés, nous demandant bien à quoi diable tout cela rimait —, lorsque soudain, Dibs fut parmi nous. De l'autre côté de la table, l'un des gars était en train de parler de Dibs. Pouvez-vous imaginer le choc que ce fut pour moi ? Je me précipitai vers lui. " Comment diable as-tu entendu parler de Dibs ? ", lui demandai-je. Il me le dit. Ce n'était pas la même classe ; ce n'était pas la même année ; ce n'était pas la même université. Mais il s'agissait bien du même gosse. Je n'ai pas besoin de vous dire quel bien cela me fit. Et pas seulement à moi. A nous tous. Parce que, ensemble, nous racontâmes toute l'histoire aux autres. Pour nous, Dibs est devenu un symbole de toutes les valeurs — ces valeurs humaines auxquelles nous essayons si fort de nous cramponner. Et comme l'autre gars le disait si bien : " Avec Dibs parmi nous, nous ne pouvons pas perdre. "

« Mais la chose qui m'a le plus frappé, a été de voir à quel point Dibs était réel — quelle véritable puissance dynamique il avait —, combien il était devenu une part de moi-même. Et puis, je me suis mis à réfléchir au sujet de l'éducation. J'ai fait un diplôme d'administration et je ne suis pas très fort en jargon psychologique. Je suis bien certain, en outre, que toutes les implications psychologiques de ce cas m'ont échappé, mais en mon âme et conscience je puis jurer que Dibs est le seul être réel que j'aie jamais rencontré dans une classe et qui ait pu m'enseigner ce que cela signifie que d'être une personne complète — et même que de chercher à aller au-delà. Je n'oublierai jamais ces trois phrases : Comme j'ai dit que je le voulais. Comme tu as dit que tu le voulais. Comme nous avons dit que nous le voulions. Je suppose que Dibs désirait seulement obtenir ce que nous désirons tous obtenir à l'échelle mondiale. Une chance de sentir que l'on vaut la peine. Une chance de devenir une personne dont les autres ont besoin, qui est respectée et acceptée en tant qu'être humain qui a droit à la dignité. »

La famille de Dibs avait déménagé pour aller s'installer en banlieue et j'avais perdu tout contact avec lui. Les années passèrent. Puis un jour, l'un de mes amis qui enseignait dans une école réservée aux enfants exceptionnellement doués, me montra une lettre qui avait paru dans le journal de l'école. Elle était adressée au directeur et au personnel enseignant. Cet ami ne savait rien de mes relations avec Dibs. Il savait seulement que j'étais intéressée par toutes les réflexions faites par des enfants qui témoignent de la compréhension et du courage dont ils sont capables dans la vie quotidienne, si on leur donne l'occasion de s'affirmer. Je me mis à lire cette lettre :

« Ceci est une lettre ouverte pour protester contre le renvoi récent de l'un de mes amis et camarades de classe. Je suis en effet indigné par votre dureté, votre manque de compréhension et de sensibilité. On murmure que mon ami a été victime d'une " exclusion temporaire, accompagnée d'un blâme ", parce qu'il aurait triché au cours des examens. Mon ami m'a dit qu'il n'a pas triché et je crois mon ami. Il dit qu'il vérifiait une date — une date importante en Histoire — et comme connaître avec exactitude une date donnée est essentiel, si l'on veut établir son existence même, il convient, en effet, de la vérifier. Je crois que vous ne comprenez pas pour quelles raisons nous faisons parfois les choses que nous faisons. Est-ce donc une faute à vos yeux que quelqu'un cherche à contrôler une connaissance ? Auriez-vous préféré qu'il aggrave des doutes honnêtes en restant dans l'ignorance ? Quel est, du reste, le but des examens ? Entendent-ils accroître nos connaissances ? Ou bien sont-ils des instruments dont on se sert pour faire souffrir, pour humilier et blesser profondément un être qui a fait tant d'efforts pour réussir ?

« L'un des professeurs a dit hier à mon ami, en présence de tout un groupe de nos camarades, que si le train que l'on menait dans cette école était trop rapide pour lui, s'il le contraignait à tricher pour pouvoir suivre, il serait préférable pour lui de songer à fréquenter une autre école. Je me sens personnellement insulté par cette remarque. J'ai honte de mon école si elle ne laisse pas en tous temps une porte ouverte afin que quiconque veuille y entrer, puisse venir nous rejoindre. Il y a des choses beaucoup plus importantes en ce monde qu'un étalage d'autorité et de puissance, des choses plus importantes que la vengeance, la punition et l'humiliation. En tant qu'éducateurs, vous vous devez de déverrouiller la porte de l'ignorance, des préjugés et de la méchanceté. A moins que mon ami ne reçoive des excuses pour avoir été blessé dans son orgueil et son amour-propre et qu'il ne soit réintégré, je ne reviendrai pas dans cette école à l'automne prochain.

« Croyez que je suis sincère et bien résolu à agir et que je demeure,

Sincèrement vôtre,
DIBS. »

— Quel âge a-t-il, maintenant ?

— Quinze ans.

— C'est une lettre intéressante qu'il écrit là, dis-je. Comment est-il ?

— C'est un garçon brillant. Plein d'idées. Il s'intéresse à tout et à tous. Très sensible. Un véritable chef. J'ai pensé que cette violente indignation vous amuserait. Et il agit selon ses convictions. L'école ne voudra pas le perdre. On va probablement faire ce qu'il demande.

Il se mit à rire.

— Voulez-vous la conserver pour la faire figurer dans votre collection de citations courageuses et originales, dans lesquelles la justice et l'égalité sont réclamées pour tous ?

— Bien volontiers, dis-je. Je vous en remercie. « Je suis sincère et bien résolu à agir. » Je n'en doute pas.

NOTE DE L'AUTEUR

Une semaine après que les séances de thérapie par le jeu eurent pris fin, un psychologue clinicien fit passer un test d'intelligence Stanford-Binet à Dibs. Celui-ci parut intéressé au plus haut point et se montra très coopératif. Il établit immédiatement de bons rapports avec l'examinateur, qu'il n'avait jamais vu auparavant. Les résultats de ce test donnèrent un Q.I. de 168.

A la même époque, Dibs fut également soumis à un test de lecture. Sa connaissance de la lecture était de plusieurs années en avance sur ce que l'on pouvait attendre d'un enfant de son âge et de sa classe. Il répondit correctement à toutes les questions, mais il acheva le test en expliquant à l'examinatrice qu'il n'aimait pas tellement ce genre de lecture « où l'on sautait sans raison d'un sujet à l'autre ». Il précisa ensuite que lorsqu'il lisait, il « préférait une histoire suivie et qui avait un intérêt véritable ».

Les notes du test révélèrent que Dibs était un enfant exceptionnellement doué, qui faisait très bon usage de ses capacités intellectuelles.

Les parents de Dibs nous avaient autorisés par écrit à enregistrer toutes les séances de thérapie. Ils nous avaient laissé toute liberté de faire usage de ces bandes magnétiques à des fins de recherche ou d'enseignement, à condition que nous apportions les modifications nécessaires pour que les personnes concernées ne soient pas reconnues. Il nous permettaient, enfin, d'en publier le contenu, si nous estimions qu'un tel compte rendu pouvait contribuer à une meilleure compréhension des enfants en général. Je ne permets jamais que des séances de thérapie soient enregistrées, si je n'ai pas obtenu au préalable l'autorisation écrite des parents.

Ce livre a donc été composé d'après les enregistrements des séances. De manière à faciliter la lecture, on a éliminé des bandes toutes les informations qui auraient pu permettre d'identifier le sujet, les faux départs et quelques répétitions inutiles. Le dialogue entre Dibs et le thérapeute, tel qu'il s'est déroulé au cours des séances tenues au Centre d'Orientation des Enfants, est rapporté ici *verbatim* pour l'essentiel. Les entretiens avec la mère de l'enfant sont aussi rapportés d'après le compte rendu des séances, mais le texte n'en a pas été donné intégralement, certains détails, trop personnels, qui auraient permis une identification — et qui d'ailleurs ne concernaient pas Dibs spécifiquement — ayant été omis.

Il faut préciser, cependant, que toutes les paroles qui ont été mises dans la bouche de Dibs ou de sa mère, ont réellement été prononcées. Un enfant, si on lui en donne l'occasion, a le don de communiquer d'une façon honnête et directe. Une mère, à qui l'on témoigne du respect et qui se sent acceptée dans sa dignité, peut arriver également à s'exprimer de façon très sincère, lorsqu'elle comprend qu'elle ne sera ni critiquée, ni blâmée.

FIN

LES SCIENCES HUMAINES DANS LA COLLECTION CHAMPS

ABRAHAM, TOROK
L'Écorce et le noyau.
Le Verbier de l'homme aux loups.

ADORNO
Notes sur la littérature.

ALAIN
Idées. Introduction à la philosophie de Platon, Descartes, Hegel, Comte.

AMSELLE
Vers un multiculturalisme français.

ANATRELLA
L'Église et l'amour.
Non à la société dépressive.
Le Sexe oublié.

ARCHÉOLOGIE DE LA FRANCE
(Réunion des musées nationaux).

ARNAULD, NICOLE
La Logique ou l'art de penser.

ARNHEIM
La Pensée visuelle.

AUGÉ
Anthropologie des mondes contemporains.

AXLINE
Dibs.

BADINTER
L'Amour en plus.

BARBEROUSSE, KISTLER, LUDWIG
La Philosophie des sciences au XXe siècle. (Champs-Université)

BAVEREZ
Raymond Aron.
Les Trente Piteuses.

BENJAMIN
Origine du drame baroque allemand.

BERNARD
Introduction à l'étude de la médecine expérimentale.

BODEI
La Philosophie au XXe siècle (inédit).

BORCH-JACOBSEN
Lacan.

BRILLAT-SAVARIN
Physiologie du goût.

CHAGNOLLAUD, QUERMONNE
La Ve République :
t. 1 Le Pouvoir exécutif.
t. 2 Le Pouvoir législatif.
t. 3 Le Régime politique.
t. 4 L'État de droit et la justice.

CHOMSKY
Langue, Linguistique, Politique. Dialogues avec Mitsou Ronat.
Réflexions sur le langage.

CHUVIN
La Mythologie grecque.

COGARD
Introduction à la stylistique. (Champs-Université)

COHEN (Daniel)
Richesse du monde, pauvretés des nations.

COHEN (Jean)
Structure du langage poétique.

CONSTANT
De la force du gouvernement actuel de la France et de la nécessité de s'y rallier (1796). Des réactions politiques. Des effets de la Terreur (1797).

DANIÉLOU
Mythes et dieux de l'Inde.

DARAKI
Dionysos et la déesse Terre.

DAVY
Initiation à la symbolique romane.

DELEUZE, PARNET
Dialogues.

DERRIDA
Éperons. Les styles de Nietzsche.
Heidegger et la question.
La Vérité en peinture.

DETIENNE, VERNANT
Les Ruses de l'Intelligence. La Mètis des Grecs.

DEVEREUX
Femme et mythe.

DODDS
Les Grecs et l'irrationnel.

DUMÉZIL
Heurs et malheurs du guerrier.
Loki.
Mythes et dieux des Indo-Européens.

DURKHEIM
Règles de la méthode sociologique.

ÉCOLE DE LA CAUSE FREUDIENNE
De l'amour (inédit).
Lacan, l'écrit, l'image (inédit).

EDELMAN
Le Droit saisi par la photographie.

ELIADE
Forgerons et alchimistes.

ENCEL
Géopolitique de Jérusalem.

ÉRIBON
Michel Foucault.

ERIKSON
Adolescence et crise.

FAURE
Bouddhismes, philosophies et religions.

FLASCH
Introduction à la philosophie médiévale.

FONTANIER
Les Figures du discours.

FRÉMONT
France, géographie d'une société.
La Région, espace vécu.

FUKUYAMA
La Fin de l'Histoire et le dernier homme.

GADREY
Nouvelle économie, nouveau mythe ?

GENTIS
Leçons du corps.

GIRAUD
La Théorie des jeux. (Champs-Université)

GOMEZ
L'Invention de l'Amérique.

GRENIER
L'Esprit du Tao.

GUÉHENNO
La Fin de la démocratie.

GUILLAUME
La Psychologie de la forme.

GUSDORF
Mythe et métaphysique.

GUYOMARD
La Jouissance du tragique.

HABERMAS
De l'éthique de la discussion.
Écrits politiques.
Morale et communication.

HAMBURGER
L'Aventure humaine.

HARRISON
Forêts. Essai sur l'imaginaire occidental.

HASSOUN
La Cruauté mélancolique.
Les Passions intraitables.

HEGEL
Introduction à l'Esthétique. Le Beau.

HELL
Le Sang noir.

HORNUNG
Les Dieux de l'Égypte.

JAFFRO, RAUZY
L'École désœuvrée. La nouvelle querelle scolaire.

JANKÉLÉVITCH
L'Ironie.
La Mort.
Le Pur et l'Impur.
Le Sérieux de l'intention. Traité des vertus I.
Les Vertus et l'Amour. Traité des vertus II.
L'Innocence et la Méchanceté. Traité des vertus III.

JANOV
Le Cri primal.

JONAS
Le Principe Responsabilité.

LABORIT
L'Homme et la ville.

LACOSTE
La Légende de la Terre.

LAPLANCHE
Le Primat de l'autre en psychanalyse.
Vie et mort en psychanalyse.

LEBOVICI
En l'homme, le bébé.

LE BRAS
Les Limites de la planète.

LE DŒUFF
Le Sexe du savoir.

LEGENDRE
Le Crime du caporal Lortie. Traité sur le père.

LEPAPE
Diderot.

LESCOURRET
Levinas.

LLOYD
Origine et développement de la science grecque.

LORENZ
L'Agression.
L'Envers du miroir.
Les Fondements de l'éthologie.

LORENZ, POPPER
L'avenir est ouvert.

MACHIAVEL
Discours sur la première décade de Tite-Live.

MAJOR
Lacan avec Derrida.

MANENT
La Cité de l'homme.

MANIN
Principes du gouvernement représentatif.

MARX
Le Capital, livre I, sections I à 4.
Le Capital, livre I, sections 5 à 8.

MAUCO
Psychanalyse et éducation.

MEAD EARLE
Les Maîtres de la stratégie.

MÉDA
Qu'est-ce que la richesse ?
Le Travail. Une valeur en voie de disparitic

MILL
L'Utilitarisme.

MILLOT
Freud antipédagogue.

MORIN
La Complexité humaine.

MOSCOVICI
Essai sur l'histoire humaine de la nature

NASIO
Les Yeux de Laure.

NASSIF
Freud. L'inconscient.

OLIVIER
Les Fils d'Oreste ou la question du père.

PANKOW
L'Homme et sa psychose.

PAPERT
Jaillissement de l'esprit.

PASSET
L'Illusion néolibérale.

PÉRONCEL-HUGOZ
Le Radeau de Mahomet.

POMMIER
Le Dénouement d'une analyse.
Freud apolitique ?
L'Ordre sexuel.

POPPER
La Connaissance objective.

QUINE
Le Mot et la chose.

RAND, TOROK
Questions à Freud.

REICHHOLF
L'Émergence de l'homme.

RÉMOND
La politique n'est plus ce qu'elle était.

RENAUT
Kant aujourd'hui.

RENFREW
L'Énigme indo-européenne.

RENOU
La Civilisation de l'Inde ancienne
d'après les textes sanscrits.

REVAULT-D'ALLONNES
Ce que l'homme fait à l'homme. Essai sur le mal politique.

ROUDINESCO
Pourquoi la psychanalyse ?

ROUVILLOIS
Droit constitutionnel. La Ve République.
(Champs-Université).

RUSSELL
Signification et vérité.

SAUVERZAC
Françoise Dolto. Itinéraire
d'une psychanalyste.

SCHMITT
La Notion de politique. Théorie
du partisan.

SCHUMPETER
Impérialisme et classes sociales.

SEILLER
Droit administratif. I. Les sources et le juge.
(Champs-Université).

SERRES
Atlas.
Le Contrat naturel.
Éclaircissements.
Éloge de la philosophie en langue française.
La Légende des anges.
Les Origines de la géométrie.
Statues.

SIBONY
Psychanalyse et judaïsme. Questions de transmission (inédit).

SPAEMANN
Notions fondamentales de morale (inédit).

STAROBINSKI
1789. Les Emblèmes de la raison.

STEINER
Martin Heidegger.

STOETZEL
La Psychologie sociale.

STRAUSS
Droit naturel et histoire.

SUN TZU
L'Art de la guerre.

TAYLOR
Multiculturalisme.

THIREAU
Introduction historique au droit.
(Champs-Université).

THIS
Naître... et sourire.

TISSERON
Le Mystère de la chambre claire.
Psychanalyse de la bande dessinée.

URVOY
Averroès. Les ambitions d'un intellectuel musulman.

VALADIER
L'Église en procès. Catholicisme et
pensée moderne.

VERNANT
Introduction à la logique standard.
(Champs-Université).

WALLON
De l'acte à la pensée.

WEBER
L'Éthique protestante et l'esprit du capitalisme (traduction inédite).

WOLTON
Éloge du grand public.
Internet et après ?
Naissance de l'Europe démocratique.
Penser la communication

Achevé d'imprimer en juillet 2002
sur presse Cameron
par ***Bussière Camedan Imprimeries***
à Saint-Amand-Montrond (Cher)

N° d'éditeur : FH 101611.
Dépôt légal : 2e trimestre 1977.
N° d'impression : 023003/1.

Imprimé en France